Psicanálise da Criança
teoria e técnica

Aviso ao leitor

A capa original deste livro foi substituída por esta nova versão. Alertamos para o fato de que o conteúdo é o mesmo e que esta nova versão da capa decorre da alteração da razão social desta editora e da atualização da linha de design da nossa já consagrada qualidade editorial.

artmed®
EDITORA

A143t Aberastury, Arminda
    Psicanálise da criança – Teoria e técnica. Tradução Ana Lúcia Leite de Campos. Porto Alegre : Artmed, 1982.
    288 p. ; 22 cm.

    ISBN 978-85-7307-661-5

    1. Crianças-psicanálise. 2. Psicanálise. I. Campos, Ana Lúcia L. de trad. II t.

              CDU 159.964.2-053.2
                  615.851.1-053.2
                CDU 618.928914

Bibliotecária responsável: Patrícia Figueroa CRB-10/542

ARMINDA ABERASTURY

Psicanálise da Criança
teoria e técnica

Colaboração de
SUSANA L. DE FERRER
ELEZABETH G. DE GARMA
POLA I. DE TOMAS

Material clínico de
LIDIA S. DE FORTI, HECTOR GARBARINO,
MERCEDES F. DE GARBARINO, SARA H. DE JARAST,
MANUEL KIZZER, GELA H. DE ROSENTHAL,
JORGE T. ROVATTI e EDUARDO SALAS

Tradução:
ANA LÚCIA LEITE DE CAMPOS
Licenciada em Letras

Supervisão da tradução e apresentação à edição brasileira:
JÚLIO CAMPOS
Psicanalista, Membro da Associação Psicanalítica Argentina

8ª EDIÇÃO

Reimpressão 2012

artmed®

1982

Obra publicada, originalmente em espanhol sob o título
Teoría y Técnica del Psicoanálisis de Niños
© de Editorial Paidós, Buenos Aires, 1979

Capa:
Ângela Fayet

Coordenação editorial:
Paulo Flávio Ledur

Composição, diagramação e arte:
VS Digital

Reservados todos os direitos de publicação, em língua portuguesa, à
ARTMED® EDITORA S.A.
Av. Jerônimo de Ornelas, 670 - Santana
90040-340 Porto Alegre RS
Fone (51) 3027-7000 Fax (51) 3027-7070

É proibida a duplicação ou reprodução deste volume, no todo ou em parte,
sob quaisquer formas ou por quaisquer meios (eletrônico, mecânico, gravação,
fotocópia, distribuição na Web e outros), sem permissão expressa da Editora.

SÃO PAULO
Av. Angélica, 1091 - Higienópolis
01227-100 São Paulo SP
Fone (11) 3665-1100 Fax (11) 3667-1333

SAC 0800 703-3444

IMPRESSO NO BRASIL
PRINTED IN BRAZIL

*A
Angel Garma*

Homme nul n'a sondé le fond de tes abîmes.

Les fleurs du mal
CHARLES BAUDELAIRE

*Sabemos, sí, que hay luz. Está aguardando
detrás de esa ventana
con sus trágicas garras diamantinas,
ansiosa
de clavarnos, de hundirnos, evidencias
en la carne, en los ojos, más allá.*

Razón de amor
PEDRO SALINAS

SUMÁRIO

Apresentação à edição brasileira 11
Nota preliminar 13
Prólogo 15

PARTE I – HISTÓRIA DA TÉCNICA
1 – Análise da fobia de uma criança de cinco anos 21
2 – Nascimento de uma técnica 34
3 – Duas correntes em psicanálise de crianças 60
4 – A psicanálise de crianças na Argentina 70

PARTE II – TÉCNICA ATUAL
5 – A entrevista inicial com os pais 81
6 – O consultório, o material de jogo, a caixa individual; problemas técnicos que surgem do seu uso diário 97
7 – A primeira hora de jogo: seu significado 111
8 – Entrevistas posteriores com os pais 135

PARTE III – CASOS CLÍNICOS
9 – Casos clínicos 151
10 – Conflitos na elaboração do luto 180
    Primeira parte – Pola I. de Tomas 180
    Segunda parte – Susana L. de Ferrer 188
11 – Fragmentos de casos clínicos 211
12 – Surgimento de ansiedades anal-sadomasoquistas enquistadas por fracassos na lactância – Elizabeth G. de Garma 220

PARTE IV - PROFILAXIA DA NEUROSE INFANTIL
13 – Grupos de orientação de mães 249
14 – Novas perspectivas na terapia 266

Índice alfabético de casos 285

Referências 286

APRESENTAÇÃO À EDIÇÃO BRASILEIRA

Apresentar a versão brasileira deste livro é sumamente gratificante para mim, por várias razões. Primeiramente, por tratar-se de uma obra já clássica e indispensável para todas as pessoas que se interessam pela saúde mental, mormente para os que dedicam seu trabalho às crianças e aos adolescentes. Este é um dos raros livros de teoria e técnica para terapeutas de crianças elaborado em nosso meio ambiente. Considero nosso meio ambiente, porque penso que a idiossincrasia e as experiências vitais de uma criança brasileira se assemelham em muito às de uma argentina. Este livro vem, nesse sentido, complementar as bases teórico-clínicas aportadas por outros autores, como Melanie Klein e Anna Freud, por exemplo, já que também é verdadeiro o fato de que o aparelho psíquico possui peculiaridades semelhantes em todas as latitudes.

O livro apresenta, de forma direta e dinâmica, os conhecimentos de Arminda Aberastury e do grupo de trabalho a ela ligado. Tivemos por essa razão certa dificuldade na tradução, já que a linguagem empregada está formulada, muitas vezes, na forma oral de comunicação, o que, apesar de literariamente inusual, dá vigor ao texto e impacto emocional ao leitor. Procuramos, na medida do possível, conservar esta característica, principalmente quando se trata de diálogos ou de referências diretas ao material clínico das crianças.

Outra satisfação que nos proporcionou está relacionada com a sua tradução. Visto que a grande maioria das pessoas envolvidas em sua elaboração foram professores nossos, ou mesmo amigos, durante a nossa estada em Buenos Aires, representa, esta tradução, para mim e para minha esposa, a possibilidade de aplicação direta dos conhecimentos adquiridos. Representa também, do ponto de vista afetivo, um laço entre o Brasil e as nossas vivências argentinas.

Gostaria também de colocar algumas palavras com relação à história do movimento psicanalítico voltado às crianças na Argentina após a publicação deste livro. Um fato importante foi a morte de Arminda Aberastury em 1973. Já então se havia formado um número suficiente de profissionais para permitir o progresso do movimento. Uma das figuras que adquiriu grande destaque a partir daquele momento foi Susana Ferrer, que, em colaboração com psicanalistas como Eduardo Salas, Gela Rosenthal, Sara Zusman de Arbiser, Elizabeth Goode de Garma, Mauricio Knobel, Raquel Soifer, Aiban Hagelin,

Eduardo Kalina, Arnaldo Smola, Diana Inglesini e outros, realizou importantes obras na formação e divulgação da psicanálise infantil. Foi ponto relevante a criação, na Asociación Psicoanalítica Argentina, do "Departamento de Niños y Adolescentes Arminda Aberastury". Esse departamento tem a função de instruir e orientar as pessoas que, estando em formação psicanalítica, queiram também dedicar-se ao tratamento de crianças. Tive pessoalmente a honra de ser um dos primeiros diplomados do departamento e assim testemunhar o alto valor científico desenvolvido nesse instituto. Vale a pena esclarecer que é um dos únicos lugares no mundo onde há uma formação sistemática de psicanalistas de crianças.

Muito do que temos atualmente na Argentina e no Brasil nesta área da ciência, devemos a Arminda Aberastury. Não tive o prazer de conhecê-la em vida, por isso quero que o meu apreço e a minha consideração a sua memória sejam transmitidos aos leitores através desta tradução e destas palavras de apresentação à edição brasileira.

Porto Alegre, fevereiro de 1982.

JULIO CAMPOS

NOTA PRELIMINAR

Este livro, que inicia com a primeira intenção de Freud de curar a neurose de uma criança aplicando a técnica psicanalítica e conclui expondo novas perspectivas para a terapêutica, reúne a minha experiência e a de muitos analistas que trabalham comigo.

É o testemunho de meu agradecimento a Freud, que deu os fundamentos teóricos da técnica; a Melanie Klein, cujas idéias foram a minha diretriz mais valiosa; a todos os que contribuíram com seu esforço para o progresso da psicanálise de crianças e aos que colaboraram neste livro oferecendo-me generosamente seu material clínico.

A Asociación Psicoanalítica Argentina foi reconhecida em 1944 pela Psychoanalytic International Association, fruto do trabalho infatigável que em favor da difusão do método psicanalítico havia realizado Angel Garma – com o grupo que inicialmente o acompanhou – desde 1939. Foram o seu interesse pela análise de crianças e o apoio incondicional que recebi também de Enrique Pichon Rivière – com quem trabalhava desde 1938 no Hospicio de las Mercedes – que me permitiram empreender a árdua tarefa de dar os passos iniciais e criar os alicerces do que hoje podemos chamar nossa técnica de psicanálise de crianças. Neste sentido quero recordar aqui, com profunda gratidão, o que para mim significou naqueles anos a frequente correspondência com Melanie Klein, de quem recebi valiosas indicações técnicas.

Embora Flora Scolni tenha iniciado também nesta época seu trabalho como psicanalista de crianças, eu trabalhei sozinha no início. Minha primeira colaboradora foi Elizabeth G. de Garma, que, com grande dedicação e genuíno talento para a análise de crianças, participou desde 1947 nas tarefas de formação, que já então eram intensas.

Rapidamente o interesse pela psicanálise de crianças foi crescente e este fato possibilitou e fez necessário realizar seminários técnicos e teóricos na Asociación Psicoanalítica Argentina desde 1948. Este progressivo desenvolvimento culminou com a realização do Primer Symposium de Psicanálisis de Niños, em 1957.

Desde o começo foi-se formando em torno de mim um grupo especialmente interessado nestes problemas. Com o passar dos anos, alguns abandonaram a especialidade, enquanto outros, uma vez formados, continuaram suas atividades de forma independente, criando novos grupos.

Escrever este livro, no qual pretendo transmitir a minha experiência e a de meus colaboradores, não foi uma tarefa fácil, a qual seguramente teria abandonado se não fosse a ajuda incondicional que me prestaram Lidia Forti e Susana L. de Ferrer.

Luciana B. de Matte, Julio Aray e Juan F. Rodriguez foram valiosos colaboradores, aportando inegáveis melhorias com suas cuidadosas e inteligentes revisões do texto. José Alonso não se limitou a copiar o original, senão que por vezes o interpretou, sugerindo sutis modificações.

Agradeço finalmente a Decio de Souza sua dedicação ao discutir comigo alguns aspectos deste livro, o que me significou um grande estímulo.

A AUTORA

PRÓLOGO

Os trabalhos originais de Freud surgiram durante a análise de adultos, mas a natureza do seu descobrimento o conduziu a investigar os anos de infância, pois lhe pareceu claro que as primeiras causas do transtorno mental tinham sua fonte em fatores que atuaram durante as primeiras fases do desenvolvimento.

Suas conclusões sobre a sexualidade infantil viram-se confirmadas na primeira vez que se aplicou a psicanálise ao tratamento de uma criança neurótica.[1] Suas idéias sobre este desenvolvimento se enriqueceram com os descobrimentos ulteriores no tratamento de adultos neuróticos, com a observação direta das crianças e com os dados que lhe eram comunicados pelos psicanalistas que se dedicaram às crianças. Foi fundamental a investigação dos mecanismos que impulsionam a criança a brincar.

O jogo havia sido estudado por psicólogos, filósofos e pedagogos, mantendo-se a validade destes descobrimentos ainda hoje, mas descreviam apenas aspectos parciais do problema ou mostravam os fenômenos sem considerar seu significado inconsciente.

Na teoria traumática do jogo, Freud não exclui o que se havia escrito, mas explica o fenômeno na sua totalidade e na sua essência.[2] Já no caso de Joãozinho havia interpretado jogos, sonhos e fantasias, mas foi ao observar uma criança de 18 meses que descobriu os significados psicológicos da atividade lúdica.

Compreendeu que a criança não brincava somente com o que lhe era prazenteiro, mas também jogava repetindo situações dolorosas, elaborando assim o que era excessivo para seu ego.

A teoria traumática do jogo descrita por Freud não foi modificada nas suas bases e sim utilizada para a criação de novas técnicas de aproximação ao inconsciente da criança, tanto no tratamento como no diagnóstico das neuroses infantis. Destes temas nos ocuparemos no transcorrer deste livro.

---

1 FREUD, Sigmund. "Análisis de la fobía de un niño de cinco años". *Obras completas*. Editorial Americana, Buenos Aires, 1943, tomo XV, *Historiales clínicos*.
2 FREUD, Sigmund. "Análisis de la fobía de un niño de cinco años", tomo XV, *Historiales clínicos*. "Más allá del principio del placer", tomo II, *Una teoria sexual y otros ensayos*, p.285. *Totem y tabú*, tomo VIII, p.116. *Obras completas* Ed. Americana, Buenos Aires, 1943.

Em muitas das obras de Freud encontrei notas que resultaram fundamentais para a criação da técnica da psicanálise de crianças.

Em "Atos sintomáticos e casuais"[3] relata um ato sintomático em uma criança de treze anos, cuja interpretação podia ser hoje um exemplo da forma como se pode analisar uma criança; também em um pequeno artigo, "Associação de ideias em uma menina de quatro anos",[4] mostra a possibilidade de utilizar a expressão verbal infantil para a interpretação.

Em "Psicologia do colegial"[5] estuda as reações do rapaz frente aos professores, como repetição das relações com os pais, ideias que se desenvolveram, mais tarde, permitindo a compreensão das dificuldades de aprendizagem, da desadaptação escolar e da avidez ou rechaço frente ao conhecimento.

Em "Os sonhos infantis"[6] analisa sonhos de crianças, destacando que – como nos do adulto – devemos considerar um conteúdo manifesto e um latente, ao que se chega pela interpretação.

Partindo destes descobrimentos, Hug Hellmuth, Anna Freud, Sophie Morgenstern e Melanie Klein buscaram a forma de aplicar a psicanálise ao tratamento de crianças. Embora todos contribuíssem à minha técnica atual, foi o pensamento de Melanie Klein que marcou uma diretriz fundamental no meu trabalho.

Os descobrimentos de Freud sobre a dinâmica do inconsciente, a sexualidade infantil e a configuração e destino do complexo de Édipo obrigaram a uma reconsideração do que se conhecia das crianças.

Ao mostrar Freud que o instinto de morte atua conjuntamente com o instinto de vida desde o primeiro momento, que as tendências destrutivas existem junto com a capacidade de amor, que necessita destruir e que esta necessidade deve ser respeitada – dentro de certos limites – e, mais importante ainda, que os conflitos originados pelas tendências em pugna são fonte contínua de dor, vimo-nos forçados a modificar nossa crença na felicidade da infância.

Quando descreveu a angústia do nascimento como o arquétipo das futuras situações de ansiedade – idéia que mais tarde Rank desenvolverá com genialidade –, abriu o caminho para todos os psicanalistas que se ocuparam especialmente da vida intrauterina,[7] do trauma do nascimento[8] e das primeiras etapas do desenvolvimento. Todos eles, ao desenvolver as idéias originárias de Freud, contribuíram para a compreensão da mente do lactente, lançando as bases de uma possível profilaxia das neuroses infantis.

---

3 FREUD, Sigmund. "Actos sintomáticos y casuales", tomo I, *Psicopatología de la vida cotidiana*, p.224.
4 FREUD, Sigmund. "Asociación de idéas en una niña de quatro años", tomo XIII, *Psicología de la vida erótica*, p. 135.
5 FREUD, Sigmund. "Psicología dei colegial", tomo XIX, *Malestar en la cultura*, p.283.
6 FREUD, Sigmund. "Los sueños infantiles", tomo IV, *Introducción al psicoanálisis*, p.153.
7 Na Argentina, Arnaldo Rascovsky e os integrantes do grupo de estudos psicanalíticos sobre a organização fetal, constituído no ano de 1954.
8 RANK, Otto. *The trauma of birth*. Ed. Robert Brunner, New York, 1952. (1ª edição, Viena, 1924). Tradução castelhana pela Editorial Paidós, Buenos Aires, 1961.

Todos estes descobrimentos provocaram rechaço e despertaram resistências, em especial o da sexualidade infantil e o do complexo de Édipo. O repúdio do adulto à sexualidade da criança expressou-se na necessidade de ignorá-la, no interesse por proibir suas manifestações, inventando lendas que substituíssem a verdade e negando-lhe todo esclarecimento. Já no caso de Joãozinho, Freud mostrou que se o adulto responde com mentiras às perguntas da criança a induz a mentir e cria-lhe sérios conflitos.

Quando em 1900 descobriu a importância da relação inicial com os pais para o destino das futuras relações de objeto, deu às fundamentações um novo descobrimento técnico – decisivo para a eficácia de seu método –, que foi a utilização da transferência do tratamento analítico.

Em "O delírio e os sonhos na Gradiva"[9] descreve com especial clareza este descobrimento: "O processo de cura é realizado numa reincidência no amor, se é que podemos chamar de amor a reunião de todos os diversificados componentes do instinto sexual; tal reincidência é indispensável, pois os sintomas que provocaram a procura de um tratamento nada mais são do que resíduos de conflitos anteriores, de repressões ou de retornos do reprimido, e só podem ser eliminados por uma nova ascensão das mesmas paixões. Todo tratamento psicanalítico é uma tentativa de libertar amor reprimido, que na conciliação de um sintoma encontra escoamento insuficiente."

Freud chegou ao descobrimento do complexo de Édipo através de sua autoanálise e posteriormente através da transferência. Relata em seu estudo autobiográfico: "Havia me deparado, efetivamente, pela primeira vez, com o complexo de Édipo".[10] Marcou este como o tema central da sua autoanálise: "Também comprovei em mim – diz – o amor pela mãe e os ciúmes contra o pai, ao ponto de considerá-los um fenômeno geral da primeira infância".[11]

Valorizar a importância fundamental de seus descobrimentos para a criação da psicanálise de crianças foi o que me levou a iniciar este livro com o relato do primeiro caso de uma criança neurótica tratada por Freud, para em seguida descrever as técnicas dele nascidas, bem como sua evolução até chegar à minha técnica atual. Procurei – não sem dificuldade – que fosse sempre o material clínico que conduzisse à teoria e assim transmitir a minha convicção sobre a importância da psicanálise de crianças para a investigação e metodologia psicanalíticas.

---

9 FREUD, Sigmund. "El delirio y los sueños en la 'Gradiva' de W. Jensen", tomo III, *El chiste y su relación con el inconsciente*, p. 275.
10 FREUD, Sigmund. "Estudio preliminar", tomo XXII, *Los origenes del psicoanálisis*, p.53. Obras completas. Ed. Santiago Rueda, Buenos Aires, 1956:
11 FREUD, Sigmund. "Cartas, manuscritos y notas", tomo XXII, *Los orígenes del psicoanálisis*, p. 261. Obras completas. Ed. Santiago Rueda, Buenos Aires, 1956.

I
HISTÓRIA DA TÉCNICA

Partindo dos descobrimentos de Freud e em especial do primeiro caso de uma neurose infantil curada por ele, mostra-se como Sophie Morgenstein, Anna Freud e Melanie Klein buscaram a forma de aplicar a psicanálise ao tratamento das crianças. Expõem-se as diferenças técnicas que desde o começo e até a atualidade mantêm as escolas criadas por Anna Freud e Melanie Klein e a influência que tiveram no desenvolvimento da psicanálise de crianças na Argentina.

1

Análise da fobia de uma criança de cinco anos

Com a publicação deste caso, Freud[1] fixou as bases para a compreensão da linguagem pré-verbal e para a utilização da interpretação na análise de crianças, mas não para o uso da transferência como instrumento técnico. Isto se deve, em parte, à forma como foi realizado o tratamento e também porque na época não estivesse valorizado ainda o vínculo com o terapeuta nos tratamentos de adultos.

Para compreender como nasceu a psicanálise de crianças, precisamos nos voltar à época dos primeiros descobrimentos de Freud sobre a cura da neurose do adulto. A primeira vez que falou de psicanálise como um método terapêutico próprio foi em 1896, quando, ao descobrir o valor da associação livre, pôde abandonar a hipnose e a sugestão, técnicas que usara até aquele momento para a investigação e cura da histeria.[2]

O fato de que muitos dos seus pacientes continuassem falando livremente sem hipnose ou sugestão e pudessem, pelas cadeias associativas, chegar à recordação de traumas infantis, mostrou-lhe a importância da associação livre, que a seguir utilizou metodicamente na investigação e cura de seus pacientes.

Nada mais ilustrativo para compreender a evolução da técnica de Freud que a leitura dos seus primeiros casos.[3] Seu novo e grande descobrimento foi compreender e valorizar como instrumento técnico o vínculo que se criava entre o paciente e o terapeuta, que denominou *transferência*. Descobriu que esta tinha suas raízes na mais remota infância e que o paciente revivia com o terapeuta suas primeiras relações de

---

1 FREUD, Sigmund. "Análisis de la fobia de un niño de cinco años", tomo XV, *Historiales clínicos. Obras completas*. Ed. Americana, Buenos Aires, 1943.
2 JONES, Ernest. *Vida y obra de Sigmund Freud*, tomo I, p.296. Editorial Nova, Buenos Aires, 1959.
3 FREUD, Sigmund. *Historiales clínicos*, tomo X, "La histería", p.27.

objeto, sendo imprescindível interpretar estas reações transferenciais, positivas e negativas, como repetições daquelas situações pretérias.[4]

O valor terapêutico da interpretação foi compreendido por Freud desde o primeiro momento, quando comprovou que, comunicando seus descobrimentos em momento oportuno ao paciente, conseguia que este tornasse consciente o que até então estava reprimindo. Associação livre, transferência e interpretação foram os três pilares da técnica de Freud para fazer consciente o inconsciente.

A teoria traumática das neuroses havia levado Freud à convicção da importância da sexualidade infantil e a formular um ensaio sobre sua evolução,[5] mas faltava-lhe a experiência da observação direta de uma criança que permitisse a confirmação de seus descobrimentos sobre a evolução sexual. O tratamento de uma histeria infantil permitiria amplamente esta corroboração. Freud havia postulado a existência do complexo de Édipo e a observação de uma criança também confirmaria sua importância, enquanto estava acontecendo, na eclosão da neurose.

Em 1905 tentou, pela primeira vez, aplicar este método à cura de uma neurose infantil; tratava-se de uma zoofobia de um menino de cinco anos. O caso deste menino – Joãozinho – corroborou efetivamente o que havia afirmado até aquele momento sobre a sexualidade infantil e sobre a importância do complexo de Édipo; abriu, além disso, o caminho para a interpretação da linguagem pré-verbal, o que significou uma ajuda fundamental para a compreensão das fobias. Deste ponto de vista nem Freud nem os seus sucessores puderam prever os alcances de seu descobrimento. Tem sido necessária, para valorizá-la, a sua confrontação diária com as experiências dos psicanalistas de crianças. Um dos muitos valores deste caso foi mostrar a repercussão que tiveram as situações traumáticas no desenvolvimento do menino, como se expressaram durante o tratamento e como evoluíram até chegar à cura.

O pai de Joãozinho havia transmitido a Freud sua observação sobre as manifestações de curiosidade e atividades sexuais de seu filho, podendo assim ser confirmados seus descobrimentos sobre a sexualidade infantil. Nesta correspondência – que Freud transcreve na primeira parte do caso – estão consignados os mais importantes dados que permitiram compreender o aparecimento da fobia e a eleição do animal objeto de seu medo.

"O presente caso clínico de um paciente infantil – disse Freud – não constitui em rigor uma observação direta minha. Dirigi, evidentemente, em conjunto o plano de tratamento, e, inclusive, intervim uma vez nele pessoalmente, mantendo uma conversa com a criança. Mas, quem levou em frente o tratamento foi o pai do enfermo, ao qual devo expressar aqui meu agradecimento por ter colocado à minha disposição suas anotações, autorizando-me a publicá-las."

"Unicamente a união da autoridade paterna e a autoridade médica em uma só pessoa e a coincidência do interesse familiar com o interesse científico tornaram pos-

---

4 FREUD, Sigmund. "Más allá del principio del placer", tomo II, *Una teoría sexual y otros ensayos*, p.275.
5 FREUD, Sigmund. "Una teoría sexual", tomo II, *Una teoría sexual y otros ensayos*, p.7.

sível dar ao método analítico uma utilização que teria sido inadequada em outras condições."[6]

Freud intuiu duas coisas: 1) que o que dá eficácia à interpretação da transferência é a união da figura do terapeuta com o objeto originário; e 2) que a terapia e a investigação são inseparáveis em psicanálise.

Divide o caso em três partes: na primeira, relata as observações que o pai realizou, buscando corroborar, na observação direta de uma criança, o que Freud havia exposto sobre a sexualidade infantil; na segunda, expõe a evolução da enfermidade e do tratamento e, na parte final, intitulada por ele *Epicrise*, propõe-se a: 1) comprovar até onde este caso confirma seus pontos de vista sobre a sexualidade infantil; 2) determinar os novos descobrimentos para a compreensão das fobias; e 3) extrair desta experiência esclarecimentos sobre a vida anímica da criança e conclusões para a sua adequada orientação.

Joãozinho, até o aparecimento da fobia, parece ter sido uma criança que se desenvolveu normalmente. Seus pais o descrevem como uma criança alegre, em boas relações com o seu meio ambiente, que brinca bem e que desfruta do jogo. Não fazem referência a enfermidades nem a dificuldades durante o desenvolvimento que supusessem algum conflito não resolvido.[7]

Os dados que nos dá Freud sobre o paciente resultam, hoje, incompletos; nada sabemos sobre a gravidez, o parto, a lactância e suas primeiras aquisições de linguagem e de motricidade. Podemos deduzir, pela atitude ulterior da mãe – usando os nossos conhecimentos atuais – que o controle de esfíncteres foi severo, porque o menino padecia de constipação persistente, que foi tratada com enemas e laxantes. Dá-nos, por outro lado, um detalhado quadro de seus traumas genitais, que veremos e valorizaremos mais adiante.

"As primeiras observações sobre Joãozinho datam da época em que não tinha feito ainda três anos. Manifestava, então, dúvidas e perguntas, vivo interesse por uma certa parte de seu corpo, a qual chamava 'a coisinha de fazer pipi'."[8]

A curiosidade pelos genitais é satisfeita, também, na sua observação de animais: "Aproximadamente na mesma época (aos três anos e meio), levado um dia diante da jaula dos leões em Schönbrunn, Joãozinho exclama alvoroçado: 'Vi a coisinha dos leões'."[9]

Freud acrescenta: "Os animais devem grande parte da significação que alcançaram em fábulas e mitos à naturalidade com que mostram às criaturas humanas, penetradas de ávida curiosidade, seus órgãos genitais e funções sexuais".[10]

---

6 FREUD, Sigmund. "Análisis de la fobia de un niño de cinco años", tomo XV, *Historiales clínicos*, p. 145.
7 Excluindo a constipação e a amigdalectomia, que não foram valorizados por Freud e nem pelos pais.
8 FREUD, Sigmund. "Análisis de la fobia de un niño de cinco años", tomo XV, *Historiales clínicos*, p. 146.
9 FREUD, Sigmund. Idem, p. 148.
10 FREUD, Sigmund. Idem, p. 148.

Mas sua grande curiosidade faz de Joãozinho um investigador também do inanimado: "Um dia, aos três anos e nove meses, vê desaguar a caldeira de uma locomotiva e diz: 'Olha a locomotiva está fazendo pipi. Onde tem a coisinha?'"[11]

Seu interesse não é exclusivamente teórico, estimulando-o também a contatos e atividades masturbatórias que angustiam a sua mãe, a qual o ameaça, dizendo que o médico lhe cortaria os genitais caso continuasse tocando-os. Esta ameaça será um dos desencadeantes da enfermidade, tal como se verá através do desenrolar do caso.

Freud considera que o nascimento da irmã foi também traumático para Joãozinho, mas relendo o caso e estudando-o à luz dos conhecimentos atuais, compreendemos que não foi o fato em si que perturbou Joãozinho, senão os enganos e as falsificações da verdade que rodearam o acontecimento e tudo o que se referia à vida sexual, mentiras que contradiziam tudo quanto ele observava. Deram-lhe a versão da cegonha, mas também o levaram ao quarto da mãe, no qual viu rastros de sangue e da atividade do médico, fatos que razoavelmente ligou com o parto, criando-se nele uma grande confusão.

Sua capacidade de observação e sua preocupação por unir o que observava com as versões que seus pais lhe davam sobre os mesmos fatos, assim como a confusão que isto lhe criou, são muito evidentes no relato que faz Joãozinho do dia do nascimento da irmã. Quando vê a maleta do médico, diz: "Hoje vem a cegonha". Depois do parto, Joãozinho escuta que a parteira pede uma taça de chá e diz: "Mamãe tosse e por isso lhe dão chá", e ao entrar no quarto da mãe, em vez de olhá-la, contempla uma bacia meio cheia ainda de água ensangüentada e diz admirado: "Eu não ponho sangue pela coisinha".

"Todas as suas palavras demonstram – diz Freud – que relaciona com a cegonha essa situação fora do comum. Observa tudo com ar desconfiado. Indubitavelmente se confirmou nele a primeira desconfiança contra a história da cegonha."[12] Quando nasce a irmã, suas observações se vêem perturbadas pela mentira da mãe, que lhe afirmara que ela também tinha um genital masculino. É por isso que Joãozinho, ainda que observe que sua irmã é diferente dele, se empenha em negá-lo e diz: "Tem uma coisinha muito pequenininha".

Foram também importantes os traumas sofridos no seu próprio corpo, enemas e laxantes que viveu como esvaziamento violento, reforçando o temor a que também pudesse cumprir-se a ameaça de castração. "Fez observar que a criança de peito tinha que sentir já o ato de lhe ser retirado o seio materno, ao terminar cada uma de suas mamadas, como uma castração, isto é, como a perda de uma parte importante de seu próprio corpo. Igual sensação despertaria nele o ato regular da defecação."[13]

O caso assinala abundantes traumas genitais: 1) a mãe o proibia de masturbar-se e como esta proibição foi inútil, ameaçou levá-lo ao médico, para que este cortasse os genitais; 2) descreveu-lhe de forma inexata a diferença de sexos, dando-lhe

---

11 FREUD, Sigmund. Idem, p. 148.
12 FREUD, Sigmund. Idem, p. 150.
13 FREUD, Sigmund. Idem, p. 148.

segurança de que os genitais femininos eram como os masculinos; 3) quando ficou grávida e teve a filha, deram a Joãozinho a conhecida versão da cegonha, mas ao mesmo tempo o levaram ao quarto da mãe, onde ele viu a maleta do médico e uma bacia com sangue, que ele vinculou ao parto; e 4) dormia com seus pais até o momento de nascer a irmã.

Conhecendo a forma como expressou Joãozinho sua curiosidade sexual, as características da sua masturbação e as reações dos pais, valorizamos mais facilmente todos os acontecimentos relacionados com o nascimento da irmã e o porquê de sua força traumática.

Freud, na primeira parte do relato, apresenta também as tentativas de Joãozinho para levar a outros objetos os afetos até então concentrados nos pais e na irmã, analisando o significado dos jogos exibicionistas com seus amigos e os sonhos nos quais elabora as excitações do dia.

Ao estudar a evolução do sintoma, assinala insistentemente que, antes do aparecimento da fobia, Joãozinho teve crises de ansiedade e que aos 4 anos e 8 meses teve um sonho de angústia, onde expressava o medo de ser abandonado pela mãe.

Os primeiros sintomas da fobia – que condenaram Joãozinho a não poder sair de sua casa, pois temia encontrar-se com um cavalo – apareceram pouco depois.

Dois acontecimentos estão, desde o princípio, ligados à fobia: 1) o medo que sentiu quando viu um cavalo cair, resfolegar e espernear; e 2) o temor a ser mordido pelo cavalo. Quando o pai lhe interpreta que existe uma relação entre este medo e a sua curiosidade sexual, produz-se uma intensificação da angústia. Diz Joãozinho: "Não tenho mais remédio; olho para os cavalos e logo me dá medo".[14]

Nesta época Joãozinho adoece, e deve permanecer na cama por quinze dias, com uma forte gripe. Penso que esta enfermidade foi conseqüência das angústias antes mencionadas. À gripe segue uma amigdalectomia, com a qual a fobia se intensifica muito. Embora Freud não tenha valorizado a amigdalectomia como um dos fatores desencadeantes da enfermidade, hoje temos que considerar seu valor, sobretudo se pensarmos que a boca teve um papel muito importante nesta fobia e que Joãozinho dizia freqüentemente que os cavalos brancos mordem: "Quando a gente passa os dedos na frente deles, eles mordem".

Trataremos de analisar cada um dos detalhes do seu medo – o espernear, o ser mordido, a queda e as características do cavalo temido – e de expor não somente as motivações que Freud assinala, mas também as que hoje em dia valorizaríamos.

Joãozinho costumava ver sua mãe quando defecava e este fato – segundo Freud – contribuiu a que equiparasse com tanta insistência o processo do parto com o da evacuação e representasse aquele como a queda da matéria fecal no urinol. O espernear dos cavalos, que temia tanto, era similar ao que, conforme seus pais, realizava Joãozinho quando lhe impuseram o controle de esfíncteres.

---

14 FREUD, Sigmund. Idem, p. 168.

O cavalo teve papel importante nos jogos prévios ao sintoma, nos quais ele brincava de ser cavalo com as outras crianças, brincando também com o pai. A brincadeira dos cavalos com as crianças foi contemporânea ao urinar exibindo-se, realizada também com os mesmos amigos. Nesta época a gravidez da mãe aumentou sua curiosidade sexual e também a masturbação, e a mãe não só o ameaçou de cortar-lhe os genitais, como também, mais tarde, propôs que ele se deitasse com as mãos atadas, para que não se masturbasse.

Com todos estes antecedentes, compreendemos que a amigdalectomia deve ter sido vivida por ele como a efetivação da ameaça materna, intensificando-se a angústia de castração pelo deslocamento do genital ao oral. Se de sua garganta podia amputar-se uma parte, era possível que o mesmo acontecesse com seus genitais. Não podemos esquecer que a mãe atribuiu ao médico o poder de efetivar a ameaça de castração e que a operação foi realizada pelo possível executor desta ameaça.

A consequente equiparação da boca com a vagina, conforme se viu acima, fez com que o temor ao cavalo se centralizasse no fato de que este podia morder, em especial os dedos. A masturbação ficaria assim impedida, por falta do instrumento que a efetuasse, as mãos, como quando ameaçaram com atá-las.

A característica do cavalo temido era a de ser branco e penso que este detalhe pôde originar-se no avental do médico durante a operação. O significado traumático da amigdalectomia escapou à compreensão de Freud e talvez por isso não tenha conseguido explicar alguns detalhes da fobia: a cor branca do cavalo, o significado da boca e do buçal.

Serei agora forçada a repetir fragmentos do caso, porque quero evidenciar os descobrimentos técnicos que me parecem fundamentais.

Muito cedo, desde os três anos, manifestou curiosidade pelos próprios genitais, pelos das outras pessoas e também pelos dos animais. Esta curiosidade acompanhou-se de frequente masturbação, que a mãe tratou de impedir ameaçando levá-lo ao médico, para que este lhe cortasse "a coisinha"; em outra oportunidade, vestindo-o para dormir com uma espécie de camisolão cujas mangas, ao serem atadas, impediam-lhe o livre uso das mãos.

Esta ameaça de castração e a repressão da atividade masturbatória ocorreram quando Joãozinho tinha três anos e meio, antes do aparecimento da fobia e coincidindo com a gravidez da mãe.

No verão anterior à eclosão da fobia – período em que a mãe estava grávida – aparecem os primeiros sinais de ansiedade: sofre depressões, tem crises de angústia, nas quais expressa medo de perder a mãe e quando vai passear com a babá, pede para voltar à casa, temendo não encontrar a mãe.

Este sintoma se faz mais incompreensível aos pais quando, embora saindo acompanhado da mãe, quer interromper os passeios, tem crises de angústia e deseja voltar para casa. Aos quatro anos tem um sonho de angústia que anuncia o aparecimento da enfermidade, no qual expressa seu medo de que a mãe o abandone.

Aos poucos meses deste sonho aparece o temor de ser mordido por um cavalo, temor cujas características se vão definindo nos sucessivos deslocamentos a detalhes, que, em sua última forma, consiste não só no temor aos cavalos fora da casa, mas também dentro dela, pois tem a idéia de que o cavalo pode entrar em seu quarto.

Quando aparece em Joãozinho o temor de ser mordido por um cavalo, o pai, orientado por Freud, intervém como terapeuta e interpreta-lhe que a angústia e o medo que sente são uma consequência da masturbação, levando-o a abandoná-la. A ameaça de castração é assim reforçada, determinando novos aspectos da neurose de Joãozinho.

Uma pequena melhora obtida com esta interpretação desaparece em seguida, dando lugar a uma forte gripe, seguida pela amigdalectomia.

Joãozinho conversa com seu pai sobre as características do medo, sabendo que seus relatos serão transmitidos a Freud, como também as associações que surgem espontaneamente sobre cada detalhe dos seus jogos, fantasias e sonhos, e que a finalidade desta correspondência é curá-lo de seus medos. O pai às vezes interpretava este material – baseando-se no que conhecia de psicanálise e da vida de Joãozinho – e as interpretações eram aprovadas, ampliadas ou modificadas por Freud. Em muitos outros casos, escapava-lhe o significado latente deste material e Freud o orientava sobre a linha interpretativa a seguir. É difícil de compreender como durante tantos anos se afirmasse que a criança, diferentemente do adulto, não sabe que está enferma nem deseja curar-se, já que nesta primeira análise foi tão evidente que o menino sofria pelo sintoma e colaborava com o tratamento.[15]

Na medida em que Joãozinho, por efeito das interpretações, tornava conscientes os motivos do medo, apareciam recordações que estavam reprimidas, o que possibilitou reconstruir o caminho, desde a crise da angústia até o aparecimento da fobia. Muitas das recordações de Joãozinho são retificadas pelos pais, outras não; algumas são recordações encobridoras, cuja análise eriquece a reconstrução do passado. Mas, na maior parte, seus relatos são fantasias pré-conscientes ou mentiras que conscientemente formula, como se fossem acontecimentos presenciados por ele. Este último é o material mais valioso para compreender os acontecimentos que desencadearam a enfermidade e Freud o utiliza em grande medida.

Procuraremos expor o conteúdo das sessões não de acordo com a ordem em que aparecem no relato – para evitar repetições que dificultariam a compreensão do caso –, mas mostrando o gradual esclarecimento e transcrevendo os textos de Freud.

Cedo Joãozinho descobre que seu medo de ser mordido por um cavalo se relaciona com uma impressão recebida em Grunden. Escuta, numa ocasião, que o pai de uma de suas amigas – Lizzi – adverte-a do perigo de aproximar a mão à boca do cavalo, dizendo-lhe: "Não aproximes os dedos ao cavalo porque te morderá". Quando Freud relata esta recordação de Joãozinho, assinala que a formulação verbal que ele coloca na boca do pai da amiga é a mesma que utilizavam os pais quando o ameaçaram pela masturbação.

---

15 Confrontar com o capítulo 5.

A neurose aparece vinculada a este acontecimento acidental e conservou sua marca na escolha do cavalo como objeto de angústia. Embora a esta impressão falte, em si, "energia traumática", adquiriu-a por diversos fatores sublinhados por Freud: 1) a anterior significação do cavalo como objeto de preferência e interesse, como se deduz dos primeiros relatos sobre brinquedos realizados com amigos e com o pai, nos quais o cavalo tinha um papel importantíssimo; 2) a recordação de um acidente no qual seu amigo Frederico – um pouco mais velho que ele e facilmente identificável com seu pai – caiu e se machucou brincando de cavalo; 3) as proibições feitas nos mesmos termos para a masturbação de Joãozinho e à aproximação da amiga à boca dos cavalos; 4) sua união no tempo com tudo que estivesse relacionado com gravidez e parto da mãe, dado que aos três anos e meio, quando se produz a ameaça materna, nasce também a irmã.

"O material patogênico ficava transferido ao complexo do cavalo e transformados uniformemente em angústia todos os afetos concomitantes."[16] Este processo teve ainda que sofrer uma nova deformação e substituição antes que a consciência tomasse conhecimento dele. O primeiro medo de Joãozinho de ser mordido por um cavalo procedia de outra cena, na qual a mãe ameaçava de cortar-lhe os genitais se continuasse com seus hábitos masturbatórios. A situação patológica permanece vinculada aos componentes instintivos sexuais rechaçados. "Trata-se, pois, de uma poderosa reação contra os escuros impulsos do movimento que tentam dirigir-se especialmente em direção à mãe. O cavalo foi sempre para Joãozinho um exemplo do prazer do movimento, mas como este prazer integra o impulso ao coito, fica restringido pela neurose, que erige também ao cavalo, na própria imagem do medo."[17]

A fobia ao cavalo impede Joãozinho de sair de casa e facilita sua permanência ao lado da mãe, satisfazendo assim seus desejos possessivos, embora à custa de uma intensa repressão de seus desejos genitais.

A estes conflitos uniu-se a recordação de ansiedades relacionadas com o início do controle esfincteriano. Joãozinho vinculou o espernear do cavalo com seus próprios movimentos quando o obrigavam a abandonar seus brinquedos para ir defecar. Também é evidente que identificava o parto com a evacuação, explicando-se – por esta identificação – o medo ao espernear do cavalo. Ao medo de ser mordido havia-se unido o medo aos genitais da mãe, a lembrança da ameaça de castração que ela lhe fez e a advertência do pai de Lizzi – a amiga de Joãozinho que mencionamos antes – sobre os perigos que existiam na boca do cavalo.

Sabemos que na fobia os deslocamentos são múltiplos; em Joãozinho, o medo de ser mordido em seguida deslocou-se ao temor de que entrasse um cavalo em seu quarto, deslocamento que se explica, já que era este quarto o cenário da masturbação e das proibições.

---

16 FREUD, Sigmund. "Análisis de la fobia de un niño de cinco años", tomo XV, *Historiales clínicos*, p.274.
17 FREUD, Sigmund. Idem, p.277.

Quando Freud assinala que o conflito era uma consequência às ameaças de castração da mãe justifica dizendo: "Mas devemos ter presente que em tudo isso a mãe não fazia mais que desempenhar um papel marcado pelo destino, extremamente espinhoso e comprometido".[18] Apóia, assim, sua idéia de universalidade da angústia de castração e tenta defender a figura da mãe, atitude muito frequente em Freud. Hoje não podemos deixar de considerar que as ameaças da mãe incrementaram esta angústia em grau extremo, como também aumentaram a curiosidade de ver os genitais e levaram-no a uma masturbação compulsiva, no intuito de comprovar que as ameaças não se tinham realizado.

Com um critério que a experiência com crianças corroborou amplamente, Freud pensava que um esclarecimento adequado ajudaria a vencer a compulsão a ver os genitais da mãe, evitando a intensificação da angústia. A mentira inicial da mãe sobre a diferença de sexos, agregada à ameaça da castração, reforçou a compulsão de ver e tocar os genitais, sendo este incremento da angústia coadjuvante da somatização que durante dias o manteve em cama, com gripe. É de se supor que o fato de estar na cama com febre aumentou sua compulsão a masturbar-se, atividade que não somente era proibida, mas também assinalada como motivo de sua enfermidade, reforçando sua angústia de castração; a amigdalectomia atuou como fator desencadeante. Freud não valorizou o significado do ato cirúrgico como castração, mas hoje, depois de múltiplas experiências similares, resulta-nos muito evidente. Neste caso, como em muitos outros, a operação de amígdalas é vivida como advertência de que também pode realizar-se a tão temida castração. É importante esclarecer que é neste momento que Freud assinala, pela primeira vez, que os cavalos temidos eram os brancos: "Quando seu pai lhe diz que os cavalos não mordem, ele responde: Mas os cavalos brancos sim mordem. Em Grunden há um cavalo branco que morde. Quando a gente põe os dedos na frente dele, ele morde". Freud anota também que o pai estranha que diga "os dedos" em vez de "mão". Joãozinho conta: "Quando Lizzi foi embora havia na porta da sua casa um carro com um cavalo branco, para levar a bagagem à estação. O pai dela estava perto do cavalo e o cavalo virou a cabeça. Então o pai dela disse: Não toques com os dedos o cavalo branco, vai te morder".[19]

Creio que está justificada nossa suposição de que o cavalo branco representa o cirurgião com o avental branco, realizando a tão temida castração, deslocada à garganta, e que ao falar dos dedos e não da mão tinha lugar também uma referência ao ato cirúrgico e ao instrumento de masturbação. Além disso, outra das características do animal temido era uma "coisa preta que levava na boca" e que resultou ser o buçal de couro. Penso que esta característica também encobria um elemento do trauma cirúrgico. É como se Joãozinho pensasse: "Se eu tivesse um buçal – boca fechada – não me operariam", e ao mesmo tempo "me sentia amordaçado, como com um buçal, quando me operaram". Por isso teme que o mordam os cavalos brancos ou que os que têm buçal lhe arranquem seus dedos.

---

18 FREUD, Sigmund. Idem, p. 167.
19 FREUD, Sigmund. Idem, p. 169.

Os pais relatam que as fantasias de Joãozinho nesta época eram a da girafa[20] e a de realizar atos proibidos que mereciam castigo.[21] Tudo leva a pensar que viveu a operação como castigo pela masturbação realizada com as fantasias edípicas subjacentes. Quando Joãozinho não quer ir ao consultório de Freud, os pais lhe mentem, prometendo que se aceitasse ir encontraria uma menina muito bonita na casa do professor. Esta atitude nos permite deduzir que também para a operação o levaram enganado.[22] Nesta primeira e única consulta, compreende que os dois detalhes do animal temido estão ligados ao bigode e aos óculos do pai e interpreta que o medo de Joãozinho ao cavalo motiva-se na sua intensa agressão ao pai e no temor de que ele se vingue e que estes sentimentos são a conseqüência dos seus desejos amorosos pela mãe. Depois desta visita começam as melhoras importantes, apesar de Joãozinho insistir, com muito bom sentido, que seu amor e seu medo pelo pai coexistiam. Esta verdade é descoberta por Freud mais tarde em *Inibição, sintoma e angústia*.[23] Até aquele momento limitava-se a dizer: "Sabemos que esta parte do medo de Joãozinho tem dois aspectos: medo do pai e medo pelo pai. O primeiro provém da hostilidade e o segundo do conflito com o carinho que sente por ele",[24] descrevendo assim as ansiedades paranóides e depressivas e sua origem.

Nesta parte do caso, Freud interpreta um projeto de jogo de Joãozinho, consistente em carregar e descarregar, descobrindo que, por uma relação simbólica substitutiva, é possível que um mesmo jogo represente o processo do parto e o da defecação. Esta interpretação confirma-se posteriormente, quando, nos seus jogos com um boneco, utiliza os mesmos símbolos para representar o que significam para ele as duas situações.

Duas de suas recordações – 1) a do espernear como protesto quando queriam forçá-lo a defecar e 2) a de ter visto a mãe quando evacuava – condensam-se e deslocam-se à figura do cavalo, tornando específicas as situações de maior temor.

"Joãozinho sempre sofreu de uma constipação pertinaz que nos obrigou ao uso de laxantes e enemas."[25] Agrega-se a isto o fato de que tenha observado "sua mãe no momento da defecação".[26]

Isto favoreceu a equiparação do parto da mãe com o espernear durante a defecação, com todos os seus incômodos: "Segundo as indicações que suas sensações lhe proporcionaram, concluiu que devia tratar-se de uma violência contra a mãe, de um desgarramento, de uma penetração num espaço fechado, atos para cuja execução sentia em si o impulso".[27]

---

20 FREUD, Sigmund. Idem, p. 176.
21 FREUD, Sigmund. Idem, p. 180.
22 FREUD, Sigmund. Idem, p. 172.
23 FREUD, Sigmund. *Inhibición, sintoma y angustia*, tomo XI, p.24.
24 FREUD, Sigmund. "Análisis de la fobia de un niño de cinco años", tomo XV, *Historiales clínicos*, p. 184.
25 FREUD, Sigmund. Idem, p. 195.
26 FREUD, Sigmund. Idem, p. 197.
27 FREUD, Sigmund. Idem, p. 272.

Freud pensava que, partindo de suas sensações genitais, Joãozinho chegaria a descobrir a vagina,[28] mas não lhe foi possível, pela confusão criada pela mãe ao afirmar-lhe que não existia diferença de sexos. Esta observação contradizia o que sentia no seu corpo e descobria nas suas contínuas observações. A recordação de sua mãe exibindo-se enquanto defecava ligou-se em Joãozinho à memória de jogos exibicionistas com as amigas. Joãozinho contou que as amigas queriam vê-lo quando ele fazia pipi e que também ele as olhava.[29] Estas recordações estão unidas às proibições que acompanharam as duas oportunidades.

Freud assinala que a esta altura do tratamento Joãozinho se apodera ousadamente da direção da análise e, como os pais atrasam as explicações que lhe deveriam ter dado há muito tempo, comunica-lhes, mediante seus jogos com um boneco, como se representa o nascimento. Com este jogo elabora o processo da evacuação e perda de uma parte de si mesmo,[30] significando a realização da tão temida ameaça de perder o genital. A cirurgia – prova da realidade de que lhe tiram parte do seu corpo – transformou um temor fantasiado em realidade, possibilitando-lhe a associação entre a perda da matéria fecal e a perda do pênis e ligando-o com o nascimento como produto da união genital.

O maior interesse deste caso, considerando-o como ponto de partida da técnica de psicanálise de crianças, é o de mostrar a eficácia das interpretações e as suas conseqüências.

Hoje, aplicando a técnica de jogo, vemos que a criança expressa com os brinquedos os mesmos conflitos e os interpretamos do mesmo modo.

Analisando jogos, fantasias e sonhos, Freud estudou as diferentes formas simbólicas com que o menino representou o corpo da mãe e seus conteúdos: uma banheira, um ônibus, um carro de mudanças, nos quais o denominador comum era serem continentes cheios de conteúdo ou algo capaz de ter dentro coisas menores e pesadas, como um ventre que aloja uma criança que depois cresce e pesa. Posteriormente estendeu este significado ao processo da evacuação. Um dos fragmentos mais apaixonantes do relato é o do entendimento e da descrição detalhada que Joãozinho nos oferece sobre a vida da irmã no ventre da mãe e a conclusão de Freud sobre a evidência deste conhecimento no menino. Joãozinho diz: "Passou todo o tempo correndo e sem mover-se nunca. Bebeu duas jarras grandes de café. De manhã não sobrava nada. Deixou toda a sujeira na gaveta, bem como as folhas dos rabanetes e a faca para cortá-los. Depois limpou tudo muito rapidamente. Em um minuto. Com muita pressa."[31]

Freud descobriu que uma criança de três anos percebia a gravidez e tinha sua própria concepção de como se desenvolve um filho na mãe: "E agora nos traz João-

---
28 O que está totalmente de acordo com a minha idéia da fase genital prévia e seu significado. Confrontar com capítulo 4.
29 FREUD, Sigmund. Obra citada, p.201.
30 FREUD, Sigmund. Idem, p.224.
31 FREUD, Sigmund. Idem, p.217.

zinho uma surpresa, para a qual não estamos, certamente, preparados. Tendo três anos e meio, observou a gravidez da mãe, que culminou com o nascimento da pequena e, depois do parto, se não antes, reconstruiu todo o processo, embora sem exteriorizá-lo e, talvez, sem poder exteriorizá-lo".[32]

O processo de carga e descarga, simbolismo do parto, aparece equiparado ao da execução intestinal. O começo da fobia, constituída pelo medo que o cavalo espernasse e caísse, estava vinculado aos seus esperneios infantis quando o forçavam a defecar e ao deslocamento deste medo ao processo do parto. É evidente que o menino tinha conhecimento do que é a vida intrauterina quando descreve que a irmã viajava numa caixa fechada, onde corria e fazia suas necessidades, e do qual não podia sair, localizando esta viagem num veraneio durante o qual sua mãe estava grávida de seis meses. Hoje sabemos, pela experiência de numerosas análises de crianças, que a gravidez da mãe é percebida desde o primeiro momento, fato expresso através dos jogos, confirmando-se assim o que Freud observou. Quando Joãozinho tenta elaborar o problema da diferença de sexos, da diferença entre adultos e crianças e do temor ao pai como rival no amor da mãe, expressou-se pela fantasia na qual uma girafa grande e outra pequena simbolizavam a diferença de sexos. Ele se personificava na que tomava posse da pequena – a mãe –, sentando-se sobre ela e despertando raiva na girafa grande – o pai, interpretando Freud que a diferença de tamanho das duas girafas simbolizava a diferença de sexos. Também neste ponto a experiência posterior confirma a interpretação de Freud. Numa série de fantasias nas quais Joãozinho descreve coisas proibidas ou castigadas, como saltar cercas ou quebrar vidros, Freud interpreta o desejo incestuoso e o castigo por ele.

Em outra de suas fantasias, um encanador, munido de uma chave de fenda, remove "a coisinha", dando-lhe uma grande.[33] Na primeira parte desta fantasia, repete, quase sem deformação, a situação traumática da ameaça de castração feita pela mãe e sua segunda parte mostra a modificação conseguida pelo tratamento, quando recebe, do pai, a potência. Segundo Freud, esta feliz elaboração do complexo de Édipo foi possível pelas interpretações anteriores e explica o desaparecimento da fobia.

Se hoje escrevêssemos a história de Joãozinho nos preocuparíamos em conhecer muitos detalhes que fizeram compreensível sua evolução, mas como Freud estava especialmente interessado em estudar a influência dos traumas sexuais na etiologia das neuroses e na fobia, dava especial importância aos traumas da fase fálica; compreende-se que a maior parte das informações que nos dá referem-se a esta época da vida.

O tratamento não foi realizado na forma habitual em psicanálise. Freud viu somente uma vez o pequeno paciente, e o tratamento – apesar de estar sob sua supervisão – esteve a cargo do pai da criança, pessoa conhecedora dos descobrimentos de Freud; por isso não pode servir como modelo técnico no que se refere à inter-

---

32 FREUD, Sigmund. Idem, p. 267.
33 FREUD, Sigmund. Idem, p. 238.

pretação e uso da transferência. Muitos de seus descobrimentos – alguns apenas esboçados – abriram o caminho em direção a uma técnica que permitisse entender e interpretar a linguagem pré-verbal. A experiência mostrava que a criança, embora impossibilitada de expressar-se totalmente com palavras, era capaz de entender o que lhe era dito pelo adulto. De modo que, compreendendo o significado latente dos seus jogos, desenhos, sonhos, sonhos diurnos e associações, a interpretação seria tão eficaz como o era no tratamento de adultos. Faltava comprovar se a criança, como o adulto, era capaz de estabelecer com o terapeuta um vínculo transferencial: esta contribuição foi dada pelos psicanalistas de crianças.

Substituída a associação livre pela linguagem pré-verbal, provada a capacidade da criança de compreender a interpretação e de estabelecer uma transferência com o terapeuta, estavam cumpridas as premissas necessárias para falar-se numa técnica de psicanálise de crianças similar à existente para a psicanálise de adultos.

Os contínuos progressos desta técnica, cujo nascimento exporemos no próximo capítulo, possibilitaram: 1) a análise de crianças muito pequenas, a partir de quinze meses de idade; 2) a ampliação cada vez maior dos casos que se tratavam com êxito, entre eles as enfermidades psicossomáticas, como úlcera, *colite ulcerosa*, asma, eczema e acetonemia; 3) a profilaxia de enfermidades futuras, mediante a orientação psicanalítica do lactante, como consequência do progresso no conhecimento da evolução da criança.

2

Nascimento de uma técnica

O sucesso terapêutico obtido por Freud ao analisar uma criança de cinco anos permitiu alentar a esperança de aplicar o método analítico aos transtornos e enfermidades de crianças de pouca idade.

Mas o caso[1] não podia servir de modelo técnico, já que o tratamento foi realizado nas circunstâncias especiais descritas no capítulo anterior. Quando outros analistas tentaram aplicar a pacientes de pouca idade o método criado por Freud para tratamento de adultos viram-se frente a dificuldades quase insuperáveis; mais importante é a impossibilidade de conseguir da criança associações verbais. Faltava o instrumento fundamental da análise de adultos. Assim, os diferentes modos de adaptar o método analítico à mente das crianças deram origem às técnicas da psicanálise infantil.

Uma das primeiras tentativas foi a de Hug-Hellmuth, que buscou superar as dificuldades mencionadas observando o jogo de seus pacientes e brincando com eles dentro de seu próprio ambiente. Infelizmente não deixou uma verdadeira sistematização do seu método.[2]

Sophie Morgenstern, na França, e Anna Freud e Melanie Klein, em Viena, publicaram os primeiros livros sobre o tema.

Sophie Morgenstern trabalhava na clínica de Heuyer e seu livro[3] é o resultado de sua experiência. Estudou os contos, sonhos, sonhos diurnos, jogos e desenhos infantis, buscando o conteúdo latente oculto sob o conteúdo manifesto. O mais valioso de sua obra é a exposição de seu método de análise mediante desenhos, método surgido durante o tratamento de um paciente.

---

1 FREUD, Sigmund. "Análisis de la fobia de un niño de cinco años", tomo XV, *Historiales clínicos, Obras Completas*, Ed. Americana, Buenos Aires, 1943.
2 HUG-HELLMUTH, R. "Zur Technik der Kinder-Analyse", *Int. Zeit. für Psychoanalyse*, ed. VII, 1921.
3 MORGENSTERN, Sophie. "Psychanalyse infantile", Paris, 1937. "El simbolismo y el valor psicoanalítico de los dibujos infantiles". *Rev. de Psicoanálisis*, tomo V, n° 3, tradução de Alicia Vaudelin.

Apresentou-se na clínica um menino de dez anos, que sofria há dois anos de um mutismo total, sem que o exame clínico justificasse o transtorno. O único material interpretável eram os desenhos que a criança realizava a pedido da psicanalista.

Ao começar o tratamento, sofria de uma ansiedade aguda, que se expressou claramente nos desenhos. Estes representavam objetos, animais e pessoas enormes, andando sempre em direção a ele para atacá-lo. Os temas repetiam-se de modo obsessivo, especialmente certos desenhos como do homem-lobo, de animais de língua de fora, de uma língua com cadeado, etc. Com o lobo simbolizava o pai e suas angústias na relação com ele. Por um deslocamento de abaixo-acima, seus genitais estavam representados pelas línguas. Suas angústias de castração haviam-se intensificado por situações muito traumáticas, e o sintoma, expressão dessa angústia, desapareceu ao ser interpretado (figura I).

O sucesso obtido, quando o paciente recobrou a palavra, alertou Sophie Morgenstern a aplicar seu método a todas as crianças, substituindo pelos desenhos as associações livres oferecidas pelos adultos. Seu método foi uma colaboração valiosa no campo da análise infantil e o material de desenhos é ainda hoje um dos mais importantes.

O estudo do desenho como meio de expressão da criança tem sido um tema amplamente desenvolvido pela psicologia não analítica, mas recebeu uma complementação definitiva e fundamental quando foi estudado seu significado do ponto de vista psicanalítico.

A interpretação de desenhos no transcurso do tratamento analítico de crianças, seu significado inconsciente e os símbolos empregados nos desenhos, assim como foi assinalado por Sophie Morgenstern, foram recursos utilizados por todos os que se dedicaram a este campo da investigação analítica, confirmando e ampliando suas idéias. Nos casos como o que ela analisou ou em outros onde existe uma inibição muito intensa, os desenhos podem ser de uma utilidade muito grande durante o tratamento. É frequente, porém, que, empregando a técnica do jogo, a criança desenhe pouco, exceção feita às crianças durante o período entre os seis e doze anos. Penso que isto se deve ao fato de, aplicando a técnica do jogo, as crianças expressarem seus conflitos com a atividade lúdica e, exceto nos casos especiais, não necessitarem de outros meios de expressão.

Quando uma criança desenha durante a sessão é preferível que o faça livremente; costuma agregar palavras ou realizar gestos que têm o valor de associações. Em alguns casos, se não se compreende o que está expressando, pode-se interrogar sobre alguns detalhes do desenho ou sobre o que ele representa. Mas não se deve abusar deste recurso; se observamos bem a situação, podemos compreender seu desenho sem interrogá-lo.

Analisei um menino de nove anos, asmático, que sofria de uma marcada inibição ao jogo, quase não falava; apenas desenhava. Luís inventava e copiava personagens, os quais fazia intervir em historietas através das quais relatava seus conflitos. Quando começou seu tratamento, estava submetido a um regime alimentar muito severo, porque certos alimentos desencadeavam nele fortes crises asmáticas, seguidas

Desenho de 21 de novembro de 1926. O enorme interesse psicanalítico deste desenho se concentra no fato de que Santiago nos representa, de forma clara, as distintas fases de uma cena de castração.

▲ Figura 1A

Desenho de 17 de dezembro de 1926. Uma igreja e, separado dela por uma casa grande, o homem da barba-língua, que aparece aqui pela primeira vez.

Parte inferior do desenho de 17 de dezembro. Vê-se aqui uma cena de castração; abaixo dela está Santiago, aflito por estar separado da mãe.

Desenho de 24 de dezembro de 1926. O homem de gorro corta a língua de Santiago.

▲ Figura 1B

de acetonemia. Suas limitações e sua falta de ar foram expressas pelo desenho de um náufrago numa pequena ilha (figura 2). O personagem estava obrigado a ficar, apesar de a ilha ser tão pequena que ele estava encolhido, sem mover-se. Seu único alimento era peixe, do qual estava farto. É interessante assinalar que um dos mais graves erros de educação desta criança era o de mantê-la completamente quieta, contrariando as exigências normais de sua idade, sendo o seu quarto tão pequeno que apenas podia mover-se. No desenho condenou todas estas situações: a restrição, a falta de ar, seu quarto pequeno e a limitação alimentar.

Amanda, de dez anos, nos relatou seus jogos sexuais com o irmão através de um desenho. Disse: "vou pintar um quarto", mas desenhou somente a cama. Quando a terminou e quis pintar a colcha, começou a acumular cores, de tal forma que a colcha cresceu com a sobreposição, até que tapou a cama. O conteúdo simbólico do sujar, misturar e de algo que cresce até transbordar é bem claro.

Maria, de dez anos, expressou a mesma situação com outro simbolismo. Desenhou uma casa e uma árvore que se entrelaçavam (figura 3) e disse: "São papai e mamãe". Em seguida desenhou outra casa e outra árvore, menores (figura 4), explicando: "Sou eu e o meu irmão". Dizia que ela e seu irmão faziam os mesmos jogos sexuais que o pai e a mãe.

Henrique, de sete anos, que padecia de criptorquidia, desenhava personagens com duas características muito marcantes: tinham uniforme e sempre as pernas eram desparelhas, uma mais curta ou mais magra que a outra. O significado do uniforme era o de emparelhar-se, uniformizar-se com os demais e unificar seu corpo, negando seu defeito, ocultando-o. Sua intenção fracassava e na perna mais curta ou mais magra mostrava a anormalidade de seus testículos.

Paula, menina asmática de dez anos, representava a falta de ar, desenhando crianças sem pescoço e com os braços começando na garganta (figura 5). A dificuldade respiratória era expressa também por desenhos de casas com janelas muito pequenas e colocadas no alto, junto ao teto (figura 6). Quando desapareceram as crises asmáticas, desenhou crianças com pescoço e com ombros, de onde saíam os braços, e as casas com janelas localizadas corretamente (figura 7).

Emília, de dez anos, representou o que para ela eram as sessões de análise, desenhando um barquinho com duas pessoas pescando. Explicou que os pescadores eram ela e eu, tirando todas as suas *bobagens*. Desenhou então as bobagens e todas eram símbolos do genital masculino. Neste momento do tratamento, o primeiro plano estava ocupado pela sua preocupação com a diferença de sexos e sua inveja e ciúmes do irmão, a quem ela imagina como preferido da mãe.

Teodoro, de oito anos, expressou através de um desenho (figura 8) sua angústia pela masturbação. A mão acusadora assinalava uma cômoda, que, segundo ele, era a "cômoda dos segredos"; a flecha que conduz a mão parte da região dos genitais. A outra mão acusadora ia em direção à cama e sobre esta havia uma luz acesa, com o que tentava dizer-nos que se masturbava na cama e de noite. A cara do personagem é a de um monstro, expressando assim seus temores de ser delatado por sua expres-

▲ Figura 2

▲ Figura 3

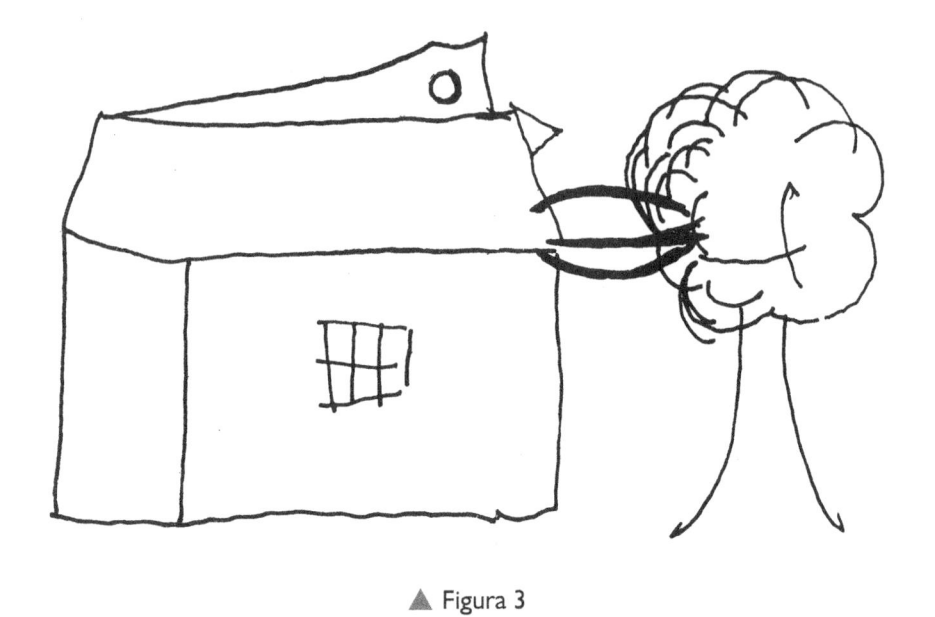

▲ Figura 4

▲ Figura 5

▲ Figura 6

▲ Figura 7

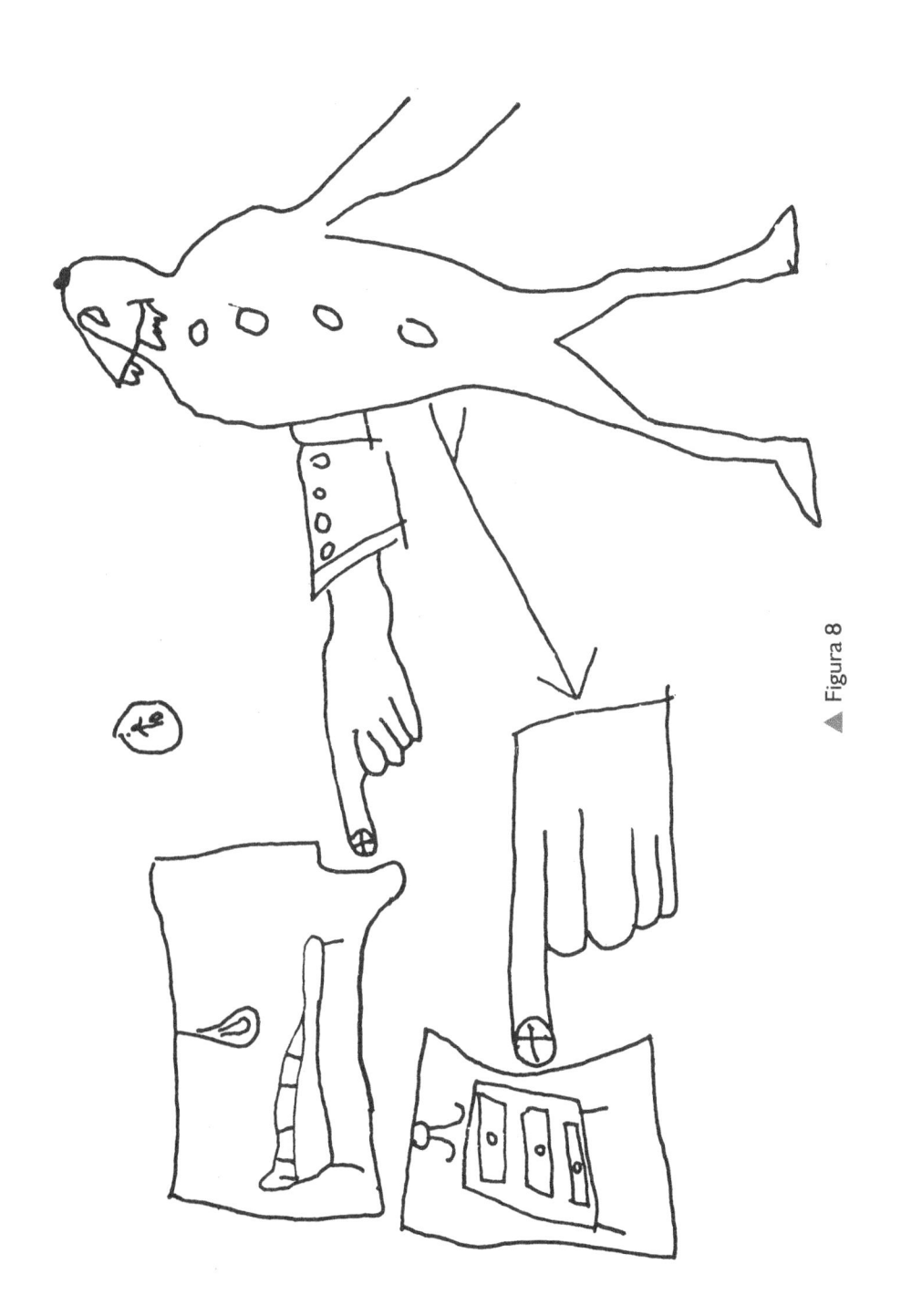

▲ Figura 8

são facial e também que podia transformar-se num monstro se continuasse com esta conduta. A luz tinha também o significado de pedir esclarecimento.

Estela, de dez anos, manifestou seu sentimento de culpa pela morte de um irmãozinho, um pouco mais moço que ela, desenhando uma casa e ao lado uma corda, com roupa de menino lavada e estendida. Através da análise, esclareceu-se que, por circunstâncias especiais, acreditou-se culpável pela morte do irmão. Por esta morte adoeceu e os pais a mandaram a um lugar de montanha por dois anos, tempo no qual ficaram separados. A casa do desenho era a da montanha e foi possível entender que Estela elaborou a atuação dos pais como um castigo pela morte do irmão.

Na Suíça, Madelaine Rambert[4] publicou um trabalho no qual expõe uma técnica nova para a análise de crianças. Trata-se de um jogo com marionetes de personagens típicos: mãe, tia, institutriz, professora, homens que representam o médico, advogado, padre, pai, com variedade de roupas para representar polícia, diabo, morte, etc. Segundo ela, este método permite que a criança evidencie conflitos e situações que dificilmente expressaria falando, possibilitando, também, a satisfação de fantasias sádicas e masoquistas que não poderiam ser liberadas na vida diária.

Esse método, embora atraente, somente pode ser um modo de visualizar o problema, já que existe uma quantidade de crianças cujas inibições impossibilitariam sua utilização. Também não seria aplicável para crianças muito pequenas e, por outro lado, a expressão através de personagens, tão claramente substitutos dos pais reais, coloca a criança numa difícil situação para expressar seus conflitos.

Depois destes ensaios, apareceram dois livros de técnica, que foram tentativas de realmente sintetizar um método de análise de crianças: os de Anna Freud e Melanie Klein.

Em sua obra, Anna Freud[5] relata dez casos de crianças entre seis e doze anos, todos com neuroses graves, e, através deles, estuda os alcances e limites da análise, juntamente com suas dificuldades. É de opinião que a situação da criança no tratamento analítico é diferente que a do adulto: não tem consciência de enfermidade nem desejos de curar-se, já que, geralmente, não sofre as consequências de seus transtornos; não se analisa por livre decisão e, por último, e mais importante, não oferece associações verbais, faltando assim o instrumento fundamental da análise de adultos. Estas dificuldades estimularam Anna Freud no sentido de buscar um método que permitisse adaptar a técnica criada por Freud para os pacientes adultos aos tratamentos de pacientes de pouca idade.

Para Anna Freud parte das dificuldades podem ser superadas com a realização de um trabalho prévio que coloque a criança em situação de enfrentar a análise. É um método similar ao aplicado, mais tarde, no tratamento analítico de pacientes psicóticos. Esta fase inicial, não analítica, tende a levar ao paciente a compreensão do esfor-

---

4 RAMBERT, Madelaine. "Une nouvelle technique en psychanalyse infantile. Le jeu des guignole". *Revue Française de Psychanalyse*, Vol. X, p.50, 1938.
5 FREUD, Anna. *Psicoanalisis del niño* (1927). Ed. Imán, Buenos Aires, 1951.

ço e da finalidade terapêutica, proporcionando-lhe consciência da enfermidade e desejos de modificar seu estado.

Quando o tratamento chega ao ponto de início do trabalho analítico, evidencia-se o problema de conhecer os meios disponíveis para analisar a criança. Anna Freud utiliza a interpretação de sonhos, de sonhos diurnos e de desenhos, fazendo restrições à utilização do jogo como elemento para a análise.

Pensa que a criança sonha e relata este material facilmente; a clareza dos mesmos depende da intensidade das resistências.

Os sonhos infantis são, geralmente, de interpretação mais fácil que os sonhos dos adultos, pois expressam de um modo direto a realização de desejos. O conteúdo latente e manifesto são quase idênticos, limitando-se a elaboração onírica ao aparecimento dos desejos como satisfeitos. Certas situações prazenteiras ou dolorosas podem ser elaboradas como sonhos já em crianças muito pequenas. Milton Ericson[6] estuda o sonho de uma criança com oito meses de idade. O pequeno estava acostumado a ter com seu pai um jogo que lhe era muito prazenteiro. O pai viajou e, na segunda noite após a separação, repetiu, dormindo, todos os movimentos do jogo, rindo a gargalhadas, como na realidade o fazia; em seguida, relaxava-se completamente e dormia tranquilo.

Em crianças um pouco maiores, os sonhos também podem ser interpretados sem associações, porque geralmente a criança sonha repetindo acontecimentos do dia anterior. Relata Milton Ericson, na obra citada, o caso de um menino de 23 meses que se despertou gritando, angustiado, e expressou na sua linguagem rudimentar que a sua irmã tinha caído e se machucado. Este sonho era a repetição de uma situação traumática[7] sofrida anteriormente. Quando Freud se refere aos sonhos infantis,[8] cita muitos em que se evidencia, sem disfarce, a realização de desejos. Mas em crianças maiores, com ego e superego mais estruturados, os sonhos já estão deformados pela elaboração onírica.

Um menino de dez anos, em época da sua análise, tendo como tema central a masturbação e suas consequências, relatou o seguinte sonho: "As empregadas queimam fósforos sobre a mesa; a toalha se queima, mas não o cobertor que está por baixo. Parece-me estranho que mamãe tenha dito que se pode queimar o colchão." O conteúdo latente do sonho é uma tentativa de tranquilizar-se dos perigos da masturbação.

Anna Freud ensina como realizar a interpretação de sonhos durante o tratamento psicanalítico de crianças, buscando a colaboração do pequeno paciente, a quem sugere que o sonho não surge do nada e que deve ajudar a encontrar o motivo por que sonhou. A criança, normalmente, relata acontecimentos deste dia e do anterior, proporcionando certo tipo de associações que podem ser utilizadas como no tra-

---

6 ERICSON, Milton. "On the possible occurrence of a dream in an eight month-old infant", vol. X, n° 3, p.382, *The Psychoanalytic Quarterly*, 1941.
7 GARMA, Angel. *Psicoanálisis de los sueños*. Ed. Nova, Buenos Aires, 1948.
8 FREUD, Sigmund. "Los sueños infantiles", tomo IV, *Introducción al psicoanálisis*, p.153.

tamento de adultos. A criança aceita com prazer a interpretação dos seus sonhos e ajuda na busca de elementos latentes com o mesmo interesse com que buscaria completar um quebra-cabeça.

Citarei um dos casos relatados por ela. Trata-se de uma menina de nove anos que somente ao quinto mês de tratamento começou a referir-se à masturbação. A sensação de calor que sentia nos genitais era tão intensa que não suportava a roupa quente, começava a evidenciar medo ao fogo e não podia tolerar uma estufinha a gás situada perto de seu quarto, quando estava funcionando. No dia anterior ao sonho, a babá lhe pediu ajuda para acender a estufinha, pois não conseguia fazê-lo. A menina pensou, então, que podia acendê-la facilmente. O sonho é o seguinte: "Ajuda-a, ainda que mal, de tal forma que a estufinha explode. Como castigo, a babá a coloca no fogo, para que se queime".[9] Manipular a estufa simboliza manipular os genitais; enganar-se, tal como aparece no conteúdo manifesto, é a expressão da sua crítica pela maturbação, sendo que a explosão representa o orgasmo.

Dois meses depois relata outro sonho que permite completar a interpretação: "Sobre o radiador de calefação central estão dois tijolos de diferentes cores. Sei que a casa vai incendiar-se e tenho medo. Então vem alguém e leva os tijolos". A menina conta que, ao acordar, tinha a mão sobre os órgãos genitais. Proporcionou, também, uma associação ao detalhe do sonho referente aos tijolos: tinham-lhe assegurado que se alguém coloca tijolos sobre a cabeça deixa de crescer. Com esta associação a interpretação é simples. O fato de "não crescer" é um dos castigos pelo onanismo. O significado do jogo, nos dois sonhos, era a excitação sexual. Enquanto ela se masturba, recorda a proibição de fazê-lo e tem medo. O desconhecido que retira os tijolos é possivelmente o analista com suas afirmações tranquilizadoras.

O tratamento de uma menina de doze anos que sofria de colite ulcerosa, segundo a terapeuta,[10] desenvolveu-se principalmente com base na interpretação de sonhos. Este aumento de atividade onírica foi devido, em sua opinião, à idade e a características próprias da paciente. O conflito entre destruir e ser destruída era permanente. Durante o tratamento, que durou dezoito meses, com cinco e seis sessões semanais, contava dois ou mais sonhos em cada sessão. Seu esforço por compreendê-los e a colaboração que prestava à terapeuta fizeram que muitos deles resultassem excepcionalmente claros.

Por exemplo, num momento decisivo da análise, quando estava muito preocupada com o resultado do tratamento, teve o seguinte sonho: "Ia numa canoa com outras crianças por um rio que terminava num riacho com barro; descia e caminhava por ali. Nos dois lados tinha rígidas freiras que me olhavam. Continuava a pé e encontrava uns bichos com cara de bambis, mas eram cachorros ferozes que sorriam mostrando-me os dentes".

O rio que se transforma em riacho e depois em barro simboliza, para ela, as transformações de sua matéria fecal. Associou o bambi com uma história onde a mãe

---

9 FREUD, Anna. *Psicoanalisis del niño*, p.42.
10 Sara G. de Jarast.

morre deixando abandonado e desamparado o animalzinho no meio de uma tormenta no bosque. Finalmente, é o pai quem o salva e o bambi precisa apoiar-se nele para crescer. Sentiu uma intensa culpa frente à fantasia da morte da mãe e temeu que seu ódio a pudesse matar.

As freiras eram uma parte de seu superego, rígido e implacável; simbolizavam a proibição de transformar-se em mulher, de crescer e a exigência de uma renúncia instintiva. Os bambis com cara de cachorros ferozes representavam as úlceras que ela sentia como provocadas pela mãe mordendo-a, assim como os seus insatisfeitos desejos de morder.

Suas dificuldades no crescimento, ou o medo de ser mulher, apareceram claramente em outro sonho, elaborado ao ingresso na escola secundária, fato que para seu inconsciente significava passar de menina a adolescente.

O sonho era o seguinte: "Estava numa estação de metrô, onde um trem ia andando devagar; eu corria e me esticava mais e mais para poder alcançá-lo, porque nele iam minhas companheiras da escola".

Alcançar o trem estava relacionado para ela com o ritmo de crescimento das irmãs, que se haviam desenvolvido bem na realidade. Sentia que ficava numa etapa anterior do desenvolvimento – a oral-digestiva – e que, por não poder esticar-se o suficiente, suas companheiras seguiam adiante e ela ficava pequena. Em verdade, naquele momento representava menos idade, por ser pequena e magra.

Estas dificuldades foram corroboradas por outro sonho: "Maria, que é a empregada, me compra um par de sapatos de salto alto para caminhar, mas os saltos são de papelão e caio". Maria era a mãe que não a apoiava em seu crescimento e, na transferência, a analista.

Em outra ocasião sonha o seguinte: "Vou ao jardim zoológico; há muitas jaulas e os animais são bons, mas subitamente se transformam todos em feras". Os animais presos representam seus conflitos, internalizados no intestino, que a carcomiam e que não podia tirar da jaula. Naquele momento estava com diarréia e vivia o súbito da matéria fecal como os animais selvagens, que rapidamente irrompem com ferocidade.

Juntamente com a interpretação dos sonhos, tem um papel importante a interpretação de sonhos diurnos, considerando Anna Freud que o relato destas fantasias é muito útil na análise de crianças, pois considera que a situação psíquica de criança favorece que seja mais frequentemente relatada do que no tratamento de adultos. Outro meio técnico empregado por ela é a interpretação de desenhos, assinalando que em geral eles repetem ou completam o material dos sonhos e dos sonhos diurnos. Cita como exemplo o caso de uma menina com neurose obsessiva que acompanhava, às vezes, com desenhos o relato de suas fantasias anais.

Pensa que as crianças mantidas em uma situação de transferência positiva são capazes de dar, por amor ao analista – claro que por breve tempo –, um certo tipo de associações que, embora isoladas, são uma ajuda no trabalho analítico. Cita o caso de uma menina que, encontrando-se em situação difícil, durante a análise, fechava os olhos e, adotando uma estranha posição de joelhos, seguia, com grande atenção, tudo o que acontecia dentro de si mesma; denominava a isto "ver quadros".

Relata Anna Freud: "Foi deste modo que, certa feita, pude resolver uma prolongada situação de resistência. Nosso tema era, no momento, sua luta contra a masturbação e a separação da babá, em quem se havia refugiado, com um carinho intensificado, para proteger-se contra minhas intenções de libertá-la. Pedi que visse imagens e a primeira que surgiu trouxe-nos a resposta: 'A babá saiu voando sobre o mar'. Completada com a fantasia de ver-me rodeada por demônios dançarinos, significava que eu conseguiria afastar a babá, mas ao perdê-la, a menina não teria mais proteção alguma contra a tentação de masturbar-se e estaria exposta a que eu a transformasse em má".[11]

À análise da atividade lúdica Anna Freud não dá o mesmo valor que a associações verbais do tratamento de adultos, apreciando-a como técnica auxiliar.

Por outro lado, é de se observar que Freud, quando analisou o mecanismo psicológico do jogo, interpretando a ação lúdica de um menino de menos de dois anos, sentou as bases da técnica de jogo. O menino fazia aparecer e desaparecer um carretel, tentando assim dominar suas angústias frente ao aparecimento e desaparecimento da mãe.[12] Mostrou como, ao brincar, podia separar-se dela sem o perigo de perdê-la, já que o carretel voltava quando ele assim o desejasse. Este jogo permitia-lhe descarregar fantasias agressivas e de amor à mãe sem nenhum risco, já que ele era dono absoluto da situação. Esta atividade lhe permitia elaborar suas angústias ante as situações de separação impostas pela realidade, inevitáveis para ele.

A técnica criada por Melanie Klein[13] baseia-se na utilização do jogo e continua as investigações de Freud. Pensa que a criança, ao brincar, vence realidades dolorosas e domina medos instintivos, projetando-os ao exterior nos brinquedos. Este mecanismo é possível, porque muito cedo tem a capacidade de simbolizar.

Este deslocamento das situações internas ao mundo externo aumenta a importância dos objetos reais, que, se em um princípio eram fonte de ódio, produto da projeção dos impulsos destrutivos, com o jogo, e também por ele, se transformam em um refúgio contra a ansiedade, sentimento surgido pelo mesmo ódio.

O brinquedo permite à criança vencer o medo aos objetos, assim como vencer o medo aos perigos internos; faz possível uma prova do mundo real, sendo por isso uma "ponte entre a fantasia e a realidade".

O que observei em crianças permite-me afirmar que se jogam o suficiente e no devido tempo, adaptam-se progressivamente à realidade. Cada etapa do desenvolvimento exige determinados jogos, que devem ser compreendidos e possibilitados para não deterem a evolução normal.

A técnica de jogo aplicada ao tratamento e ao diagnóstico não exclui a utilização e a interpretação de sonhos, de sonhos diurnos e de desenhos. Mas tenho observado que, oferecendo à criança a possibilidade de expressar-se brincando, sendo

---
11 FREUD, Anna. *Psicoanálisis del niño*, p.52.
12 FREUD, Sigmund. "Más allá del principio del placer", tomo II, *Una teoría sexual y otros ensayos*, p.275.
13 KLEIN, Melanie. *El psicoanálisis de niños* (1932). Biblioteca de Psicoanálisis, 1948.

interpretado adequadamente o seu jogo, ela sonhará pouco ou não sonhará; o mesmo afirmaria, com menos ênfase, com relação ao desenho. Claro que em casos especiais – como alguns a que já fiz referência – as inibições para brincar determinam que a expressão seja feita mediante sonhos e desenhos. O jogo, como os sonhos, são atividades plenas de sentido. A função do jogo é a de elaborar as situações excessivas para o ego – traumáticas –, cumprindo uma função catártica e de assimilação por meio da repetição dos fatos cotidianos e das trocas de papéis, por exemplo, fazendo ativo o que foi sofrido passivamente.

O jogo não suprime, mas canaliza tendências. Por isso a criança que brinca reprime menos que a que tem dificuldades na simbolização e dramatização dos conflitos através desta atividade.

Vimos que, quando o menino estudado por Freud brincava de fazer aparecer e desaparecer seu carretel, tentava vencer a angústia que lhe causava o abandono da mãe. Outro menino, Joaquim, de menos de dois anos, que havia tido um irmãozinho nos dias que antecederam o Natal, brincou, durante horas, de afogar, destruir e aniquilar o Menino Jesus, para depois salvá-lo e restaurá-lo, descarregando assim seus afetos contraditórios e tentando adaptar-se à situação.

É frequente que a criança que sofreu a experiência penosa de uma operação a elabora com um jogo, no qual outro, ou um boneco, padece, enquanto ela assume o papel de cirurgião.

As crianças que têm dificuldades no colégio costumam brincar de escola, tomando o papel de professores severos, que castigam e repreendem as crianças que sempre se enganam e não aprendem.

Brincar de esconder, por exemplo, tem o significado de tranquilizar-se da possível destruição ou desaparecimento dos que se ama e é o primeiro jogo que observamos no bebê. Durante o tratamento analítico de crianças, é quase uma regra que, em alguma etapa, quando é vivida na transferência o medo de perdê-lo, aparece este jogo realizado com o analista. Pode ocorrer, por exemplo, quando é anunciado o final do tratamento.[14] A observação de lactantes tem demonstrado que esta é uma das formas como o bebê elabora a posição depressiva.[15]

Júlia, de seis anos, violada por um adulto, brincava constantemente colocando em buracos pequenos coisas muito grandes, repetindo de um modo monótono enquanto jogava: "É difícil colocar algo grande em algo pequeno". Em continuação desenhou uma menina em cujo colo pintou, como adorno, um demônio. Disse ao terminar: "Tem ele dentro".

---

14 Quando a terapeuta Lidia S. de Forti comunicou à sua paciente – uma menina de 6 anos – que, ao finalizar o mês, dariam por terminado o tratamento, esta imediatamente começou um novo jogo: escondia uma passagem de bonde, pedindo que a terapeuta a procurasse. Durante várias sessões, continuou o jogo, invertendo-se, às vezes, os papéis. Foi interpretada sua angústia frente ao término do tratamento e seu medo de não poder encontrar a terapeuta em caso de necessidade. Além disso, perder a passagem de bonde era cortar a comunicação.
15 KLEIN, Melanie. "On observing the behaviour of young infants", *Developments in Psycho-Analysis*. The Hogarth Press, London, 1952.

Pedro, de dez anos, que se analisava por apresentar muitos sintomas neuróticos, entre eles dificuldade de aprendizagem e de conexão com o mundo exterior, temores de envenenamento e de agressão homossexual,[16] durante muitas sessões da análise queimava algodão. Compreendia que isto lhe recordava algo, que este algo lhe provocava grande ansiedade e irritação, mas se sentia impotente para recordá-lo. Em uma destas sessões, contou-me que sua mãe tinha sido injusta com ele, castigando-o severamente sem que o merecesse. Teve a seguir uma intensa crise de angústia e recordou um incidente sofrido aos cinco anos de idade; era interno num colégio, onde sofria castigos severos e injustos por parte de uma das professoras e sempre escondeu, por temor, seus desejos de vingança contra ela. Esperava o dia 1° de agosto, festa nacional suíça, quando, segundo ele, "tudo era permitido".[17] Neste dia tentou queimar-lhe a blusa, que era de algodão; não pôde fazê-lo e guardou uma amarga sensação de impotência com relação a ela, às outras professoras e a qualquer forma de injustiça. Enquanto recordava este e outros episódios penosos com professores, disse: "Essa é a que eu queria queimar quando queimava algodão".[18]

Estas primeiras vivências traumáticas na relação com as professoras repetiam grandes frustrações sofridas nos primeiros dois anos de sua vida, determinando nele uma enorme dificuldade no contato com o mundo exterior e na aprendizagem.

Carlos, um menino enurético, que sofreu uma agressão homossexual aos quatro anos, elaborou esta situação, o temor de estar destruído e que seu pênis não pudesse mais funcionar normalmente, fabricando peixes (símbolos de seu pênis) com a cauda partida (a agressão homossexual). Este mesmo menino tinha fortes sentimentos de culpa na relação com sua irmã menor, que também era enurética. Pensava que os jogos sexuais que realizava com ela, consistentes principalmente em relações forçadas por ele, eram a causa do transtorno de controle.

Manifestou-o durante o tratamento através de um jogo no qual ele preparava pudins para a irmã; esta os comia e se enfermava. Outras formas de representar os jogos sexuais davam-se quando ele brincava de fazer trocas com a irmã. Dava-lhe objetos simbolicamente fálicos – paus, lápis, revólver – e exigia dela pequenas bolsas, moedeiras, caixinhas, símbolos do genital feminino. Neste jogo, que repetia comigo no tratamento, temia sempre prejudicar-nos e ficar com o mais valioso, tendo dúvidas obsessivas antes de decidir sobre cada troca.[19]

João, de dez anos, quando elaborava sua teoria de que a mãe tinha em seu interior os pênis perigosos que havia roubado ao pai, brincou que um barco de guerra podia perder todos os seus canhões e transformar-se num porta-aviões, onde se

---

16 PICHON RIVIÈRE, ABERASTURY, Arminda. "Indicaciones para el tratamiento analítico de niños – um caso práctico". Conferência pronunciada na Sociedad de Psiquiatría de Montevideo em outubro de 1946. *Rev. de Psicoanálisis*, tomo IV, n° 3, p.467.
17 Neste dia, na Suíça, era costume fazer fogueiras.
18 Como em sua recordação a blusa era de algodão, Pedro queimava somente este material no consultório.
19 PICHON RIVIÈRE, ABERASTURY, Arminda. "Algunos mecanismos de la enuresis". *Rev. de Psicoanálisis*, tomo VIII, n° 2, p.211.

pudesse aterrissar sem riscos. Tentava desta forma elaborar seu medo ao genital feminino, o qual despojava de todos os perigos – os canhões –, que simbolizavam para ele os pênis destruidores.

José, de oito anos, brincou, em várias sessões, com figurinhas e, por suas regras, eu devia jogar com ele, embora não pudesse ganhar uma, porque ele as modificava cada vez. Se tentasse me rebelar contra estas modificações, gritava-me: "Desconsiderada! Mal agradecida!" e outras críticas.

Neste jogo elaborava seus conflitos com a mãe, a quem via como uma mulher muito irritável, cujo maior erro com eles eram as modificações das normas educacionais de acordo com seu estado de ânimo. Se estava feliz, permitia tudo, o que podia modificar-se no momento seguinte, acompanhando-se de uma proibição. Quando o menino reclamava estas modificações, era criticado, sendo-lhe recordado quão carinhoso havia sido com ele momentos antes.

As experiências orais são expressas pelas crianças, muitas vezes, através de conteúdos e continentes. Existem crianças que somente brincam de agregar, nunca decidindo-se a retirar conteúdos de continentes. São crianças que sofreram experiências muito dolorosas de frustração oral, que tiveram forte inveja, com temor ao abandono e seu jogo tem como intenção manter intacta a fonte de gratificações que é a mãe, para não estarem expostas a futuras privações. É também uma defesa contra o intenso desejo de destruir tudo, provocado pela inveja e pela frustração.

Outras crianças retiram pouco alimento, vendem ou dão às bonecas ou ao analista, mas exigem a restituição imediata. As experiências destas crianças são similares às anteriormente descritas.

Outras brincam de comprar coisas com a característica de que lhes vendem sempre produtos podres ou envenenados. São crianças com dificuldades na alimentação, geralmente sofrendo de anorexia. A razão dos seus temores de envenenamento origina-se nos primeiros meses de vida. Um bebê que mama num seio vazio ou com pouco leite atribui ao seio suas dores de fome e seu mal-estar, vendo-o como algo que envenena e destrói. Posteriormente, todo alimento mantém este significado.

Outros, ao jogar, pensam que foram enganados no peso e que, quando compram, recebem menos do que pagaram, sendo a interpretação desta situação muito evidente.

As experiências na aprendizagem da limpeza também são repetidas em jogos quando, com angústia e medo de sujar, passam conteúdos de um recipiente a outro. Os detalhes do jogo revelam cada experiência individual.

Uma menina que teve seu aprendizado de limpeza muito cedo e severo, quando reviveu na análise estas experiências, costumava sujar com pintura seus braços e mãos. Depois pedia que desabotoasse a roupa e a levasse ao banheiro. Quando estava desabotoando, ou no caminho ao banheiro, pedia-me algo de comer. Colocava-me à prova, para ver se eu era capaz de gratificá-la, embora estivesse suja.

Todos estes exemplos mostram como "a criança expressa suas fantasias, desejos e experiências de um modo simbólico por meio de seus brinquedos e jogos. Ao fazê-lo, utiliza os mesmos meios de expressão arcaico-filogenéticos, a mesma linguagem que nos é familiar em sonhos. Para compreender completamente esta linguagem temos que nos aproximar a ela como Freud nos ensinou a aproximar-nos à linguagem dos sonhos. O simbolismo é só uma parte desta linguagem. Se desejamos compreender corretamente o jogo de crianças em relação a sua conduta total durante a hora de análise, devemos não só decifrar o significado de cada símbolo por separado, embora possam ser claros, mas também ter em consideração os mecanismos e formas de representar usados pelo trabalho onírico, sem perder de vista jamais a relação de cada fator com a situação total".[20]

Durante o tratamento de crianças, observa-se continuamente que um mesmo brinquedo ou jogo adquire diferentes significados de acordo com a situação total. É por isso que somente se compreende e se interpreta um jogo quando se tem em consideração a situação analítica global na qual se produz. Uma boneca, por exemplo, representará às vezes um pênis, às vezes uma criança, às vezes o pequeno paciente mesmo. "O conteúdo dos seus jogos, a maneira de brincar, os meios que utiliza e os motivos que se ocultam atrás das modificações no jogo – porque não brincará mais com água e cortará papel ou desenhará – são fatos que seguem um método cujos significados captaremos se os interpretamos como se interpretam os sonhos".[21]

O jogo desenvolve-se no consultório, dentro de limites determinados de espaço e tempo. As distâncias e proporções com respeito a si mesmo e ao terapeuta, sua mobilidade ou imobilidade no consultório nos ensinam muito sobre sua relação com o espaço e seu esquema corporal. Quando a criança brinca, busca representar algo; podíamos dizer que luta por algo e todos estes significados devem ser interpretados para chegar a ter acesso às mais profundas regiões de sua mente.

Ao interpretar um jogo, devemos considerar: 1 – sua representação no espaço; 2 – a situação traumática que envolve; 3 – por que aparece aqui, agora e comigo. Este, como o sonho, é uma manifestação plena de sentido e está na base de toda aprendizagem ou sublimação posterior.[22]

A compreensão e interpretação das expressões pré-verbais na criança têm-nos conduzido à criação de métodos diagnósticos baseados no jogo e no desenho.

A observação da primeira hora de jogo, como veremos no capítulo 7, permite-nos conhecer a fantasia inconsciente de enfermidade e a de cura, podendo ser avaliada a gravidade da neurose de acordo com o nível de jogo desenvolvido. Esta observação transformou-se num método diagnóstico das neuroses infantis; incluímos, para crianças com mais de cinco anos, a avaliação e a interpretação do "jogo de construir casas"[23] e o desenho da figura humana.[24] Neste jogo, realizado com material especial,

---

20 KLEIN, Melanie. *El psicoanálisis de niños* (1932). Biblioteca de Psicoanálisis, 1948, p.27.
21 KLEIN, Melanie. *El psicoanálisis de niños*, p. 28.
22 Huizinga considera que o jogo está nas origens da cultura, é prévio a ela, a acompanha e a influencia desde seus começos. *Homo ludens*, Editorial Emecé, Buenos Aires, 1959.
23 PICHON RIVIÈRE, ABERASTURY, Arminda. *El juego de construir casas – su interpretación y valor diagnóstico*, Biblioteca de Psicoanálisis, 1ª edición, Buenos Aires, Nova, 1958. ABERASTURY, Arminda. *El juego de construir casas – su interpretación y valor diagnóstico*, 2ª edición, Ed. Paidós, Buenos Aires, 1961.

que permite reproduzir os detalhes de uma casa real, a criança expressa muitos dos seus conflitos fundamentais, observando-se também se seu esquema corporal está modificado e em que forma. Crianças neuróticas graves ou psicóticas não constroem as casas de acordo com um critério de realidade proporcional a sua idade cronológica. Uma criança de oito anos, por exemplo, embora sabendo conscientemente que uma casa tem chão, teto, paredes, portas, janelas, pode esquecer alguns destes detalhes ou utilizá-los inadequadamente. A construção é dificultada ou ainda impossibilitada pelo uso equivocado das partes constituintes. Muitas crianças compreendem esta situação, mas sentem-se incapazes de solucionar a falha. Todas estas deformações obedecem a conflitos internos, têm um sentido, podendo ser interpretadas, e revelam-nos o esquema corporal de quem constrói.

"O ego corporal, esquema do corpo ou imagem do corpo" – segundo Schilder[25] –, "é uma criação, uma construção, não uma dádiva". Não se trata "de uma figura no sentido de Wertheimer e Köhler, mas da produção de uma figura". A imagem do corpo não é um fenômeno estático, mas que se adquire, se constrói, que se consegue no contínuo contato com o mundo. Como não é uma estrutura e sim uma estruturação, sofre modificações sucessivas na relação com fatos externos e internos. A imagem corporal é mutável, pode retrair-se, dilatar-se, introduzir parte do mundo exterior dentro de si, construindo-se, edificando-se cada vez. As influências emocionais modificam o valor relativo e a claridade das diferentes partes do corpo de acordo com as tendências libidinais e esta modificação, que pode influir sobre a superfície corporal total ou pode modificar determinadas partes do corpo, se expressa nas deformações da construção. Devido ao conteúdo simbólico da casa, todas estas deformações ou mudanças no esquema do corpo determinam que partes da casa construída expressam as modificações sofridas pela pessoa que constrói. Cada criança valorizará uma parte da casa que constrói, enfatizará algo que outro anula, agregará algo que não existe ou eliminará partes fundamentais na construção de uma casa. A linguagem que utiliza neste jogo é uma linguagem espacial, com o que expressa sua experiência no espaço e sua situação atual frente a este espaço e a seu próprio corpo.

Em continuação, relataremos um caso[26] no qual a ênfase foi posta na construção do teto, que, simbolicamente, representa a mente. O teto (figura 9) tinha as seguintes características: era duplo (A-A') e o vazio entre os dois tetos estava fechado por elementos que representavam grades, de tal forma que "ninguém pudesse escapar".

A situação traumática que originou a enfermidade de Maribel girava em torno de *segredos* e *mentiras* repetidos, que em seu meio ambiente lhe impunham como verdades, sendo-lhe exigido comparti-las.

---

24 F. Goodenough utiliza o desenho do corpo humano para um teste de inteligência. *Test de inteligencia infantil por medio del dibujo de la figura humana*, Ed. Paidós, Buenos Aires, 1951.
25 SHILDER, Paul. *Imagen y apariencia del cuerpo humano*. Ed. Paidós, Buenos Aires, 1958.
26 Observado por Lidia Forti.

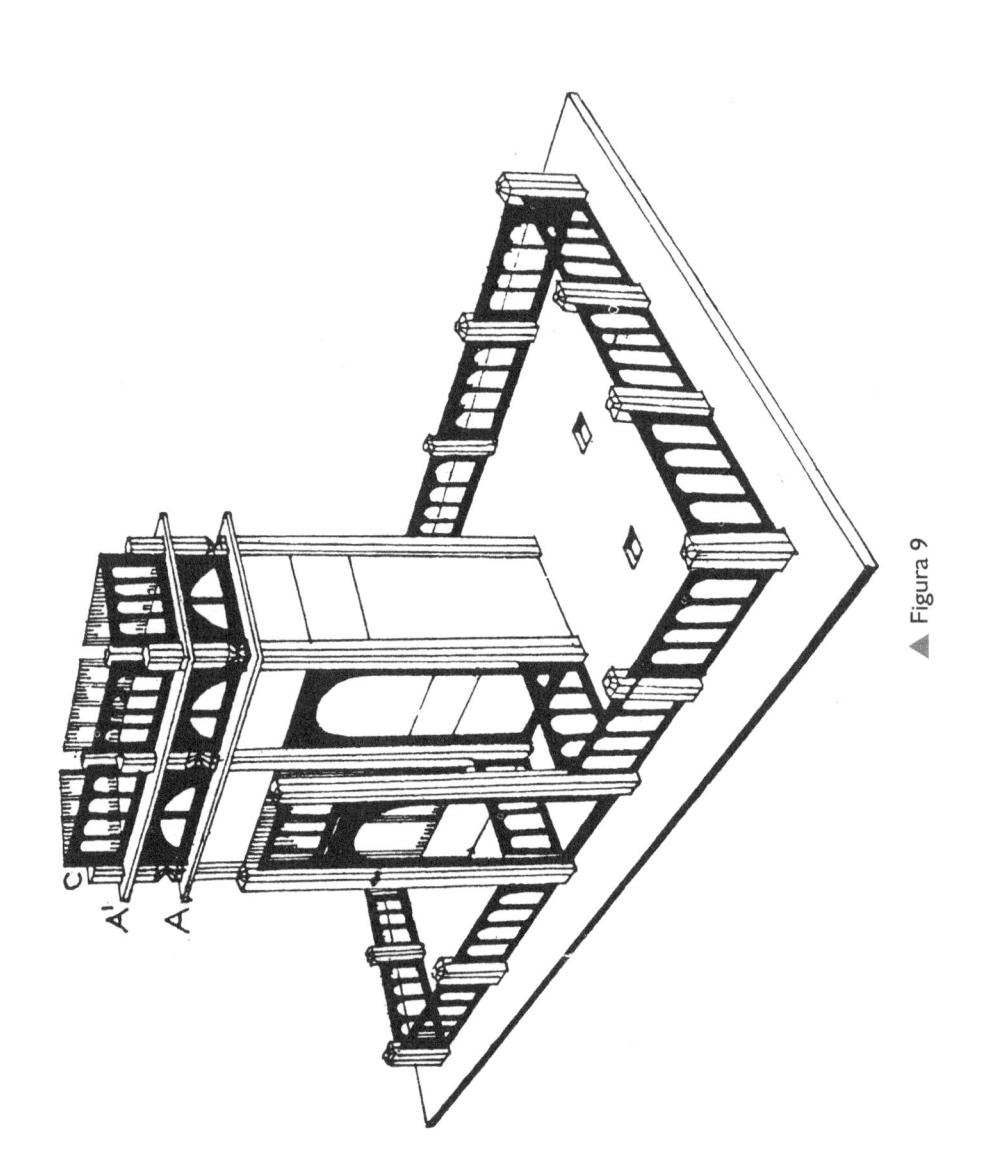

▲ Figura 9

Maribel não foi desejada e seus pais se casaram sete meses depois de seu nascimento, registrando-a, então, como recém-nascida. A mãe, que teve um primeiro casamento infeliz, engravidou dela quando o divórcio estava ainda em tramitação, fato que impossibilitou legalizar a filha naquela época. Os pais viveram com ela em relativa harmonia até os dois anos, quando o pai viajou a outro país e se casou novamente.

O pai, ao saber posteriormente que a mãe da menina vivia com outro homem, do qual tinha outra filha, decidiu que Maribel fosse viver com ele. Como não foi possível consegui-lo amistosamente, recorreu ao rapto. A mãe havia assegurado a Maribel que seu pai verdadeiro não era o que havia vivido antes com elas e a quem ela via periodicamente, mas sim este outro que estava agora com elas. Por seu lado, o pai, quando a levou consigo, disse-lhe que a verdadeira mãe não era a que tinha vivido com ela até aquele momento e sim a senhora que estava ali com eles, exigindo-lhe que a chamasse de mamãe.

Como a menina se lembrava da mãe e perguntava por ela, pensaram que esqueceria completamente se lhe dissessem que era somente uma amiga que a cuidou em uma época em que sua verdadeira mãe estava enferma. A menina continuou perguntando por algum tempo e se negava a chamar a madrasta de mamãe. Depois do nascimento de uma irmã, Maribel deixou de perguntar, submetendo-se ao que lhe exigiam. Neste momento, despertou-se nela uma verdadeira obsessão por saber todos os detalhes referentes à vida sexual. Esta curiosidade, juntamente com o hábito de falar no colégio sobre *coisas sujas* de forma grosseira, fez com que os pais temessem que as famílias das amigas e colegas a rechaçassem. Este foi um dos motivos da consulta. Também sofria de terríveis pesadelos, dos quais despertava com vontade de urinar, não recordando nada do sonho.

Quando nos consultaram, tinha onze anos e cursava o quinto ano. O pai acreditava que a sintomatologia estava relacionada com os traumas descritos, mostrando-se disposto a esclarecer a situação. A mãe, ao contrário, opunha-se a todo esclarecimento, sustentando que a menina não entendia nem recordava nada de toda a história. Inclusive considerava contraproducente dizer-lhe a verdade.

O relato dos primeiros anos de vida foi feito pelo pai. Maribel não foi desejada, a mãe deu-lhe peito até os cinco meses e tinha boa relação com ela. Maribel reagiu ao desmame com transtornos intestinais e teve sempre sono intranquilo. Não recordava nenhum detalhe do início do processo de caminhar, da aquisição da linguagem e do controle de esfíncteres. Seu rendimento escolar era bom. Enquanto constrói a casa (figura 9), Maribel diz: "Será aborrecida". Coloca o teto A, alargando depois os paus com outros pequenos, de tal forma que ficam em equilíbrio instável, apoiados em um só ponto. Entre os paus que agrega, coloca "grades fechadas" e em cima delas outro teto. Creio difícil expressar de melhor maneira o insustentável que era para Maribel a exigência de guardar encerrado o segredo. A cerca que rodeia a construção evidencia sua desconfiança frente ao mundo externo por aumento da ansiedade de paranóide. Desejo destacar especialmente o simbolismo do teto duplo como expressão da dupla exigência de segredo, condicionando um terrível esforço para não deixar escapar nada da verdade. Quando lhe foi perguntado quem vivia na casa, comete um lapso e diz: "Papai, mamãe, mamãe e as crianças, uma pequena e outra grande". O lapso revela o conhecimento da verdade.

A parte interna da casa era constituída de seis peças: sala de jantar, dois quartos, cozinha e um lugar para as crianças brincarem. Esquece assim o destino de uma das peças, pois reprime a existência de banheiro, símbolo do sexual e do sujo. Neste esquecimento expressa a repressão imposta ao conhecimento de sua verdadeira origem.

Também o desenho da figura humana, com roupas e sem elas, resultou ser um material valioso para conhecer o esquema corporal da criança. Encontramos em Enrique Pichon Rivière[27] que a criança a partir dos cinco anos é capaz de reproduzir corretamente a figura humana e que as deformações nesta representação correspondem – como na construção de casas – a conflitos internos. Crianças com asma ou com sérias dificuldades para respirar, quando desenham o corpo humano, suprimem o pescoço ou representam o sufocamento desenhando os braços na região do pescoço, simbolizando o sufoco e o gesto que costuma acompanhar a dificuldade para respirar.

As crianças epilépticas desenham lentamente, apoiando o lápis com tal força que podem perfurar o papel; têm tendência a perseverar em um mesmo traço ou contorno já desenhado.

Os braços costumam mostrar uma marcada desigualdade, tanto no comprimento como no diâmetro, simbolizando assim o que na construção de casas aparece com o uso desnivelado de paus.

Na hipocondria estão desenhados os espaços intercostais e, nos casos extremos, o aparelho gastrintestinal.

Rodolfo, de cinco anos, sofria de asma, anginas frequentes, sinusite e parasitose intestinal; era canhoto e desejava ser mulher. Sofreu repetidas agressões homossexuais por parte do irmão mais velho e os pais pareciam não apoiá-lo eficazmente para sair desta situação. Mostrou, através do desenho, em sua primeira sessão de análise, suas dificulades respiratórias, a sensação de derrubamento e as fantasias de feminilização. Expressou a fantasia inconsciente dos seus sintomas ao desenhar uma casa com somente uma janela e junto ao teto (figura 10). Suas idéias sobre a diferença dos sexos era muito confusa, principalmente com relação às funções de cada um na procriação (figura 11). Se traçarmos, nesta figura, uma linha média divisória e observarmos comparativamente o comprimento do cabelo, as diferentes dimensões dos braços, a forma das mãos e especialmente a parte esquerda, onde colocou um pênis invaginado com três pontos, que associou com as três sementes que fecundaram a mãe (era o mais moço de três irmãos), veremos que estão representados os dois elementos: o feminino e o masculino, elementos básicos de seu conflito.

---

27 Cf. BERNSTEIN, Jaime. "El dibujo de la figura humana como test de personalidad normal y anormal", em F. Goodenough. *Test de inteligencia infantil por medio del dibujo de la figura humana*, Ed. Paidós, 1ª edição, 1951, p.237.

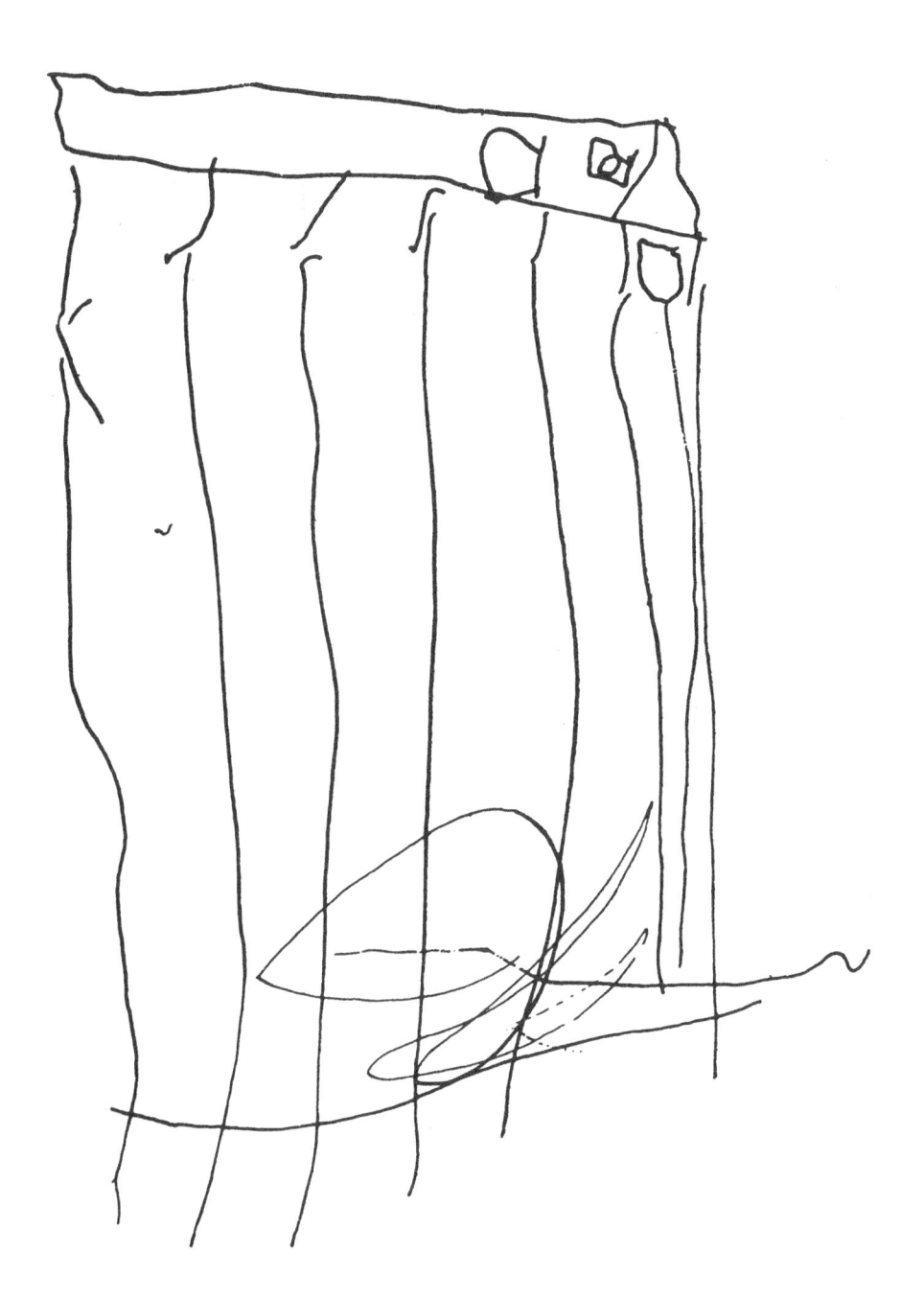

▲ Figura 10

▲ Figura 11

Resumindo: a hora de jogo, a construção de casas e a representação do corpo são métodos de observação que utilizamos no diagnóstico das neuroses infantis em crianças com mais de cinco anos; em crianças de menos idade, utilizamo-nos somente da observação da hora de jogo. Uma vez avaliada adequadamente a neurose, orienta-se o caso e se indica o tratamento da forma exposta no capítulo 8.

3

Duas correntes em psicanálise de crianças

Como vimos, o caso de Joãozinho[1] foi o ponto de partida para um novo ramo da psicanálise e de uma nova psicologia da criança; foi, além disso, muito estimulante, não somente pelo que afirmou, mas também porque muitos de seus desenvolvimentos – alguns esboçados – abriram o caminho para encontrar uma técnica que possibilitasse aplicar às crianças o método terapêutico criado para o tratamento de adultos.

Quando os primeiros analistas de crianças se encontraram no consultório com a experiência de que um paciente de quatro ou cinco anos é incapaz de associar livremente, sentiram-se desencorajados, principalmente se comparavam seus resultados com os obtidos por Freud em Joãozinho. A dificuldade que encontraram não se apresentou neste caso, porque o menino falava com seu pai e em sua casa. Talvez tomando como ponto de referência esta circunstância, os primeiros analistas pensaram que a solução seria analisar as crianças em suas próprias casas. Em seguida, comprovaram que esta situação, aparentemente simples, complicava desnecessariamente a relação com o paciente e a família. Além disso, um tratamento deve ser realizado dentro de parâmetros adequados, sendo imprescindível uma técnica que o possibilite.

Foi com as obras de Anna Freud e Melanie Klein que surgiu esta técnica. Desde o primeiro momento apareceram diferenças fundamentais entre as duas posturas. Estas duas direções, principalmente na forma de abordar a transferência, envolviam diferentes conceitos teóricos sobre a formação do ego e do superego, o complexo de Édipo e a relação de objeto. Surgiram assim duas escolas em psicanálise de crianças.

Anna Freud[2] considera que as crianças não têm capacidade de transferência, sendo portanto necessário um trabalho prévio não analítico, com a finalidade de prepará-las para o tratamento, proporcionando-lhes consciência de enfermidade, dando-lhes confiança na análise e no analista e criando uma transferência positiva que faça

---

1 FREUD, Sigmund. "Análisis de la fobia de un niño de cinco años", tomo XV, *Historiales clínicos*.
2 FREUD, Anna. *El psicoanálisis del niño*, Ed. Imán, Buenos Aires, 1951.

interna a decisão externa de analisar-se. Expõe seus métodos em diferentes casos: por vezes adapta-se aos caprichos de criança; com outros segue os vaivéns do seu humor; com outros demonstra sua superioridade ou habilidade, transformando-se em uma pessoa interessante, útil e poderosa, de cujo auxílio já não se pode prescindir. Sua única preocupação em cada caso é criar um vínculo suficientemente forte e positivo, para assegurar a continuidade do tratamento. Partindo da base de que a criança não tem consciência de enfermidade, não titubeava – por exemplo – em despertar esta consciência, comparando o sintoma com os atos de um enfermo mental, mostrando-o à criança desta forma: "Convidei-o a descrever seus problemas cada vez que se produziam, fingindo preocupação e tristeza; perguntei-lhe até que ponto era dono e senhor dos seus atos em tais estados e comparava suas arrancadas às de um enfermo mental a quem dificilmente poderia prestar ajuda alguma. Tudo isto deixou-o atônito e intimidado, pois, naturalmente, ser tido por louco já ultrapassava o que sua ambição perseguia. Então tratou de dominar por si mesmo suas arrancadas. Começou a opor-se em lugar de provocá-las, como tinha feito antes, conscientizando-se assim de sua verdadeira impotência e fazendo crescer suas sensações de sofrimento e desprazer. Depois de algumas tentativas também frustradas, o sintoma converteu-se, por fim, de acordo com seus propósitos, de um bem apreciado em um incômodo corpo estranho e para a sua supressão o menino recorreu de bom grado a meu auxílio."[3]

Para Anna Freud, na criança não se pode falar de uma neurose de transferência, embora se estabeleça entre ela e o analista uma relação na qual expressa muitas das situações vividas com os pais. Considera que "o pequeno paciente não está disposto, como o adulto, a reeditar seus vínculos amorosos, porque, por assim dizer, ainda não esgotou a velha edição. Seus primeiros objetos amorosos, os pais, ainda existem na realidade e não só nas fantasias, como no neurótico adulto; a criança mantém com eles todas as relações da vida cotidiana e experimenta todas as vivências reais de satisfação e desengano. O analista é um novo personagem nesta situação e, com toda probabilidade, compartirá com os pais o amor e o ódio da criança. Mas esta não se sente levada a colocá-lo imediatamente no lugar dos pais, pois, em comparação com os objetos primitivos, não lhe oferece todas as vantagens que encontra o adulto quando pode trocar seus objetos da fantasia por uma pessoa real."[4]

No transcurso do tratamento analítico, o neurótico adulto transforma, paulatinamente, os sintomas que o levaram à análise, abandona os velhos objetos aos quais se aferravam até então suas fantasias e concentra sua neurose na pessoa do analista. Substitui seus sintomas antigos por sintomas transferenciais, que convertem sua antiga neurose em uma neurose de transferência, manifestando, de novo, suas reações anormais na relação com o novo personagem transferencial, ou seja, o analista.

Para Anna Freud nada disso acontece na análise de crianças. Procura explicar esta impossibilidade através de duas circunstâncias: a estrutura da criança e a própria

---

3 Idem, p.27.
4 Idem, p.69.

análise. Considera que a análise de crianças não é muito apropriada para uma transferência facilmente interpretável, porque, diferentemente da análise de adultos, "o analista de crianças pode ser tudo, menos uma sombra. Já sabemos que é para a criança uma pessoa interessante, dotada de todas as qualidades imponentes e atrativas. As finalidades pedagógicas que, como recursos, se combinam com as analíticas fazem com que a criança saiba muito bem o que o analista considera conveniente ou inconveniente, o que aprova ou reprova".[5] "É como se encontrássemos pintado um quadro numa tela sobre a qual se projetará a imagem. Quanto mais frondoso e colorido for aquele, tanto mais apagado serão os contornos da imagem projetada. Por tais motivos, a criança não desenvolve uma neurose de transferência. Apesar de todos os seus impulsos carinhosos e hostis na relação com o analista, suas reações anormais continuam se manifestando onde sempre apareceram: no seu ambiente familiar."[6]

Compreende-se que, ao não analisar as fantasias destrutivas da criança, dissolvendo a transferência negativa por meios não analíticos e forçando-a a viver um idílio transferencial, seus pequenos pacientes tivessem que ativar fora da análise todas as fantasias destrutivas que iam aparecendo, pois não lhes eram interpretadas na situação transferencial e em sua relação com os objetos originários.

Hanna Segal,[7] em seu artigo "Alguns aspectos da análise de um esquizofrênico", descreve para a análise de psicóticos o que considero um perigo na análise de crianças. Diz que quando se empregam técnicas de tranquilização e manutenção de transferência positiva, tal como postula Anna Freud e sua escola, transmitindo simpatia ao paciente e tranquilizando-o, o analista converte-se, por um momento, em um objeto bom, mas apenas às custas de uma futura dissociação entre os objetos maus e bons e com o reforço das defesas patológicas do enfermo.

Manifestam-se assim repentinas conversões de deuses em demônios e a transferência negativa se torna de difícil interpretação. Ainda que esta fase boa conduzisse ao progresso da análise, sofreria a interferência da repressão das fantasias sobre o analista *mau*. Ademais, enquanto o analista é mantido artificialmente *bom*, o paciente escolhe outra pessoa como perseguidor; é geralmente um membro de sua família, que está muito menos preparado para fazer frente à hostilidade do paciente.

Anna Freud chega à conclusão de que somente isolando a criança de seu meio familiar pode-se conseguir a neurose de transferência, indispensável para a repetição dos sintomas e sua cura, mas que isso traria o risco de que a criança não pudesse, depois, adaptar-se a seu lar ou que voltasse a ele repetindo sua sintomatologia.

A necessidade de dar ao psicanalista um papel educativo e sua visão sobre a transferência fundamenta-se no que ela considera a diferença primordial entre a análise de crianças e a de adultos, surgindo das idéias sobre a imaturidade do superego infantil. "No adulto, o superego alcançou já sua independência e não é acessível a

---

5 Idem, p.71.
6 Idem, p.72.
7 SEGAL, Hanna. "Some aspects of the analysis of a schizophrenic". *International Journal of Psycho-Analysis*, tomo 31, 1950, p.268 a 278.

influências do mundo exterior..." "Na criança, ao contrário, ainda se encontra a serviço de seus inspiradores – os pais e educadores –, ajustando-se a suas exigências e seguindo todas as flutuações da relação com a pessoa amada e todas as modificações de suas próprias opiniões."[8]

Diz: "Também aqui trabalhamos como na análise de adultos, em forma puramente analítica, enquanto se trata de libertar do inconsciente os setores reprimidos do id e do ego. Por outro lado, o trabalho a realizar no superego infantil é duplo: analítico, na desintegração histérica levada desde o interior, na medida em que o superego já alcançou sua independência; mas também pedagógico, influenciando a partir do exterior, modificando o relacionamento com os educadores, criando novas impressões e revisando as exigências que o mundo exterior impõe à criança".[9]

Para justificar esta missão educadora do analista, diz: "Se reconhecemos que as potências contra as quais devemos lutar na cura da neurose infantil não são unicamente internas, mas também têm fontes externas, temos direito a exigir que o analista saiba valorizar de forma justa a situação exterior da criança, assim como lhe exigimos que saiba captar também a situação interior".[10]

O analista deve ter conhecimentos pedagógicos, teóricos e práticos, e "se as circunstâncias fizerem necessário, deve assumir também as funções de educador durante todo o curso da análise".[11] O analista deve assumir a orientação da criança, para assegurar a feliz conclusão do tratamento; deve ensiná-la a dominar sua vida instintiva e a opinião do analista decidirá que parte dos impulsos infantis deve ser suprimida ou condenada, que parte se pode satisfazer e qual deve ser conduzida à sublimação. "É preciso que o analista consiga ocupar, durante toda a análise, o lugar do ideal do ego infantil."[12] "Assim, o analista reúne em sua pessoa duas missões difíceis e em realidade diametralmente opostas: analisar e educar ao mesmo tempo, permitir e proibir, liberar e conter simultaneamente..." "... mas se o conseguir, corrige toda uma fase de educação equivocada e de desenvolvimento anormal, oferecendo à criança ou a quem deve decidir sobre seu destino uma nova oportunidade para corrigir seus erros".[13] Continua: "Se nestas condições completarmos o trabalho interno com uma ação exterior, tratando não somente de modificar por influência analítica as identificações já estabelecidas, mas também por relação e influência humana os objetos reais que rodeiam o paciente, então o esforço será completo e surpreendente".[14]

Ainda que se pense que a neurose da criança, como a do adulto, é o resultado de um conflito interno entre a vida instintiva, o ego e o superego, na criança a influência do mundo exterior sobre sua neurose é diferente, porque ela "está muito longe de

---

8 FREUD, Anna. Obra citada, p.120.
9 Idem, p.120.
10 Idem, p.125.
11 Idem, p.126.
12 Idem, p.91.
13 Idem, p.99.
14 Idem, p.102.

desprender-se dos primeiros objetos amados e, subsistindo o amor objetal, as identificações somente se estabelecerão lenta e parcialmente".[15]

Embora aceite o funcionamento de um superego infantil e que as relações entre o ego e o superego são, em muitos aspectos, análogas às dos adultos, desde etapas muito primárias, diz que é evidente também a relação entre este superego e os objetos aos que deve seu estabelecimento, comparando-o ao que se dá entre dois vasos comunicantes. Assinala a influência do superego na evolução da exigência pela limpeza nos primeiros anos. "Esta atua efetivamente, mas só enquanto subsista no mundo exterior, em qualidade de objeto, a pessoa responsável pelo estabelecimento. Enquanto a criança perde esta-relação objetal, desaparece também todo o prazer que lhe traz o cumprimento da exigência."[16]

Esta situação de dependência do superego aos objetos originais mantém-se, segundo ela, durante o período de latência e pré-puberdade. A debilidade do ego e sua dependência das exigências impostas pelo ideal do ego explicam, para Anna Freud, a dupla moral da criança: quando atua no mundo dos adultos ou no de crianças da sua idade; por isso certas coisas lhe causam repugnância, quando está com adulto e estando com companheiros, não. Estas características de dependência do superego infantil de dupla moral levam-na a pensar que a análise da criança não é como a do adulto. "Aquele deixou de ser um assunto pessoal entre duas pessoas exclusivamente: o analista e seu paciente. Efetivamente, os objetos do mundo exterior seguirão exercendo um importante papel na análise, em particular na última fase, ou seja, no aproveitamento dos impulsos instintivos libertados da repressão. Subsistirá a influência enquanto o superego infantil não se transforme no representante impessoal das exigências assinaladas do mundo exterior e enquanto permaneça organicamente vinculado a este."[17]

Uma vez conseguida a transferência positiva pelo método não analítico, Anna Freud evita cuidadosamente o aparecimento da transferência negativa. Quando não o consegue, dissolve-a pelos mesmos métodos de trabalho prévio descritos anteriormente. É de opinião que as tendências agressivas que a criança manifesta contra o analista não são índice de transferência negativa. "Quanto mais carinhosamente a criança pequena esteja vinculada à sua mãe, menos impulsos amistosos terá para com as pessoas estranhas."[18] "Quanto às suas expressões negativas, podemos senti-las quando tratamos de liberar do inconsciente uma parte do material reprimido, despertando assim a resistência do ego. Em tais momentos, a criança nos considera um sedutor perigoso e terrível, dedicando-nos por isso todas as suas expressões de ódio e rechaço que em geral dirige aos seus próprios impulsos instintivos condenados."[19]

---

15 Idem, p.83.
16 Idem, p.85.
17 Idem, p.88.
18 Idem, p.70.
19 Idem, p.65.

A análise infantil exige, segundo ela, uma vinculação positiva muitíssimo mais intensa que a do adulto, porque, além da finalidade analítica, existe a finalidade pedagógica, e em educação o êxito sempre dependerá do vínculo afetivo com o educador. Portanto, a transferência negativa, quando aparece, embora seja útil para conhecer os conflitos da criança, deve ser dissolvida imediatamente – mesmo que seja através de meios mais analíticos; deve-se reconquistar a criança.

Quanto à possibilidade de acesso ao inconsciente, é de opinião que não é possível sobrepassar a barreira que impõe o domínio imperfeito da linguagem e não crê que o jogo possa ser um instrumento técnico comparável à associação livre do adulto.

Em trabalhos posteriores,[20] modifica em parte a técnica da fase prévia para introduzir a criança na situação analítica, abreviando ou eliminando esta etapa. O estudo dos mecanismos de defesa marca uma segunda época na obra de Anna Freud e a considero uma valiosa contribuição. A maior dificuldade na análise de crianças continua sendo para ela o fato de não haver associação livre. Apesar disso, diz que "... os sonhos e os sonhos diurnos das crianças, juntamente com a fantasia manifestada no jogo, desenhos, etc., revelam os impulsos do id sem disfarces e de uma maneira mais acessível que nos adultos..."[21] Aceita, por outro lado, que o conhecimento do ego infantil é sumamente escasso. Não está de acordo com a técnica de jogo de Melanie Klein, na qual se equipara a atividade lúdica infantil com a associação livre do adulto, nem com a interpretação que esta faz sobre essa atividade. Referindo-se a esta escola, diz: "O livre curso associativo corresponde ao desenvolvimento tranquilo do jogo; as interrupções e inibições no seu transcorrer equivalem aos transtornos da associação livre. Assim, a análise das perturbações do jogo revela que se trata de uma medida defensiva do ego, comparável à resistência na associação livre". [22]

Para Anna Freud, o jogo – como técnica complementar – esclarece os impulsos do id, mas não nos permite ver como funciona o ego. Recorre a métodos substitutivos capazes de informar-nos sobre o funcionamento egoico e crê que isto se consegue com o exame das transformações dos afetos. "A análise e a condução à consciência das diversas maneiras destas defesas contra os afetos – seja da transformação no contrário, do deslocamento ou da completa repressão – nos informa sobre as técnicas particulares deste ego infantil; assim como a análise das resistências nos permite inferir o comportamento do instinto e a natureza da formação de sintomas. É, sem dúvida, de muita importância que, na observação dos processos afetivos em análise de crianças, não dependamos da voluntária cooperação do paciente nem da sinceridade de suas comunicações. Seus afetos traem-se a si mesmos contra seu propósito."[23]

Anna Freud e sua escola consideram que, embora na análise de crianças se transfiram sintomas e defesas, a neurose permanece centralizada nos objetos originais

---

20 FREUD, Anna. *El yo y los mecanismos de defensa*. Ed. Paidós, Buenos Aires, 1949.
21 Idem, p.56.
22 Idem, p.57.
23 Idem, p.58.

e somente se estende à análise com propósito defensivo – quando a criança percebe o perigo no trabalho terapêutico, que para ela é um perigo real. Não necessita transferir ao analista seus afetos, porque os objetos originários ainda existem. Considera que o *acting out* é muito frequente e perigoso, tendo a característica de voltar a viver a neurose no meio familiar. Marianne Kris[24] apresentou um caso de um menino de quatro anos no qual descreve o desenvolvimento de uma neurose de transferência similar à do adulto. Assim mesmo, a opinião geral era de que a criança, embora manifeste sinais evidentes de transferência, não faz uma neurose de transferência. Também ela é de opinião que o papel educativo do analista e a colaboração dos pais são necessários para a cura da criança.

Resumindo, para Anna Freud: 1 – a capacidade de transferência não é espontânea na criança; 2 – embora evidencie reações transferenciais positivas e negativas, não faz uma verdadeira neurose de transferência, em parte pelas condições inerentes à criança e em parte porque estas condições obrigam o analista a realizar um trabalho educativo; 3 – a criança não pode fazer uma segunda edição antes de esgotar a primeira e o analista deve ser educador, porque o superego do paciente ainda depende dos objetos exteriores que o originaram e não está maduro; 4 – a transferência negativa não deve ser interpretada, mas dissolvida por meios não analíticos; 5 – somente com transferência positiva pode ser realizado um trabalho útil com a criança.

Melanie Klein, por sua parte, pensa que a capacidade de transferência é espontânea na criança e que deve ser interpretada, tanto a positiva como a negativa, desde o primeiro momento, não devendo o analista tomar o papel de educador.

Pensa que a ansiedade da criança é muito intensa e que é a pressão dessas ansiedades primárias que põe em funcionamento a compulsão à repetição, mecanismo estudado por Freud na dinâmica da transferência e no impulso a brincar.[25] Conduzem-no a simbolizações e personificações, nas quais reedita suas primeiras relações de objeto, à formação do superego e à adaptação à realidade, que se expressam em seus jogos e podem ser interpretados.[26]

Em seus primeiros trabalhos,[27] Melanie Klein era de opinião que, pelo processo de simbolização, a criança conseguia distribuir o amor a novos objetos e novas fontes de gratificação. Mais tarde afirmou[28] que também distribui suas angústias e que pelos mecanismos de repartir e repetir as diminui e domina, afastando-se de seus objetos originários perigosos.

---

24 Quando discute sobre problemas de neuroses infantis: *The psychoanalytic study of the child*, tomo XIV, Imago Publishing Co. Ltd., London, 1959.
25 FREUD, Sigmund. "Más allá del principio del placer", tomo II, *Una teoría sexual y otros ensayos*.
26 KLEIN, Melanie. "Personification in the play of children". *Int. Journal of Psychoanalysis*, vol. X, 1929.
27 KLEIN, Melanie. "The importance of symbol-formation in the development of the ego" (1930). Em *Contributions to Psycho-Analysis*, The Hogarth Press Ltd, London, 1948. Traduzido na Rev. Uruguaya de Psicoanálisis, tomo I, n° 1, 1956.
28 KLEIN, Melanie. "Les origines du transfert". *Revue Française de Psychanalyse*, tomo XVI, n° 1 e 2, p.178.

A substituição do objeto originário, cuja perda é temida e lamentada, por outros mais numerosos e unitários; a distribuição de sentimentos em múltiplos objetos e a elaboração de sentimentos de perda através da experiência de afastamento e recuperação – como Freud analisou no jogo do carretel – são a base da atividade lúdica e da capacidade de transferência.

Com os objetos – pelo mecanismo de identificação projetiva – as crianças fazem transferências positivas ou negativas, de acordo com o comportamento do objeto, aumentando ou aliviando sua ansiedade. Este mecanismo está na base da situação transferencial, onde se repete a relação com os objetos originários.

As primeiras defesas na relação da criança com os objetos surgem de suas tendências agressivas e são a projeção, considerado o sujeito, e a destruição, considerado o objeto. Desde o primeiro momento, o paciente projeta no analista e nos brinquedos suas tendências destrutivas e amorosas, com uma intensidade que variará com o grau de fusão que tenha conseguido com os instintos de morte e vida.

A criança, quando brinca, coloca o analista nos mais variados papéis. Pode personificar o id e nesta projeção dar vazão a suas fantasias, sem despertar demasiada ansiedade; quando esta diminui, será capaz, ele mesmo, de personificar-se neste papel.

Nas personificações do jogo, observa-se que muito rapidamente pode mudar o objeto de bom em mau, de aliado em inimigo, e como o analista assume e interpreta os papéis hostis requeridos pelo jogo, como também os positivos, existe um constante progresso em direção a identificações mais bondosas e uma maior aproximação à realidade. Uma das finalidades da análise é a gradual modificação da excessiva severidade do superego, o que se consegue, em parte, pela interpretação dos papéis no jogo. "Mas não sempre o trabalho do analista é tão simples, nem sempre a criança lhe determina papéis facilmente interpretáveis. O analista que deseja penetrar nas raízes da severidade do superego não deve preferir nenhum papel; deve adaptar-se ao que a situação analítica lhe oferece."[29]

Referindo-se à necessidade de interpretar a transferência negativa, diz em um de seus últimos trabalhos:[30] "Durante o tratamento, o analista aparece como uma figura idealizada, mas esta idealização é usada como defesa contra as ansiedades persecutórias e suas consequências". O analista deve tratar de eliminar esta excessiva idealização e, mediante a análise da transferência positiva e negativa, reduzir a ansiedade persecutória, diminuindo assim a idealização. No transcurso do tratamento, o analista representará, na transferência, uma variada gama de figuras, que correspondem às introjetadas pela criança em seu desenvolvimento; será visto como perseguidor e como figura idealizada, com múltiplos graus e matizes. A criança pequena abandonou uma grande parte de seu complexo de Édipo e pela repressão e pelo sentimento de culpa está muito afastada dos objetos que desejou originariamente; suas relações com

---

29 KLEIN, Melanie. "Personification in the play of children", obra citada.
30 KLEIN, Melanie. "Les origines du transfert", obra citada.

eles sofreram distorções e se transformaram, de maneira que os objetos de amor presentes são imagens dos originais. Por esta razão é que pode muito bem produzir uma *nova edição* dos objetos desejados ao princípio. Seus sintomas se modificarão, acentuando-se ou diminuindo, de acordo com a situação transferencial; pode inclusive acontecer que em casa retorne a hábitos e condutas que já haviam desaparecido.

A relação consciente-inconsciente é diferente na criança e no adulto; o inconsciente está em estreito contato e é mais permeável com o consciente na criança. Eles estão mais profundamente dominados pelo inconsciente e por isso prevalece a representação simbólica.

Na análise de crianças nos encontramos com resistências tão marcadas como na análise de adultos; manifestam-se como crises de angústia, como interrupção ou mudança de jogo, aborrecimento, desconfiança, variando com os casos e com a idade. As crises de ansiedade e medo são mais frequentes em crianças pequenas.

Ao estudar a angústia em relação ao material oferecido, tropeçamos sempre com o sentimento de culpa. Interpretando-o em relação com as fantasias originais e com as transferências, é possível diminuir a transferência negativa em favor da positiva. A ansiedade transferencial mais intensa é a de reviver as primeiras relações de objeto, com o predomínio das ansiedades paranoides e depressivas.

Assim como nas crianças pequenas a transferência negativa se expressa normalmente pelo medo, nas maiores – especialmente na latência – adquire a forma de desconfiança, reserva ou simples desgosto. Quando a criança manifesta timidez, desconfiança, aborrecimento, ansiedade – sinais de transferência negativa –, a interpretação os reduz, fazendo retroceder os afetos negativos em direção aos objetos e situações originários.

Na sua luta contra o medo dos objetos mais próximos, a criança tende a deslocar este temor a objetos mais distantes – o deslocamento é uma das maneiras de enfrentar a ansiedade – e a ver assim neles sua mãe e pai maus. A criança que se sente predominantemente sob ameaça de perigo espera sempre encontrar-se com o pai ou mãe *maus* e reagirá com ansiedade ante estranhos. Na relação analítica, o predominante nestes casos é a transferência negativa, conseguindo através deste mecanismo uma boa imagem dos pais reais.

Resumindo os pontos de vista técnicos, diremos que para Melanie Klein e sua escola:

    I – A mesma ansiedade que leva à divisão de imagens, boa e má, no início da vida, revive-se na análise; as ansiedades depressivas e paranoides são experimentadas na análise, expressas no jogo e reduzidas pela interpretação.

    2 – Quando o desenvolvimento normal diminui a divisão entre objetos perseguidores e idealizados e o ódio é mitigado pelo amor, podem estabelecer-se objetos bons no mundo interno, melhorando as relações com o mundo exterior. No tratamento, este progresso conduz à cura.

    3 – O aumento da capacidade de sintetizar prova que o processo de dissociação, originado nas relações de objeto da criança pequena, diminuiu.

4 – A atuação das imagens com características fantasticamente boas ou más, que predominam na vida mental, é um mecanismo geral em crianças e adultos. Suas variações são somente de grau, frequência e intensidade.

5 – Estas imagens correspondem a estados intermediários entre o superego terrorífico totalmente afastado da realidade e identificações mais próximas ao real.

6 – Na medida em que estas figuras intermediárias aparecem no jogo de criança através do mecanismo de simbolização e personificação, podemos compreender a formação de seu superego e amortecer sua severidade.

7 – A transferência é o instrumento principal para conhecer o que acontece na mente da criança e também para descobrir e reconstruir sua história inicial.

8 – O descobrimento da fantasia transferencial e o estabelecimento da relação entre as suas primeiras experiências e as situações atuais constituem o principal meio de cura.

9 – A repetição das situações primárias na transferência nos leva às vivências dos primeiros meses de vida.

10 – Nas fantasias com o analista, a criança retrocede a seus primeiros dias e ao estudá-las em seu contexto e compreendê-las em detalhe obter-se-á um conhecimento sólido do que aconteceu na sua mente nas etapas primárias. No fim da análise, o paciente revive emoções de sua época de desmame e a elaboração do luto transferencial se consegue através da análise das ansiedades paranoides e depressivas.

A psicanálise de crianças na Argentina

Um antigo interesse pela vida mental da criança levou-me, há muitos anos, a trabalhar em salas de lactantes, mas foi em 1937 que pela primeira vez contactei terapeuticamente com uma menina de oito anos. Encontrava-me com ela diariamente na sala de espera, quando acompanhava sua mãe a um tratamento psiquiátrico.[1] Sua expressão inteligente e angustiada me fazia duvidar do diagnóstico que pesava sobre ela. Soube que não aprendeu a ler nem a escrever, apesar das insistentes tentativas que se fizeram para interessá-la no conhecimento. Os profissionais consultados pela mãe diziam que se tratava de um caso de oligofrenia. Minha primeira aproximação à sua mente foi pedagógica; queria saber se a menina podia aprender ou não.

Em longas entrevistas que mantive com ela, nas horas em que sua mãe estava em tratamento, contava-me fragmentos de sua vida, enquanto eu lhe ensinava letras e números. Concluí que não podia aprender, porque lhe resultava muito penoso conhecer a enfermidade da mãe e recordar o quanto havia sofrido durante os episódios psicóticos que presenciou. Sua mente estava paralisada por este conflito, descobrimento que aos poucos lhe fui comunicando. Compreendi também que as mentiras que, para consolo e tranquilização, lhe diziam os adultos criaram nela uma grande confusão, provocando-lhe a perda da confiança no conhecimento da verdade. Depois desses esclarecimentos, começou a aprender.[2] Como os resultados destas entrevistas foram tão assombrosos, com a menina aprendendo novas coisas

---

[1] Enrique Pichon Rivière era o terapeuta.
[2] Este foi o ponto de partida das minhas investigações sobre as dificuldades de aprendizagem e sua relação com o engano ou ocultamento da verdade.

todos os dias, li um tratado de psicanálise de crianças,³ buscando uma forma de ajudá-la melhor. Nesta época, alentada pelos resultados que obtinha, comecei a tratar um menino de onze anos com a mesma dificuldade. Estava submetido a intensos castigos corporais e foi possível comprovar que eles tinham desempenhado um papel importantíssimo na sua crescente inibição intelectual.

No consultório da Liga de Higiene Mental, que funcionava no Hospicio de las Mercedes, realizei os primeiros tratamentos psicanalíticos de crianças, seguindo a técnica que Anna Freud descreve em seu livro.

Tratava somente crianças de mais de seis anos, procurando que me contassem seus conflitos e me relatassem seus sonhos e fantasias. Deixava-lhes à disposição pequenos brinquedos, lápis e papel. Tinha lido nesta época um pequeno livro técnico,⁴ onde se descrevia um caso de mutismo psicogênico num menino de oito anos e fiquei surpresa com o mundo que surgia da interpretação dos desenhos, única forma de comunicação que tinha o menino com a terapeuta. Neste ano criou-se na Faculdade de Filosofia e Letras o curso de Ciências da Educação, no qual ingressei.

O ano de 1942 foi decisivo para minha carreira de psicanalista. Em abril, iniciei a análise didática⁵ com Angel Garma. Neste mesmo ano, conheci a técnica de jogo criada por Melanie Klein,⁶ apoiando-se nos descobrimentos de Freud sobre o significado da atividade lúdica.⁷

Como não havia entre nós outra pessoa que me pudesse assessorar sobre a técnica que aprendi em tratados, os resultados que ia conseguindo somente podiam

---

3 FREUD, Anna. *El psicoanálisis del niño.*

4 MORGENSTERN, Sophie. *Psychanalyse infantile* (Paris, 1937). Esta obra foi parcialmente publicada na *Rev. de Psicoanálisis*, tomo V, n° 3, traduzida por Alicia Vaudelin, p.762. "El simbolismo y el valor psicoanalítico de los dibujos infantiles"; p.771, "Un caso de mutismo psicógeno".

5 Parece-me necessário assinalar o que chamamos *análise didática* e qual é a sua função na formação de um psicanalista. Se não fosse assim, podia-se pensar que a técnica que exponho neste livro e as soluções que proponho – que são o fruto de anos de trabalho com crianças e do que aprendi supervisionando e comentando casos com colegas – seriam uma base suficiente para tratar psicanaliticamente uma criança. Quero esclarecer que conhecer a técnica não capacita para psicanalisar. A formação de um psicanalista exige, antes de tudo, que se submeta a uma análise pessoal – chamada análise didática –, cuja duração mínima é, atualmente, de cinco anos, com quatro ou cinco sessões semanais. Tem a obrigação de assistir a cursos teóricos e práticos ministrados no Instituto de Psicanálise; acorrer, além disso, a grupos de estudos e supervisões coletivas para familiarizar-se com a técnica de jogo. Deve realizar, no mínimo, o tratamento psicanalítico de duas crianças, com a supervisão de um analista de experiência. Quando este julgue que seu conhecimento da técnica é suficiente, quando tenha aprovado os cursos e seminários e seu analista didata considere que sua análise tenha sido exitosa, adquire finalmente o direito de apresentar ante os membros do Instituto de Psicanálise um caso, onde exponha sua forma de trabalho. Apenas depois da aprovação do mesmo pode se considerar membro da Asociación Psicoanalítica Argentina e estar em condições de assumir a responsabilidade de analisar.

6 KLEIN, Melanie. *El psicoanálisis de niños* (1932). Ed. Biblioteca de Psicoanálisis, Buenos Aires, 1948.

7 FREUD, Sigmund. "Análisis de la fobia de un niño de cinco años", tomo XV, *Historiales clínicos*. "Más allá del principio del placer", p.285, tomo II, *Una teoría sexual y otros ensayos. Totem y tabú*, tomo VIII, p.116.

ser confrontados com os descobrimentos que fazia na minha própria análise, com o que tinha observado em anos anteriores e com o que observava nos tratamentos de psicóticos com Enrique Pichon Rivière.[8]

Foi nessa época que uma frequente correspondência com Melanie Klein me permitiu, graças às suas generosas indicações, solucionar muitas dificuldades técnicas que se me apresentavam.

O primeiro caso que publiquei[9] corresponde a essa época de meu trabalho e foi durante esse tratamento que compreendi, pela primeira vez, o significado simbólico das deformações na construção de casas. Havia incluído entre os brinquedos o jogo de construir casas e nas que este paciente construiu mostrava suas dificuldades respiratórias, as falhas de conexão e os transtornos sublimatórios.[10] A confrontação desse caso com muitos outros e a elaboração do que ia descobrindo constituiu a minha primeira contribuição original à psicanálise de crianças. Para a elaboração deste livro me foi útil a leitura dos trabalhos de Homburger[11] e de Schilder.[12]

Já nesses anos, algumas pessoas que faziam sua formação no Instituto de Psicanálise interessaram-se pelo trabalho com crianças. Comentei na nota preliminar a importância que teve para o desenvolvimento da psicanálise de crianças na Argentina o trabalho de Elizabeth G. de Garma nesses anos, quando foi uma colaboradora excepcional. Fundamentalmente, o intercâmbio de idéias e a discussão de casos constituíram-se numa fonte de enriquecimento mútuo, além das tarefas de formação que compartíamos. Em 1948, apresentou a Melanie Klein e a um grupo de psicanalistas de crianças da Inglaterra fragmentos da análise de um menino de 21 meses.[13] Também discutiu com eles problemas técnicos, enriquecendo nosso conhecimento da psicanálise infantil. Nesse ano de 1948, inaugurou-se na Asociación Psicoanalítica Argentina o primeiro curso de psicanálise de crianças, que, desde então, forma parte do currículo obrigatório para todos os que seguem a carreira.[14] Paralelamente ao curso do

---

8 Chefe interino do serviço de admissão no Hospicio de las Mercedes, de 1938 até 1947. Chefe do serviço de psiquiatria da idade juvenil no Hospicio de las Mercedes de 1947 a 1952 (o Hospicio de las Mercedes chama-se atualmente Hospital Nacional Neuropsiquiátrico).

9 PICHON RIVIÈRE, Arminda Aberastury de. "Indicaciones para el tratamiento analítico de niños – un caso práctico", in *Rev. de Psicoanálisis*, tomo IV, n° 3, 1947.

10 ABERASTURY, Arminda. *El juego de construir casas*. Ed. Paidós, Buenos Aires, 1961. Na atualidade, utiliza-se como teste não somente na Argentina, tendo sido publicado pelo *International Journal of Psychoanalysis* e pela *Psychoanalitic Survey*.

11 HOMBURGER, Erik. "Configuraciones en el juego", in *Rev. de Psicoanálisis*, tomo VI, n° 2, Buenos Aires, 1948.

12 SCHILDER, Paul. *Imagen y apariencia del cuerpo humano*. Editorial Paidós, Buenos Aires, 1958.

13 Confrontar com capítulo 7, caso 3.

14 De 1948 até 1952, estes cursos estiveram a meu cargo; a partir desta data, incorporaram-se a estas tarefas didáticas E.G. de Garma e posteriormente Diego Garcia Reinoso, Emilio Rodrigué, Elena Evelson e Maria Esther Morera. Neste último ano, funcionam dois cursos: um deles ministrado por mim, com a colaboração de Susana L. de Ferrer, Rebeca Grimberg, Isabel L. de Lamana e Pola I. de Tomás; o outro está a cargo de Diego Garcia Reinoso, com Alberto Campos, Elena Evelson e Maria Esther Morera como colaboradores.

Instituto, continuei com grupos de estudos e cursos de técnica, com o objetivo do intensificar a aprendizagem dos que queriam especializar-se em psicanálise de crianças. Em nossa associação – como em todos os grupos analíticos – são poucos os que se dedicam a esta especialidade. Apesar disso, quando, em 1951, fui nomeada relatora, em Paris,[15] sobre o tema "A transferência em análise de crianças", pude referir-me já a um grupo de psicanalistas de crianças que trabalhava na Argentina e que não era mais reduzido que em outros países.

A formação que se oferecia no Instituto, completada com os grupos de estudo, fora ampliada desde 1948 até 1954 com as atividades do Instituto Pichon Rivière.[16] Todos os interessados em análise de crianças podiam realizar, com a minha supervisão, observações de horas de jogo. Era ensinada também a técnica de entrevista com os pais, sendo semanalmente expostos e discutidos casos.

Muitos dos que se formaram nessa primeira época publicaram trabalhos,[17] participaram nos grupos de estudo e também dos seminários. Posteriormente,

---

15 Congresso Anual de Psicanalistas de Língua Francesa, novembro de 1951, Paris. "Quelques considerations sur le transfert et le contretransfert dans la psychanalyse d'enfants". *Revue Française de Psychanalyse*, tomo XVI, n° 1-2, 1952. "La transferencia en el análisis de niños, en especial en los análisis tempranos". *Rev. de Psicoanálisis*, tomo IX, n° 3, 1952.

16 Instituto de Medicina Psicoanalítica, criado neste ano por Enrique Pichon Rivière. Colaboraram comigo na parte de crianças: Diego Garcia Reinoso, Teresa N. de Mom, María Esther Morera, S. Resnik, Marcela Spira e Pola I. de Tomás. Atualmente M. Spira está na Suíça exercendo análise didática na formação de adultos, enquanto S. Resnik continua sua formação analítica em Londres. Posteriormente incorporaram-se às atividades com crianças Elizabeth T. de Bianchedi; Elena Evelson, Gilberte T. de Garcia Reinoso, Raquel Hofman, Isabel L. de Lamana e Janine Puget.

17 Na *Revista de Psicoanálisis*: Scolni, Flora: "Psicoanálisis de un niño de 12 años", tomo IV, n° 4, p.664; Goode, Elizabeth: "Aspectos de la interpretación en el psicoanálisis de niños", tomo VII, n° 2, p. 221; Pichon Rivière, Arminda Aberastury de: "*El juego de construir casas – su interpretación y su valor diagnóstico*", tomo VII, n° 3, p.347; Goode, Elizabeth: "Un cuento en el análisis de un niño", tomo VII, n° 3. p.402; Perestrello, Marialzira: "Consideraciones sobre un caso de esquizofrenia infantil", tomo VII, n° 4, p.487. Pichon Rivière, Arminda Aberastury de:" Fobia a los globos en una niña de once meses", tomo VII, n° 4, p.451; Pichon Rivière, Arminda Aberastury de: "Algunos mecanismos de la enuresis", tomo VIII, n° 2, p.211; Pichon Rivière, Arminda Aberastury de: "Como repercute en los niños la conducta de los padres con sus animales preferidos", tomo VIII, n° 3; Pichon Rivière, Arminda Aberastury de: "La transferencia en el análisis de niños – en especial en los análisis tempranos", tomo IX, n° 3, p.265; Garma, Elizabeth: "La masturbación prohibida y el desarrollo psicológico", tomo X, n° 2, p.149; Garcia Reinoso, Diego: "Reacción de una interpretación incompleta en el análisis de un niño psicótico", tomo X, n° 4, p.443; Pichon Rivière, Arminda Aberastury de: "Una nueva psicología del niño a la luz de los descubrimientos de Freud", tomo VIII, n° 4, p.220; Campo, Alberto J.: "La interpretación y la acción en el análisis de los niños", tomo XIV, n° 1-2, p.121; Campo, Vera: "La interpretación de la entrevista con los padres en el análisis de los niños", tomo XIV, n° 1-2, p.129; Pichon Rivière, Arminda Aberastury de: "La inclusión de los padres en el cuadro de la situación analítica y el manejo de esta situación através de la interpretación", tomo XIV, n° 1-2, p.137. Por motivos de discrição profissional, não se publicaram dois valiosos trabalhos apresentados na Asociación Psicoanalítica Argentina: Spira, Marcela: "Análisis de un niño epiléptico de cinco años"; Evelson, Elena: "Perturbación en la capacidad reparatoria en una niña psicótica".

alguns deles não acompanharam minha evolução técnica ou continuaram suas atividades de forma independente, enquanto novas pessoas vieram a colaborar comigo.

O Symposium de Psicoanálisis de Niños realizado na Asociación Psicoanalítica Argentina em 1957 foi testemunho do muito que se trabalhou nesses anos[18] e marcou o final de uma etapa da psicanálise de crianças na Argentina.

Em 1957 li no congresso de Paris[19] um trabalho sobre a dentição, o caminhar e a linguagem,[20] que compreendia uma colaboração fundamental para o entendimento do primeiro ano de vida. Ao assinalar a existência de uma fase genital prévia à fase anal, sendo esta uma tentativa de elaboração da perda do vínculo oral ao que a criança deve renunciar com o aparecimento dos dentes, modificava o esquema da evolução da libido, facilitando a compreensão de alguns transtornos infantis primários que acompanham esse processo e que se apresentam na segunda metade do primeiro ano de vida.

Esse período da vida da criança caracteriza-se por uma aprendizagem múltipla e convergente com a aquisição de integrações evolutivas que a levam a uma modificação fundamental na relação com o mundo externo, modificação tão significativa como a do nascimento; a criança fica de pé, caminha, fala e se produz o desmame. Quando a criança nasce, estrutura-se a fase oral de sucção, imprescindível para a sobrevivência humana, não só pela alimentação, mas também porque lhe permite refazer um vínculo com a mãe, através do qual supera o trauma do nascimento.

---

18 Durante este simpósio, apresentaram trabalhos sobre psicanálise de crianças:
– Campo, Vera: "La introducción del elemento traumático".
– Chaio, José: "Algunos aspectos de la atuación de la interpretación en el desarrollo del *insight* y en la reestruturación mental del niño".
– Evelson, Elena: "Una experiencia psicoanalítica: análisis simultáneo de hermanos mellizos".
– Garbarino, Hector: "Evolución de una fobia a los rengos".
– Garbarino, Mercedes Freyre: "Dramatización de un ataque epiléptico".
– Grimberg, Rebeca:" Evolución de la fantasía de enfermedad a través de la construcción de casas".
– Lamana, Isabel L. de: "La asunción del rol sexual de una melliza univitelina".
– Jarast, Sara G. de: "El duelo en relación con el aprendizaje".
– Mom, María Teresa N. de: "Algunos aspectos del análisis de un niño con una dermatopatía".
– Morera, María Esther: "Fantasías homosexuales subyacentes a una histeria de conversión".
– Pichon Rivière, Arminda Aberastury de: "La dentición, la marcha y el lenguaje en relación con la posición depresiva".
– Racker, Genevieve T. de: "El cajón de juguetes del niño y el *cajón* de fantasía del adulto (medios de actuación – juego frente a la realidad angustiosa interna – transferencial)".
– Rodrigué, Emilio: "La interpretación lúdica".
– Rolla, E: "Análisis contemporáneo de un padre y un hijo".
– Saz, Carmen: "Comunicación y destrucción".
– Souza, Décio de: "Análise de uma criança esquizofrênica de dois anos e dez meses".
– Zmud, Frida: "Observaciones de un análisis corto en una niña de veintidós meses". Trabalhos publicados na *Revista de Psicoanálisis*, tomo XV, n° 1-2, 1958.
19 XX Congresso da International Psycho-Analytical Association, Paris, julho-agosto de 1957.
20 Pichon Rivière, Arminda Aberastury de: "La dentición, la marcha y el lenguaje en relación con la posición depresiva", in *Rev. de Psicoanálisis*, tomo XV, n° 1, 1958. Publicado também pelo *International Journal of Psycho-Analysis*, vol. XXXIX, parts 11-IV, London, 1958.

O aparecimento dos dentes na fase oral sádica, instrumento que lhe possibilita a realização das fantasias de destruição que dominam essa fase, determina o abandono do vínculo oral e a necessidade de refazê-lo através de outra zona do corpo. Nesse período da vida, com o descobrimento da vagina na menina e a necessidade de penetração do menino inicia a etapa genital que descrevemos, quando a união pênis-vagina substituiria a da boca com o peito. Essa etapa pode se satisfazer somente com fantasias e atos masturbatórios, entre os quais incluímos toda a atividade de jogo do lactente. A impossibilidade de realização total dessa união força uma regressão ao momento do nascimento, quando dispunha de tendências orais, anais e genitais para se unir à mãe. Posteriormente, continua a evolução psicossexual da criança, com a estruturação sucessiva das duas fases, a anal e a genital. O fracasso repetido da intenção de manter a união com a mãe impulsionam a criança à elaboração dessa perda e à busca do pai, assim como a novos objetos do mundo externo.

Nesse sentido, a bipedestação e o caminhar surgem como uma necessidade imperiosa de separar-se da mãe para não destruí-la; depois esses mesmos progressos servem à sua necessidade de recuperá-la. O mesmo acontece com a linguagem[21] que permite a reconstrução mágica do objeto e serve para elaborar a ansiedade depressiva, aumentada pelo aparecimento dos dentes. Pronunciar a primeira palavra significa para a criança a reparação do objeto amado e odiado, que reconstrói dentro e lança ao mundo exterior. Secundariamente, experimenta que a palavra coloca-o em contato com o mundo e que é um meio de comunicação. Dessa forma, o caminhar e o falar têm o mesmo significado que o nascimento: separar-se para recuperar de outra forma o contato perdido.

Considero essa visão imprescindível para compreender muitos dos sintomas frequentes do lactente na segunda metade do primeiro ano, conhecidos durante anos pelo rótulo *transtornos de dentição*.[22] Também as zoofobias, tão frequentes nesse período do desenvolvimento, encontram explicação na existência da fase genital prévia. Há alguns anos publiquei um caso onde estudava uma fobia numa menina de onze meses.[23] Os mecanismos de defesa que determinaram esse sintoma não diferem dos de uma fobia como a de Joãozinho, que Freud descreveu como correspondente à etapa fálica.[24] Admitindo a existência da fase genital prévia, compreenderemos que é aparente a contradição com Freud: a fase fálica que ele descreveu corresponde ao final do complexo de Édipo, e a que nós estudamos marca

---

21 Estas conclusões, alcançadas durante o tratamento psicanalítico de crianças com transtornos da linguagem até o grau de mutismo, coincidem totalmente com as apreciações de Merleau-Ponty sobre este ponto (Cf. *Fenomenología de la percepción*).
22 PICHON RIVIÈRE, Arminda Aberastury de. "Transtornos emocionales en el niño vinculados con la dentición". *Rev. de Odontología*, vol. 39, n° 8, 1951.
23 PICHON RIVIÈRE, Arminda Aberastury de. "Fobia a los globos en una niña de once meses". *Rev. de Psicoanálisis*, tomo VII, n° 4, 1950.
24 FREUD, Sigmund. "Análisis de la fobia de un niño de cinco años", tomo XV, *Historiales clínicos*.

seu início. O ponto de fixação da fobia continua sendo para nós a fase genital, mas uma fase genital prévia à fase anal. Se, além disso, considerarmos que os sintomas obsessivos aparecem na criança depois dos fóbicos e são sua tentativa de elaboração,[25] compreenderemos que a fase anal se estrutura depois da oral e da genital, por consequência e como solução dos conflitos criados nessa fase. Embora discutido e exposto este conceito em muitos seminários e grupos de estudo, foi Jorge Rovatti o primeiro a publicar um caso que ilustrasse minhas idéias.[26]

Essa publicação marcou o começo do que considero a segunda etapa na história da psicanálise de crianças na Argentina.

Em novembro de 1959, Susana L. de Ferrer, que nesta segunda etapa significou para mim e para a análise de crianças o mesmo que Elizabeth G. de Garma na primeira, organizou, dentro do Congresso de Pediatria de Mar del Plata, uma mesa-redonda sobre psicanálise de crianças,[27] na qual colaboraram psicanalistas, pediatras e um odontopediatra.

Os analistas e candidatos dessa mesa formaram comigo, a partir de maio de 1960, um grupo de estudos que, durante o ano, dedicou-se a discutir casos, a revisar os problemas técnicos, com o objetivo de unificar critérios e diferenciar nossa técnica de toda aquela que, originada nas mesmas fontes, não cumprisse com nossas exigências atuais.

A tarefa do grupo foi e é a exposição e discussão de casos, selecionados entre os mais indicados para compreender o aparecimento e a dinâmica da fase genital prévia, até dispor de um material clínico que julgaremos suficiente para sua publicação.

A técnica psicanalítica usada por este grupo é descrita neste livro. Nas páginas subsequentes serão apresentados fragmentos do trabalho de cada um dos meus colaboradores.

Não posso terminar este capítulo sem mencionar a influência que teve a psicanálise, e depois a psicanálise de crianças, sobre alguns pediatras e odontólogos que se dedicam a crianças.

Arnaldo Rascovsky trabalhou em pediatria até 1939 e os últimos anos de seu trabalho nessa especialidade viram-se influenciados pela psicanálise. Iniciando sua formação como psicanalista – também com Angel Garma –, organizou um serviço onde se compreendiam psicanaliticamente os tratamentos, embora não se tratas-

---

25 KLEIN, Melanie. *El psicoanálisis de niños*.
26 ROVATTI, Jorge. "La fase genital previa – un nuevo enfoque sobre la evolución de la libido". Trabalho lido na Asociación Médica em 1960.
27 Os trabalhos apresentados foram os seguintes: "El psicoanálisis de niños en la actualidad", Arminda Aberastury e Jorge Rovatti; "El psicoanálisis en odontopediatría", María Iés Egozcue; "Psicoterapía de grupo en niños", Eduardo Salas Subirat; "Predisposición a la úlcera gastroduodenal en el niño" Elizabeth G. de Garma e Angel Garma; "El valor de los sueños en el tratamiento de la colitis ulcerosa infantil", Sara G. de Jarast e Elias Jarast; "Psicodinamismos del asma bronquial en el niño", Susana L. de Ferrer; "Por qué el pediatra solicita la colaboración del psicoanalista", Julio Tahier. O coordenador da mesa-redonda foi Angel Garma.

sem as crianças com psicanálise. Fruto desses anos de trabalho foram seus artigos sobre epilepsia infantil e obesidade.[28] Atualmente se dedica intensamente ao estudo do psiquismo fetal.[29]

Com uma trajetória diferente, Julio Tahier está ligado à psicanálise de crianças. Interessaram-lhe meus descobrimentos sobre as dificuldades de sono no lactente, os transtornos que acompanham a dentição e os episódios febris em crianças de mais idade. Incentivado por esses interesses e tendo ele mesmo iniciado sua análise, sem abandonar a carreira de pediatra, orientou-se para uma visão psicossomática das enfermidades. Organizou no Hospital Britânico, a pedido do Dr. Bruer, um serviço para psicodiagnóstico e orientação psicanalítica de casos, agregando-se, posteriormente, tratamentos analíticos em grupo para crianças e mães.[30]

No Hospital de Niños também se tratava com orientação psicanalítica na Sala XVII, do Departamento de Psiquiatría y Psicología da cátedra de Clínica Pediátrica y Puericultura – Prof. F. Escardó –;[31] no Grupo de Psiquiatría de la

---

28 O dr. Arnaldo Rascovsky trabalhou no Hospital de Niños de 1926 a 1939. No ano de 1932, no Serviço de Neurologia, Psiquiatria e Endocrinologia do Dr. A. Gareiso, organizou a assistência psicoterapêutica infantil e ensaiou trabalhos de investigação sobre epilepsia, obesidade infantil, hipertireoidismo, genitomacrossomia, gigantismo e diversos quadros endócrinos infantis.

– Rascovsky, Arnaldo – "Consideraciones psicosomáticas sobre la evolución sexual del niño". – Rev. de Psicoanálisis, tomo I, n° 2, p.182.

– Rascovsky, Arnaldo e Rascovsky, Luiz. "Consideraciones psicoanalíticas sobre la situación actual estimulante en 116 casos de epilepsia infantil". Rev. de Psicoanálisis, tomo II, n° 4, p. 626.

– Rascovsky, Arnaldo; Pichon Rivière, Enrique e Salzman, J. "Elementos constitutivos del síndrome adiposo genital prepuberal en el varón". Archivo Argentino de Pediatría, outubro de 1940.

– Rascovsky, Arnaldo e Salzman, J. – "Estudio de los factores ambientales en el síndrome adiposo genital en el varón". Archivo Argentino de Pediatría, ano XI, n° 6, tomo XIV.

29 RASCOVSKY, Arnaldo. "El psiquismo fetal", Editorial Paidós, Buenos Aires, 1960.

30 Este serviço de psicodiagnóstico, ligado ao pediatria, iniciou suas atividades em 1952. Todos os que trabalhavam nele tinham formação analítica. Até o momento se efetuaram mais de 1.200 diagnósticos de crianças: valoriza-se como de grande importância a primeira hora de jogo, o jogo de construir casas e a interpretação de desenhos, além de serem utilizados vários testes, como o de Machover, de Despert, de Raven e, em certos casos, o Rorschach ou o psicofonético de Marcele Chiaraviglio. À tarefa de diagnóstico e orientação agregou-se desde 1958 a terapêutica. Assim funcionam atualmente vários grupos terapêuticos de crianças de diferentes idades e grupos de orientação de mães. Espera-se, em futuro próximo, incrementar as atividades deste serviço, já que o Hospital Britânico, reconhecendo sua importância, colocará à disposição acomodações mais amplas e adequadas.

31 Em 1957 foi criado este departamento com a participação dos doutores Alberto Campo, Diego Garcia Reinoso e Jorge Mom como chefes. Colaboraram médicos e psicólogos clínicos. Suas tarefas compreendem:

– Diagnóstico e tratamento em psiquiatria de crianças.
– Investigação em psiquiatria e psicologia da criança.
– Ensino de psiquiatria e psicologia da criança.
– Supervisões de terapia individual e de grupo.
– Investigação sobre grupos de diagnóstico em crianças e suas mães.

Infancia, dependente da Sala XVIII do Prof. Carrea[32] e na Sala I de Clínica Pediátrica.[33]

Dentro de pouco tempo haverá diagnósticos e tratamentos de crianças na Clínica Psicanalítica Dr. Enrique Racker, ligada à Asociación Psicoanalítica Argentina.

Um artigo sobre o significado da dentição,[34] escrito a pedido de José Porter, fez com que um grupo de odontopediatras, compreendendo o profundo significado da boca desde o nascimento e das peças dentárias desde o momento que aparecem, analisaram-se e seguiram cursos de psicanálise de crianças, alguns organizados por eles, nos quais colaborei desde 1955, com Julio Tahier e Angel Garma.

Quando Gerald Pearson[35] esteve entre nós, encontrou notável essa colaboração entre odontólogos, pediatras e psicanalistas de crianças, já que todo psicanalista conhece a importância decisiva da zona oral no desenvolvimento do indivíduo e as angústias que desperta qualquer tratamento odontológico. Cabe a José Porter, a Maria Ines Egozcue e a Samuel Leyt o mérito dessa revolução na odontologia.

Susana Lustig de Ferrer iniciou as atividades das jornadas odontológicas de 1960 com um relato sobre o significado da boca e dos dentes na vida do ser humano,[36] sendo isso um índice do grau em que a psicanálise de crianças tem influenciado na odontopediatria.[37]

A idéia deste capítulo obedece à decisão de assinalar as origens da psicanálise de crianças na Argentina e seu desenvolvimento até chegar à atualidade, sendo a exposição da minha técnica atual a meta fundamental deste livro. Se omiti o trabalho de alguém, deve ser interpretado como consequência dessa meta, única interpretação possível neste caso em que a origem e o desenvolvimento da técnica estão indefectivelmente ligados a meus primeiros passos e evolução posterior.

---

32 O Grupo de Psiquiatria da Infância começou suas atividades em meados de 1959 no Instituto de Neurósis, sob a direção do Dr. Manasé Euredjian, passando em 1959 ao Hospital de Niños. Depois da morte do Dr. Euredjian, encarregou-se do grupo o Dr. Rojas Bermúdez. Além de tratamentos de caráter experimental que não interessam à finalidade desta nota, realiza-se neste serviço um intenso trabalho terapêutico, individual e de grupo, com orientação analítica. É interessante assinalar que, a pedido da Asociación de Psicología y Psicoterapía de Grupo, desde o ano passado trabalha-se em grupos com mulheres grávidas, que, na Maternidad Sardá, seguem a preparação do parto psicoprofilático, a cargo do Dr. Koremblit. Para as mães que são ali atendidas se oferece a possibilidade de continuar a orientação durante o desenvolvimento da criança.

33 Em 1957, Susana Lustig de Ferrer começou a trabalhar nesta sala com finalidade diagnóstica e de orientação; encarregou-se, além disso, de grupos de mães. Foi substituída depois por Elizabeth Tabak de Bianchedi, que ampliou as atividades organizando grupos de ensino de psicologia para pediatras residentes e iniciando uma tarefa terapêutica individual e de grupos com a colaboração de médicos e psicólogos.

34 PICHON RIVIÈRE, Arminda Aberastury de. "Transtornos emocionales en el niño vinculados con la dentición". *Rev. de Odontología*, vol. 39, n° 8, agosto de 1951.

35 PEARSON, Gerald H.J. – Diretor do Instituto Psicanalítico da Filadélfia, ex-Chefe do Departamento de Psiquiatria Infantil da Temple University School of Medicine and Hospital. *Transtornos emocionales de los niños*, Ed. Beta, Buenos Aires, 1953. *Psychoanalysis and the education of the child*, Ed. WW. Morton and Comp. Inc., New York, 1954.

36 FERRER, Susana L. de. *El niño: su enfoque integral*.

37 ABERASTURY, Arminda. "La dentición, su significado y sus consecuencias en el desarrollo", seção psicológica do *Boletín de la Asociación Argentina de Odontología para Niños*, vol. 3, n° 4, 1961.

II

TÉCNICA ATUAL

Minha técnica teve suas raízes na elaborada por Melanie Klein para a análise de crianças. Nutriu-se dela durante muitos anos, mas minha própria experiência me permitiu fazer uma série de modificações que considero transcendentais e que descreverei nestes capítulos. Baseiam-se em uma forma especial de conduzir e utilizar as entrevistas com os pais, que possibilitam a redução da psicanálise de crianças a um relacionamento bipessoal, como na análise de adultos. Destaco a grande importância da primeira hora de jogo e um fato que considero decisivo: que toda criança, mesmo a muito pequena, mostra, desde a primeira sessão, compreensão de sua enfermidade e o desejo de curar-se.

5
A entrevista inicial com os pais

Quando os pais decidem consultar por um problema ou enfermidade de um filho, peço-lhes uma entrevista, advertindo que o filho não deve estar presente, mas sim ser informado da consulta.

Embora seja sugerida a conveniência de ver pai e mãe, é frequente que compareça só a mãe, excepcionalmente o pai e poucas vezes os dois. Em alguns casos muito especiais, um familiar, amigo ou institutriz já vieram representando os pais. Qualquer dessas possíveis situações é, em si mesma, reveladora do funcionamento do grupo familiar na relação com o filho.

Quando a entrevista é com os dois pais, cuidaremos de não mostrar preferências, embora inevitavelmente se produza um melhor entendimento com um deles. Esse entendimento deve servir para uma melhor compreensão do problema e não para criar um novo conflito.

Para que formemos um juízo aproximado sobre as relações do grupo familiar e em especial do casal, apoiaremo-nos na impressão deixada pela entrevista ao reconsiderar todos os dados recolhidos. Essa entrevista não deve parecer um interrogatório, com os pais sentindo-se julgados. Pelo contrário, deve tentar aliviar-lhes a angústia e a culpa que a enfermidade ou conflito do filho despertam. Para isso devemos assumir desde o primeiro momento o papel de terapeuta do filho, interessando-nos pelo problema ou sintoma.

Os dados que nos colocam à disposição os pais podem não ser exatos, deformados ou muitos superficiais, pois não costumam ter um conhecimento global da situação e durante a entrevista esquecem parte do que sabiam, devido à angústia que esse conhecimento provoca. Veem-nos como juízes. Além disso, não podem, em tempo tão limitado, estabelecer uma relação com o terapeuta – até então pessoa desconhecida – que lhes permita aprofundar-se em seus problemas.

Não consideramos conveniente finalizar essa entrevista sem ter conseguido os seguintes dados básicos que necessitamos conhecer antes de ver a criança: a) motivo da consulta; b) história da criança; c) como transcorre um dia de sua vida atual, um domingo ou feriado e o dia do aniversário; d) como é a relação dos pais entre si, com os filhos e com o meio familiar imediato.

É necessário que essa entrevista seja dirigida e limitada de acordo com um plano previamente estabelecido, porque não sendo assim, os pais, embora conscientemente venham falar do filho, têm a tendência de escapar do tema, fazendo confidências de suas próprias vidas. A entrevista tem o objetivo de que nos falem sobre a criança e da relação com ela; não devemos abandonar este critério durante todo o tratamento. Como já foi dito, precisamos obter os dados de maior interesse em tempo limitado, que está entre uma e três horas.

A ordem anteriormente citada foi escolhida por mim depois de provar muitas outras. Tratarei de fundamentá-la.

a) MOTIVO DA CONSULTA

Se resolvi interrogar primeiro sobre o motivo da consulta é porque o mais difícil para os pais, no início, é falar sobre o que não está bem no/e com o filho. Essa resistência não é consciente, visto que já foi vencida quando decidiram pela consulta. Para ajudá-los, temos que tratar de diminuir a angústia inicial, e é o que se consegue ao enfrentarmos e encarregarmo-nos da enfermidade ou do conflito, posicionando-nos como analistas do filho.

Devem sentir que tudo o que recordam sobre o motivo da consulta é importante para nós e, na medida das possibilidades, registraremos minuciosamente os dados de início, desenvolvimento, agravação ou melhora do sintoma, para depois confrontarmos com os que conseguirmos no transcurso da entrevista.

Ao sentirem-se aliviados, recordam mais corretamente os acontecimentos sobre os quais os interrogaremos na segunda parte. Mesmo assim, devemos aceitar que ocorram esquecimentos totais ou parciais de fatos importantes, dos quais podemos tomar conhecimento meses depois, pela criança, estando ela já em tratamento. Também os pais – sempre que a melhora do filho diminua suficientemente a angústia que motivou o esquecimento – poderão lembrar-se das circunstâncias desencadeadoras, reprimidas na entrevista.

Apesar dessa inevitável limitação, o material obtido é valioso, não só para o estudo do caso, como também para a compreensão da etiologia das neuroses infantis, capacitando-nos para uma tarefa de profilaxia.

A comparação dos dados obtidos durante a análise da criança com os apresentados pelos pais na entrevista inicial é de suma importância para avaliar em profundidade as relações com o filho.

b) HISTÓRIA DA CRIANÇA

Interessa-me saber a resposta emocional – especialmente da mãe – ao anúncio da gravidez. Também se foi desejada ou acidental, se houve rechaço aberto com desejos de abortar ou se a aceitaram com alegria.

Pergunto-lhes depois como evoluíram seus sentimentos, se a aceitaram, se se sentiram felizes ou se iludiram, porque tudo o que acontece desde a concepção é importante para a evolução posterior. Todos os estudos atuais enfatizam a relação da mãe com o filho e é um fato comprovado que o rechaço emocional da mãe, seja ao sexo como à idéia de tê-lo, deixa marcas profundas no psiquismo da criança. Por exemplo, um filho que nasce com a missão de unir o casal em vias de separação leva o selo deste esforço. O fracasso determinará nele uma grande desconfiança de si mesmo e de sua capacidade para realizar-se na vida.[1]

A resposta que nos dá a mãe sobre a gravidez indica qual foi o início da vida do filho. Não espero que a resposta seja um fiel reflexo da verdade, mas o que os pais nos dizem, confrontado com o material oferecido pela criança, será de grande utilidade na investigação.[2] Em alguns casos, houve, a princípio, ocultamento consciente de fatos importantes. Apesar disso, na maioria das vezes, trata-se de esquecimentos, omissões ou deformações de memória por conflitos inconscientes.[3] Às vezes este esquecimento é tão notório e incompreensível que somente a frequência de fatos similares – na minha experiência e na de outros analistas – levou aceitar que não se trata de um engano consciente nem de um ocultamento voluntário. Refiro-me a casos onde ocorreram abortos não mencionados, antes e depois do nascimento do paciente ou circunstâncias da vida familiar, ocorridas durante a gravidez, completamente esquecidas.[4]

Embora na verdade muitas crianças não sejam desejadas por seus pais – pelo menos no momento da concepção –, a resposta que obtemos, na maioria dos casos, é de que foram desejadas; no caso de concordarem com alguma rejeição, a atribuem ao outro cônjuge. Dificuldades semelhantes apresentam-se quando interrogamos sobre a gravidez e o parto. É quase norma que, nos antecedentes consignados na primeira entrevista, leiamos: "Filho desejado, gravidez e parto normais", e é, pelo contrário, muito pouco frequente que estes dados se mantenham na história reconstruída.

Por exemplo, nos consultaram por uma menina de dois anos e meio que vinha com os diagnósticos de epilepsia (o primeiro) e de oligofrenia. Nos antecedentes aparecia como filha desejada de um casal sem dificuldades, tinha uma irmã de três meses e a mãe não recordou problemas nem antes nem durante a gravidez.

---

1 Isto se comprovou em todos os casos em que se analisaram crianças nascidas para cumprir esta missão.
2 Cf. capítulo 13.
3 Cf. capítulo 14.
4 Cf. capítulo 13.

Ao que parecia, a criança nasceu de parto normal e teve um desenvolvimento sem transtornos até os nove meses, quando sofreu um desmaio enquanto a mãe a banhava. Recordou a mãe que quis inclinar a cabecinha da filha para lavá-la e neste momento a menina perdeu o conhecimento. Aos treze meses se apresentou a primeira convulsão. A mãe levava, nesta oportunidade, a filha nos braços, e também vários pacotes. Ao cair um deles, deixou a filha no chão; esta subitamente caiu e desmaiou, sendo em seguida hospitalizada.

Vejamos agora as condições reais da concepção, gravidez e parto, assim como o caminho pelo qual chegamos a estes dados. Por indicação da analista consultada inicialmente,[5] a mãe entrou para um grupo de orientação, do qual eu era a terapeuta, e a filha começou sua análise individual.[6]

Chegamos, pouco a pouco, a um surpreendente fluir de recordações que modificaram os dados iniciais. Efetivamente, a mãe recordou que anteriormente tivera um aborto de três meses e durante a gravidez da paciente, ao terceiro mês, haviam-se produzido perdas de sangue, como na primeira gravidez. O médico aconselhou uma curetagem, justificando que, ainda que a gravidez chegasse a termo, se correria o risco de dar à luz um filho enfermo. Apesar desta indicação médica, a mãe empenhou-se em continuar a gravidez, permanecendo na cama até o parto.

Durante a sessão de grupo em que recordou esta circunstância, relatou, muito comovida, que, sendo criança, brincava de que suas bonecas eram *taradas* e ela as curava. Quando o médico a advertiu da possibilidade de ter um filho enfermo, recordou esta velha fantasia infantil de maternidade e resolveu cuidar-se para tê-lo são, o que lhe deu forças para seguir adiante e imobilizar-se na cama.

No momento do parto, apresentou-se uma complicação[7] e quando o médico ia aplicar ao fórceps, a mãe fez um "esforço supremo", não sendo necessário utilizá-lo. A criança nasceu com uma luxação congênita de quadril e ao terceiro mês o mesmo em que apareceram as perdas e se iniciou a imobilização – a mãe decidiu consultar. Imobilizaram a criança até os nove meses, coincidindo esta data também com a imobilidade da mãe e o parto. Este esclarecimento foi a resposta às interpretações que lhe eram feitas no grupo e aos progressos da filha no tratamento, fatos que, aliviando sua angústia e sua culpa, permitiram-lhe recordar mais facilmente os acontecimentos que deram início à grave enfermidade da menina.

Dificilmente os pais recordam e avaliam conscientemente a importância dos fatos relacionados com a gravidez e o parto, mas em seu inconsciente tudo está gravado. Não devemos, pois, desorientar-nos se ao interrogatório sobre o parto costumam responder somente se foi rápido ou demorado. Convém perguntar se foi a termo, induzido, com anestesia, sobre a relação com o médico ou parteira, se conheciam bem o processo, se estavam dormindo ou acordados, acompanhados ou

---

5 Susana L. de Ferrer.
6 Com Gela H. de Rosenthal.
7 Má rotação de cabeça.

sozinhos. Estas perguntas abrem às vezes muitos caminhos à memória, sempre que o terapeuta mantenha, durante a entrevista, o espírito que sugerimos e ajude, principalmente, a valorizar a relação com o filho.

Quando tivermos suficiente informação sobre o parto, perguntamos se a lactância foi materna. Se foi, interessa saber se o nenê tinha reflexo de sucção, se se prendeu bem ao peito, a quantas horas depois do nascimento e as condições do mamilo. Depois perguntaremos sobre o ritmo de alimentação; não só a frequência entre as mamadas, mas também quanto tempo succionava em cada seio. Não é frequente a alimentação a horário e com ritmo determinado pela mãe. O mais comum é que não limitem o tempo de sucção, não respeitem o intervalo entre as mamadas e não tenham uma hora fixa para iniciar a alimentação.

Isso faz com que a mãe se sinta invadida pela obrigação de alimentar o seu filho. Se não tem uma hora determinada para começar, nem um intervalo regular de amamentação, durante toda sua vida se verá limitada e não saberá nunca quando poderá dispor de tempo para ela. Por isso, a forma como se estabelece a relação com o filho nos proporciona um dado importante, não só da história do paciente, mas também da relação com a mãe e a idéia desta sobre a maternidade. É de suma importância para o desenvolvimento posterior da criança a forma como se estabelece a primeira relação pós-natal. Conhecemos bastante sobre a importância do trauma de nascimento na vida do indivíduo; a observação de lactantes e a análise de crianças pequenas nos ensinaram muito sobre a forma de ajudá-los a elaborar este trauma. Um dos elementos primordiais para isto é facilitar ao bebê suficiente contato físico com a mãe depois do nascimento.

Este contato deveria aproximar-se o mais possível da situação intrauterina e estabelecer-se o quanto antes; pois assim será mútua ajuda. Para a criança, porque recupera parte do que perdeu; a demora excessiva aumenta a frustração e o desamparo, incrementa as tendências destrutivas, dificultando sua relação com a mãe. Para a mãe é de ajuda, porque o nascimento do filho é um desprendimento que lhe repete seu próprio nascimento. Dar é para ela uma renovação constante do que ela mesma recebeu quando filha. Por isso, quanto mais dá e em melhores condições, mais se enriquece o vínculo com sua mãe interna. A indicação tão frequente de levar o bebê para longe da mãe, para que ela descanse é totalmente errônea, porque nem um nem outro descansam bem ao ser frustrada esta necessidade tão intensa. Outras finalidades do estabelecimento da lactação a ritmo regular é a de proporcionar ao bebê a possibilidade de dominar a ansiedade, uma das mais difíceis tarefas do ego depois do nascimento. Efetivamente, com a alimentação a horário oferece-se estabilidade, que surge pelo fato de ser o objeto sempre o mesmo, em condições semelhantes, se é possível sempre no mesmo quarto, na mesma cadeira e postura, em intervalos regulares. Todos sabemos que é fácil para a criança adotar um ritmo que lhe convenha. Por isso, depois das primeiras tentativas, que flutuam em intervalos de duas horas e meia a três horas e meia, escolhe-se o ritmo adequado, respeitando-o posteriormente. Conhecer as horas livres do dia não só é útil para a mãe que trabalha, mas também para aquela cuja única exigência – sem considerar o bebê –

seja cuidar de si mesma. Quando a mãe nos refere as características da lactância, devemos insistir até saber o mais possível sobre como se deram essas exigências básicas para ambos. Uma mãe sadia não necessita de conselhos para cuidar de seu filho e a compreensão de suas necessidades a leva instintivamente a dar-lhe carinho, contato e alimento. É por inibições e deformações do ser humano que estes atributos básicos devem ser ensinados ou, melhor dizendo, reensinados. Nada do que acontece ao bebê – fome, frio, sede, necessidade de contato e de roupa adequada – escapa à compreensão de uma mãe que se sente ligada ao filho por algo tão sutil e firme como o foi o cordão umbilical na vida intrauterina. Ainda assim, frequentemente, quando a criança chora, a mãe se alarma e sua primeira reação é dar-lhe alimento; costuma desesperar-se se não o aceita. Mas é comum que o bebê esteja chorando porque revive uma má experiência, que lhe produz alucinação, e que seja suficiente a voz afetuosa da mãe, um olhar sorridente, o contato físico com ela, que o embale ou cante, para afastar, com uma experiência atual de prazer, a má imagem interna que produziu a alucinação. Ao contrário, é provável que uma criança que esteja revivendo uma má experiência com o peito, talvez porque neste momento tenha dores ou cólica, sinta como perigosa uma nova oferta de alimento, rejeitando-a ou tomando-a com temor. Se é obrigado, e ele não se pode defender, ingere, reforçando a imagem terrorífica.

Por isso é de grande utilidade, para compreender a relação mãe-filho, perguntar sobre a forma como costumava acalmá-lo quando chorava e como reagia quando pretendia alimentá-lo e ele rechaçava; isso também pode ensinar-nos muito sobre as primeiras experiências da criança.

Por outro lado, não nos diz nada a resposta global dada habitualmente nos antecedentes: "Lactância materna até os cinco, oito ou nove meses". Desta forma não se consegue mais que uma fórmula, com muito a ser investigado.

Estes detalhes da relação com o filho que com frequência não conseguimos da mãe vão surgindo pouco a pouco do material da criança quando a analisamos. Nem tudo o que ele esperava do mundo era alimento e também não é tudo o que a mãe pode lhe dar. Hoje sabemos de mães que não davam peito a seus filhos, mas que tiveram bom contato com eles, determinaram uma imagem materna melhor que no caso afetivo, não proporcionando as gratificações surgidas desta boa conexão.

Por todos estes motivos, o que sabemos da lactância depois da primeira entrevista é somente o começo do que conseguiremos saber através da análise da criança e, eventualmente, de novas entrevistas com os pais. Elas são úteis, principalmente para confirmação e investigação de novos dados.

Quando perguntamos às mães quantas horas depois do parto viram seu filho e o colocaram ao seio, costumam assombrar-se, não se lembrando. Emoções tão intensas são geralmente reprimidas por conflitos. A experiência mostra que quanto melhor tenha sido esta primeira relação mais fácil e detalhadamente a recordam.

Se a mãe não pôde amamentar seu filho ou o fez por pouco tempo, convém perguntar em detalhes sobre a forma como lhe dava a mamadeira; se o mantinha em íntimo contato com ela, ou se deitado no berço, se o furo do bico era pequeno ou grande e quanto demorava o bebê para alimentar-se.

A criança, ao reviver sua lactância no tratamento, nos mostra em seus jogos detalhes significativos. Um paciente de dois anos se preocupava, quase que exclusivamente, em pesar a comida numa balancinha, buscando que os dois pratinhos estivessem na mesma altura. Quando a terapeuta[8] perguntou à mãe – que era muito obsessiva – sobre as características da lactância do bebê, esta relatou que pesava a criança depois de cada mamada e que a tinha exatamente o mesmo tempo em cada seio.

Seguindo a história, perguntaremos como o bebê aceitou a mudança do peito à mamadeira, do leite a outros alimentos, de líquidos a sólidos, como papinhas e carne. Saberemos assim muito sobre a criança, sobre a mãe e sobre possibilidade dos dois se desprenderem de velhos objetos. A passagem do peito a outras fontes de gratificação oral exige um trabalho de elaboração psicológica, que Melanie Klein descobriu, comparável ao esforço do adulto por elaborar um luto por um ser amado. A forma como a criança aceita esta perda nos mostrará como, em sua vida futura, enfrentará as perdas sucessivas que lhe exigirá a adaptação à realidade.[9]

Uma mãe que solucionou bem este problema na sua própria infância ou o elaborou através de um tratamento psicanalítico, solucionará estas primeiras dificuldades da criança, começando lentamente, insistindo ou abandonando temporariamente a tentativa. Se nos informam que à mudança de alimentação o bebê reagiu com rechaço, perguntaremos os detalhes de como foi conduzida a situação, se pacientemente ou com irritação, podendo assim ir construindo o quadro.

É importante investigar a data do desmame e as condições em que ocorreu. Às vezes descobrimos que o bico ou a mamadeira foram mantidos até os cinco ou seis anos, embora tenham dito ao princípio que o desmame ocorreu aos nove meses.

As relações de dependência e independência entre mãe e filho refletem-se também nas atitudes e expressões dos dois quando o bebê começa a sentir necessidade de movimentar-se por conta própria. A mãe pode ver ou não esta necessidade, frustrá-la ou satisfazê-la.

Entre o terceiro e quarto mês de vida, a criança entra num período no qual seu psiquismo é submetido a uma série de exigências novas e definitivas, que se concretizam na segunda metade do primeiro ano, com a aquisição do caminhar e da linguagem.[10]

Quando a criança pronuncia a primeira palavra, tem a experiência de que ela faz a conexão com o mundo e que é uma maneira de fazer-se compreender. O apa-

---

8 Elizabeth G. de Garma.
9 KLEIN, Melanie. "El psicoanálisis de niños", capítulo VI, Neurósis en los niños, p.111.
10 PICHON RIVIÈRE, Arminda Aberastury de. "La dentición, la marcha y el lenguaje en relación con la posición depresiva". Rev. de Psicoanálisis, tomo XV, janeiro-junho de 1958.

recimento do objeto que nomeia, assim como a reação emocional ao seu progresso, justificam suas crenças na capacidade mágica da palavra. Inicialmente, esta é uma relação com objetos internos, como o foi antes o laleio[11] e, pela aprendizagem gradual e pelas provas de realidade, a linguagem se transforma num sistema de comunicação. Estas conclusões, resultado de observação de lactantes e de tratamentos analíticos de crianças que sofriam transtornos da palavra, fazem com que esta parte do interrogatório seja de muita importância para avaliar o grau de adaptação da criança à realidade e o vínculo que se estabeleceu entre ela e os pais. O atraso na linguagem e a inibição no seu desenvolvimento são índices de uma séria dificuldade na adaptação ao mundo.

É frequente que os pais não lembrem a idade na qual o menino pronunciou a primeira palavra ou o momento em que se apresentaram os transtornos. Neste período da vida, a figura do pai ganha grande importância e sua ausência real ou psicológica pode frear gravemente o desenvolvimento da criança, ainda que a mãe a compreenda bem e a satisfaça.

Encontramos, às vezes, crianças de dez e onze meses cujas mães os mantêm num regime de vida que corresponde aos três. Por isso, quando perguntamos à mãe a que idade caminhou seu filho, estamos perguntando se, quando ele quis caminhar, ela o permitiu de boa vontade, se o favoreceu, se o freiou, se o apurou ou se se limitou a observá-lo e responder ao que ele pedia. Poucas são as vezes em que este desenvolvimento ocorre normalmente. O andador é, por exemplo, um substituto da mãe que é melhor que a imobilidade, mas não substituirá nunca os bons braços da mãe que o ajuda a caminhar e se oferecem como uma continuação de si mesmo para as experiências iniciais no mundo, levando-o prazerosamente e sem pressa. A criança que pode assim identificar-se com o caminhar da mãe incorpora no seu ego a habilidade para caminhar. Seu desenvolvimento se fará por um crescimento gradual de possibilidade, de tal forma que busque comer, dormir, falar e caminhar com seus pais. De acordo com o que a criança, na sua fantasia inconsciente, está recebendo deles, o ensinamento se incorpora como êxito do ego ou passará a fazer parte um superego censurador, que o freará, ou poderá cair e machucar-se quando queira caminhar e não se sinta permitido amplamente a partir de seu interior.

Quando interrogamos sobre este ponto, as respostas da mãe esclarecem muito sobre sua capacidade de desprender-se bem do filho. Podem dizer-nos, por exemplo, que seguem tendo saudade de quando era bebê, "tão lindo e tão limpinho", ou comentar que apesar de lhes ter dado muito trabalho nesse momento, dava gosto vê-lo fazer um progresso a cada dia.

Para a criança, o caminhar tem o significado – entre muitos outros – da separação da mãe, iniciada já no nascimento. Portanto, a mãe compreensiva deixa seu filho caminhar sem apurá-lo, nem travá-lo de modo que o desprendimento seja

---

11 ALVAREZ DE TOLEDO, Luisa G. de e PICHON RIVIÈRE, Arminda Aberastury de. "La música y los instrumentos musicales". *Rev. de Psicoanálisis*, tomo I, p.185-200.

agradável e alegre, oferecendo-lhe assim uma pauta de conduta que guiará seus passos no mundo.

Perguntamos se o bebê tinha tendência a cair ao começar a caminhar e se posteriormente costumava bater-se, porque as respostas nos esclarecem sobre o sentimento de culpa e sobre a forma de elaboração do complexo de Édipo. A tendência a golpear-se ou aos acidentes é índice de má relação com os pais e equivale a suicídios parciais por má canalização dos impulsos destrutivos.

Na segunda metade do primeiro ano intensificam-se na criança tendências expulsivas, que se manifestam no seu corpo e em sua mente. A projeção e a expulsão são a forma de aliviar as tensões e se estes mecanismos se travam, as cargas emocionais se acumulam, produzindo sintomas.

Um dos mais frequentes, neste período da vida, é a insônia; este e muitos outros se incluem nos quadros patológicos habituais da criança durante o período da dentição,[12] que, portanto, merece nossa especial atenção. Interessar-nos-á saber se a aparição das peças dentárias foi acompanhada de transtornos ou se se produziu normalmente e no momento adequado. Interrogamos logo sobre o dormir e suas características, porque estão muito relacionadas. No caso de haver transtornos do sono, perguntamos qual é a conduta com a criança e quais são os sentimentos que os sintomas despertam nos pais. É importante a descrição do quarto onde dorme o bebê, se está só ou se necessita da presença de alguém ou alguma condição especial para conciliar o sono. Durante a dentição podem aparecer transtornos transitórios do sono, que se agravam ou desaparecem conforme o meio ambiente maneje a situação.

Este problema é um dos mais perturbadores na vida emocional da mãe e põe à prova sua maternidade.[13]

O uso do bico como hábito destinado a conciliar o sono é um dos fatores que favorecem a insônia. Os pais costumam dizer que o bebê não dorme se lhe tiram o bico. Na nossa experiência com grupos de orientação de mães, analisamos suas reações frente a este problema, encontrando que a dificuldade não era do bebê, mas dos pais, que postergam a decisão ou criam situações que dificultam a solução do problema.

O desmame, que habitualmente ocorre no final do primeiro ano de vida, significa muito mais que dar ao menino um novo alimento; é a elaboração de uma perda definitiva, e depende dos pais que se realize com menos dor, mas isto só podem fazê-lo se eles mesmos a elaborarem bem.

---

12 PICHON RIVIÈRE, Arminda Aberastury de. "Transtornos emocionales de los niños vinculados con la dentición". Rev. de Odontología, vol. 39, nº 9, agosto de 1951.

13 Sabe-se que um dos métodos de tortura mais eficazes para conseguir uma confissão é o de despertar o interrogado em seguida que dorme, permitindo-lhe que durma outra vez para acordá-lo quando concilia o sono. A repetição contínua deste método debilita o ego a tal ponto que já não poderá defender sua convicção de permanecer calado.

Quando sabemos com que idade e de que forma se realizou o controle de esfíncteres, amplia-se nosso conhecimento sobre a mãe. E temos encontrado que se a aprendizagem do controle de esfíncteres é muito cedo, muito severo, ou está ligado a outros acontecimentos traumáticos, conduz a graves transtornos, em especial à enurese. Por isso o terapeuta deve perguntar sobre a idade em que começou a aprendizagem, a forma como se realizou e a atitude da mãe frente à limpeza e à sujeira.[14]

Um bebê de poucos meses não tem um desenvolvimento motriz que lhe permita permanecer no urinol ou levantar-se à vontade; este é um dos motivos pelo qual se aconselha iniciar a aprendizagem quando a criança disponha do caminhar. Segundo outro ponto de vista, não é conveniente um controle prematuro se se considera que a matéria fecal e a urina são substâncias que têm para o inconsciente o significado de produtos que saem do corpo e cumprem a função de tranquilizar suas angústias de esvaziamento, normais a esta idade. Passado o primeiro ano, pelo processo de simbolização e pela atividade de jogo que já é capaz de realizar, as cargas positivas e negativas postas nestas substâncias se deslocaram a objetos e pessoas do mundo exterior, podendo assim desprender-se delas sem excessiva angústia.

A aprendizagem prematura lhe impõe esse desprendimento antes que disponha dos substitutos, que vai adquirindo por crescente elaboração e pela aquisição, êxitos vinculados com o caminhar e a linguagem.

Se a aprendizagem, além de ser precoce, é severa, é vivida como um ataque da mãe ao seu interior, como retaliação a suas fantasias, que neste período estão centradas no casal parental em coito e trará como consequência a inibição de suas fantasias, com transtornos no desenvolvimento das funções do ego.[15]

As respostas que a mãe nos dá sobre este ponto não só nos orientam para avaliar a neurose da criança, como para compreender o vínculo que tem com o filho.

São poucas as mães que lembram com exatidão esses dados. Felizmente, o material da análise de crianças, em especial de crianças pequenas, nos permite reconstruir posteriormente essas experiências e as podemos comparar ulteriormente com o que os pais lembram mais tarde.[16]

Um dos primeiros casos que me orientou nesta investigação foi o de uma menina enurética. A mãe tinha relatado na entrevista inicial que o controle de esfíncteres tinha iniciado com muita paciência e quando a menina tinha mais de um ano. Sabíamos teoricamente que uma criança com esse transtorno sempre é submetida a uma aprendizagem precoce e severa. Descobrimos em seguida, através do material dessa menina, que no seu caso também tinha sido assim. Em entrevista ulterior, depois de meses de tratamento, graças ao qual melhorou sensivelmente o

---

14 Cf. capítulo 13.
15 Cf. capítulo 9, caso Patricia.
16 Cf. capítulo 13.

sintoma, a mãe lembrou assombrada que a filha tinha recebido uma aprendizagem em dois tempos e que ela na entrevista inicial havia lembrado somente o segundo. Tinha esquecido que, quando a filha tinha quinze dias, a sogra, que vivia com eles, insistiu em iniciar o controle de esfíncteres contra sua vontade e com o consentimento do marido. Esta situação foi uma das tantas que expressou o conflito entre o casal. As circunstâncias em que iniciou este primeiro controle e o conflito matrimonial subjacente explicam o esquecimento da mãe.

Quando interrogamos sobre enfermidades, operações ou traumas, consignamos na história não só a gravidade, senão também a reação emocional dos pais. É frequente o esquecimento das datas e das circunstâncias da vida familiar que acompanham estes acontecimentos.

Quero aqui relatar um caso de esquecimento onde se pode ver muito bem como a intensidade deste se deve à gravidade do conflito.

Consultaram-me a respeito de um menino muito tímido de sete anos, que tinha inibições de aprendizagem. Nos antecedentes não figurava nada que justificasse a gravidade do sintoma. Quando interroguei a mãe de Raul sobre situações traumáticas nos primeiros anos de vida, a mãe respondeu que não lembrava de nenhuma. Durante a análise da criança, apareceu um sonho cujas características e repetição faziam pensar na existência de uma situação traumática: "via-se na cama rodeado de cães, que às vezes eram ameaçadores cães-lobos".

Meses depois da primeira entrevista e após acentuada melhora da criança no seu rendimento escolar, chamou-me a mãe para comunicar-me que havia lembrado de algo importante, algo que não compreendia como podia ter esquecido na primeira entrevista.

Quando seu filho tinha dois anos, foi destroçado por um cachorro, que, pela sua ferocidade, estava sempre atado, mas que naquele dia se soltara. O menino teve que ser internado e ela impôs como condição que se expulsasse o cachorro antes de voltar a casa; mas, como seu marido estava muito encarinhado com o animal e lhe assegurou que nunca mais voltaria a desatá-lo, aceitou retornar a casa, ainda que não se cumprisse sua exigência. Dois anos depois, atraída pelos gritos de seu filho, vendo-o novamente atacado pelo cachorro, quis defendê-lo, sofrendo ela mesma graves mordidas no peito e no pescoço.

Em situações menos extremas, mas traumáticas, como enfermidades, operações, caídas, produzem-se esquecimentos similares; por esta razão, é frequente que os dados que obtemos nesta parte do interrogatório sejam pobres.

As complicações que se apresentam nas enfermidades comuns da infância são por si mesmas índice de neurose e é importante registrá-las na história.

Quando perguntamos aos pais sobre a sexualidade do filho, costumam assombrar-se pela pergunta, mas geralmente nos informam com facilidade sobre este ponto, salvo quando negam qualquer atividade sexual do filho. Trataremos aqui de averiguar as observações feitas a respeito. E é este momento do interrogatório o que nos apresenta as maiores surpresas, não só sobre os conceitos do adulto com respeito à sexualidade da criança, como também sobre a forma de responder as suas perguntas. Nos grupos de orientação, temos muitos exemplos das graves dificuldades que encontram os pais para responder a verdade.

A atitude consciente e inconsciente dos pais frente à vida sexual de seus filhos tem influência decisiva na aceitação ou rejeição que a criança terá de suas necessidades instintivas. O que hoje conhecemos sobre a vida instintiva da criança e sobre suas manifestações precoces causa assombro aos adultos. Freud também causou assombro e rejeição quando descobriu que a criança ao mamar não só se alimenta, como também goza. Afirmar hoje que uma criança de um ano se masturba ou tem ereções e que a menina conhece sua vagina e que ambos sentem desejos de união genital opõe-se a tudo o que até hoje se aceitava sobre a vida de um bebê e também desperta rechaço.

Quando perguntamos se a criança realiza suas atividades sexuais abertamente e quais são, costumam responder que *descobriram* ou que *espiaram*; menos frequente, as relatam como fatos normais da vida da criança.

Há pais que, por mau conhecimento do que significa a liberdade sexual, favorecem e levam seus filhos a ditas atividades ou as comentam abertamente como graças ou provas de precocidade.

Há outros que creem que exibir-se nus ou favorecer atividades como o banho junto com eles ou com irmãos é favorável para o desenvolvimento. Este tipo de pais costuma antecipar-se ao esclarecimento sexual e não esperar o momento em que a criança o requeira.

O desejo de união genital do bebê ao satisfazer-se só em forma precária através da masturbação é o motor que impulsiona e põe em movimento a atividade de jogo. M. Klein pôde descobrir que atrás de toda atividade lúdica há fantasias de masturbação.[17]

Quanto a esta atividade, os pais se surpreendem e geralmente não encontram resposta a nossa pergunta sobre quais são os jogos preferidos do filho. Não sabemos se lhes assombra mais que damos importância ao jogo ou se é que tomam consciência do pouco que veem no filho, ainda que estejam todo o dia com ele. A descrição detalhada das atividades que realiza a criança nos serve para ter uma visão de sua neurose ou de sua normalidade. Freud descobriu que o jogo é a repetição de situações traumáticas com o fim de elaborá-las[18] e que ao fazer ativamente o que sofreu passivamente, a criança consegue adaptar-se à realidade; por isso, avaliamos como índice grave de neurose a inibição para jogar. Uma criança que não joga não elabora situações difíceis da vida diária e as canaliza patologicamente em forma de sintomas ou inibições.

As condições atuais de vida favorecem o costume de que crianças desde muito pequenas sejam enviadas ao jardim-de-infância. Em muitos casos, quando a casa é extremamente pequena ou a mãe trabalha, esta pode ser uma medida favo-

---

17 KLEIN, Melanie. *El psicoanálisis de niños.*
18 FREUD, Sigmund. "Más allá del principio del placer", tomo II, *Una teoría sexual y otros ensayos,* p.285.

rável para o desenvolvimento da criança, mas não quando, podendo e desejando permanecer na sua casa, sente que a enviam ao jardim-de-infância para livrar-se dela.

Quando perguntamos às mães em que idade os enviaram e quais foram os motivos que levaram a fazê-lo, vemos que, na maior parte dos casos, não se devem a uma necessidade ou desejo da criança, senão a dificuldades da mãe.

É frequente que a entrada no jardim-de-infância coincida com o nascimento de um irmão e, neste caso, longe de favorecer a elaboração deste acontecimento, constitui um novo elemento de perturbação; de fato, a criança nestas circunstâncias vive mais penosamente o fato de que lhe tiraram o lugar que habitualmente ocupava na casa.

Observei que as crianças que vão desde muito pequenas ao jardim iniciam a escolaridade em piores condições que os que vão aos quatro ou cinco anos.

A permanência em casa, a participação na atividade diária e dispor de um espaço adequado para brincar livremente são as condições que favorecem o desenvolvimento da criança até os quatro ou cinco anos. As atividades nas praças, na sua casa, na de amigos, satisfazem suficientemente a necessidade de contato com outras crianças.[19] O ingresso na escola significa para ela não só desprender-se da mãe, como enfrentar a aprendizagem que nos seus começos lhe desperta ansiedades similares às que se observam nos adultos com angústia de exame.

Durante a análise de crianças, comprovou-se que as inibições de aprendizagem escolar e as dificuldades para ir à escola têm suas raízes nos primeiros anos e que uma criança que não brincou bem tampouco aprende bem. Não podemos avaliar a gravidade das dificuldades de aprendizagem através do que os pais nos relatam. É frequente que uma criança em aparência muito bom escolar seja uma criança muito neurótica, com inibições parciais, que nem sequer são percebidas pelos pais.

Em outros casos, os pais pintam um quadro aparentemente muito grave e se trata só de dificuldades momentâneas ou condicionadas por eles mesmos, como, por exemplo, havê-la enviado ao primeiro ano aos cinco anos de idade. Por isso é importante interrogar sobre a idade em que uma criança ingressou na escola e a facilidade ou dificuldade na aprendizagem da leitura e da escrita, assim como se lhe causa prazer, rejeição ou se mostra ansiedade ou preocupação exagerada para cumprir com seus deveres.

c) O DIA DE VIDA

A reconstrução de um dia de vida da criança deve ser feita mediante perguntas concretas, que nos orientam sobre experiências básicas de dependência e inde-

---

19 Além disto, salvadas raras exceções, o jardim-de-infância é um lugar onde se agrupam várias crianças de diferentes idades para que incomodem o menos possível, portanto as mantêm continuamente ocupadas em atividades que nem sempre são as que necessitam no momento.

pendência, liberdade ou coação externas, instabilidade ou estabilidade das normas educativas, do dar e do receber. Saberemos assim se as exigências são adequadas ou não a sua idade, se há precocidade ou atraso no desenvolvimento, as formas de castigo e prêmio, quais são suas capacidades e fontes de gozo e suas reações frente às proibições.

Isso nos permitirá uma visão inesperadamente completa da vida familiar e o que registramos será uma valiosa ajuda ao ser comparado com a história da criança. Despistaremos inexatidões, omissões e sua causa. É frequente que na história não nos tenham dito, por exemplo, que existia um transtorno no sono e no relato do dia de vida se faça evidente a descrição de um complicado cerimonial noturno que os pais não avaliaram como tal.

A descrição dos domingos, dias de festa e aniversários nos ilustra sobre o tipo e o grau da neurose familiar, o que nos permite estimar melhor a da criança e nos orientarmos no diagnóstico e no prognóstico do caso.

Quando interrogamos sobre o dia de vida, devemos perguntar quem o desperta e a que horas. Tratando-se de crianças maiores de cinco anos, é importante saber se se vestem sozinhos e desde quando; ou quem os veste e por quê. É útil conhecer este primeiro momento do dia para valorizar a dependência ou independência adquirida de acordo com a sua idade cronológica, e a atitude dos pais frente à precocidade ou ao atraso na sua aprendizagem. Tudo isto é de um valor inegável, porque nos dá uma visão certa da vida da criança. Podem pensar que seu filho é independente, porque mantém uma certa rebeldia, e nós encontramos que, paralelamente a isto, lhes dão de comer na boca, os vestem e os banham tendo sete ou oito anos. É maior o conflito quando, em oposição a esta dependência patológica, o deixam sair só ou o levam a atividades típicas de crianças com mais idade.

d) RELAÇÕES FAMILIARES

Quando chegamos ao final da entrevista, costumam sentir-se já pouco dispostos a fazer confidências sobre si mesmos – como no princípio – e, em troca, inclinados a dar-nos uma idéia de sua relação afetiva com a criança e do que ela significa para eles.

Compreende-se que muito pouco podemos saber sobre as verdadeiras relações entre eles e nos limitaremos por isso a consignar a idade, a localização dentro da constelação familiar, saber se os pais vivem ou não, profissão ou trabalho que realizam, horas que estão fora de casa, condições gerais de vida, sociabilidade deles e de seus filhos.

É possível que seja necessário dispor de mais de uma hora para completar a história, sobretudo para os principiantes, e convém fazê-lo, pois o fundamental é que tenhamos consignado todos os dados que possamos obter dos pais antes de iniciar nosso trabalho com a criança, seja ele de diagnóstico ou de tratamento.

Tenho assinalado que devemos esforçar-nos por conhecer o máximo de detalhes sobre o sintoma: desenvolvimento, melhora e agravamento. Mostrarei através de um caso a forma como dirijo o interrogatório:

Consultaram-me a respeito de uma menina de dois anos e meio: Elena. O motivo da consulta era a evidência de um marcante atraso no caminhar, na linguagem e no seu aspecto pouco desperto, perturbação que se acentuou no último ano. Tinha tido uma convulsão aos onze meses e outra aos dezoito.

Apesar de na entrevista participarem ambos os pais, falou sobretudo a mãe; o pai intervinha somente se a mãe ou eu lhe pedíamos algum esclarecimento. Como a mãe tinha tendência a dispersão, quando insisti que se explicasse a natureza do atraso, perguntei-lhe como caminhava a menina na atualidade. Respondeu-me que não lhe agradava nada caminhar e que se a levava a passear terminava por tomá-la nos braços, porque se cansava. Lembrou então que deu os primeiros passos ao redor de um ano, mas como não foi nunca muito ativa, não manifestou prazer no caminhar; costumava tê-la nos braços, ainda quando já podia caminhar. Tinha ainda a tendência de chocar-se contra os objetos que encontrava no caminho, tropeçar e cair. Quando perguntei se tinha gatinhado, me responderam que não, em parte porque não manifestava vontade e em parte porque não agradava à mãe que se sujasse. Segui o mesmo critério para interrogar sobre a linguagem e lhe perguntei como falava na atualidade. Assinalaram que o transtorno era sobretudo na articulação das palavras, portanto era difícil compreendê-la, ainda que conhecesse o nome de todos os familiares e dos objetos que a rodeavam e também nomeava adequadamente muitas ações. Quando perguntei em que idade tinha dito a primeira palavra, a mãe duvidou, interrrogou o pai e discutiram sobre o assunto, o que me fez pensar que nesse momento do desenvolvimento houve outros conflitos mais importantes que a própria linguagem.

Fiz-lhes algumas perguntas com a intenção de ajudá-los a orientar-se no tempo e no crescimento da menina, como: "Era verão? Era inverno? Já caminhava?". As respostas, confrontadas com a data de nascimento, me orientariam bem, mas neste caso não foram aclaratórias; repetiram que foi uma menina lenta e sempre tranquila demais, que não dava nenhum trabalho, e quando bebê "era como não ter filhos", segundo manifestação do pai. Com estes dados, ainda que não soubéssemos quando havia pronunciado sua primeira palavra e qual havia sido, sabíamos algo mais sobre suas reações emocionais. Como na história estava consignada a primeira convulsão aos onze meses – durante um episódio febril – orientei o interrogatório na direção desse sintoma. O médico que consultaram não lhe deu muita importância, e como lhe comunicaram que também sofria pavores noturnos, receitou dois Epamin diários. Lembraram também que nesse período costumava ter frequentes anginas e que foi durante uma delas que se manifestou a convulsão. Perguntei se esse período de pavores noturnos e episódios febris não tinha coincidido com a dentição, e responderam que talvez, mas que não podiam estar seguros. Não recordaram tampouco a data de aparição do primeiro dente. Perguntei até quando seguiram com o Epamin e se a convulsão se repetiu, e desta pergunta obtivemos um dado interessante.

A segunda convulsão se apresentou aos dezoito meses e acompanhou-se da indicação do médico no sentido de aumentar a dose de Epamin. Observou a mãe que, logo depois da convulsão, a menina costumava estar distraída e apática durante o dia. Também lembrou que sofreu de transtornos intestinais e que o apetite diminuiu. Com todos estes elementos, podíamos reconstruir em parte o quadro do que tinha sido a vida da menina até então.

Na segunda metade do primeiro ano, não foram satisfeitas suas necessidades básicas de movimento e descarga, ao que se somou o bloqueio provocado pelo aumento da dose de Epamin quando teve a segunda convulsão, freando sua evolução mais adiante.

O bloqueio interno e externo parecia ter sido o motivo das dificuldades da linguagem e do caminhar, assim como dos transtornos do sono.

Necessitávamos agora saber se havia algo em especial que explicasse a convulsão dos dezoito meses.

Os pais nos tinham dito que a segunda filha tinha agora três meses; portanto, confrontando os dados, compreendemos que a convulsão coincidiu com a gravidez da mãe. Perguntamos a idade em que iniciou o transtorno do sono – já que apareceu antes da convulsão – e nos disseram que o primeiro pavor surgiu quando tinha sete ou oito meses. Perguntamos se nesta época dormia sozinha e responderam que compartilhava o dormitório com eles até o nascimento da segunda filha.

Tínhamos já um panorama que nos confirmava o que costumamos ver nos transtornos do sono dessa idade: estimulação inadequada, falta de movimento, sobreestimulação por dormir no quarto dos pais. Quero assinalar aqui uma vez mais que, embora quando comprovemos orientações tão equívocas como a do relato, nossa atitude não deve ser nunca de censura e convém sempre lembrar que a finalidade desta entrevista é conseguir o alívio das tensões dos pais e que somos desde o primeiro momento os terapeutas da criança e não os censores dos pais. Estamos ali para compreender e melhorar a situação, não para censurá-la e agravá-la, aumentando a culpabilidade.

Uma vez terminada esta entrevista, se os pais decidiram fazer somente um diagnóstico, comunica-se o dia e a hora da entrevista com a criança, assim como a duração. Se aceitam um tratamento, lhes daremos as indicações gerais nas quais este se realizará, condições que detalharemos mais adiante.

6

O consultório, o material de jogo, a caixa individual; problemas técnicos que surgem do seu uso diário

O consultório onde se analisa uma criança não precisa ser grande, pois a técnica de jogo não exige muito espaço. As paredes devem ser laváveis e convém que o chão esteja coberto de paviflex ou flexiplast; deve-se dispor de uma chapa de amianto que se adapte à mesa ou ao pavimento, já que pode ser necessário que a criança brinque com fogo. É ótimo que se disponha de um quarto de banho comunicado com o do trabalho, de uso exclusivo dos pacientes, no qual tenha um lavatório com água corrente, um vaso, toalha, papel higiênico, um copo e uma ou duas cadeiras. Se este banheiro é usado fora das horas de trabalho, deve-se procurar que nenhum objeto ou cosmético fique à vista ou seja possível de ser encontrado pela criança. A porta que comunica o banheiro com o consultório não se fechará por dentro do banheiro, para evitar dificuldades desnecessárias. As portas do consultório que deem ao exterior serão fechadas por dentro; devem ser duplas ou de material que impeça que cheguem ruídos ou conversações; deve-se manter, dentro do possível, um clima de aprazível isolamento e só por um motivo muito especial poder-se-á interromper a sessão ou permitir que outra pessoa entre no consultório; é conveniente ter uma campainha, de maneira que se possa de dentro pedir o que inesperadamente se necessite.

A mesa e as cadeiras serão cômodas e simples, suficientemente fortes para resistir ao desgaste. É necessário um móvel com gavetas, nas quais se guarda o material que dedicamos a cada paciente. Todas as gavetas devem ser fechadas com chave ao final da sessão, para só ser aberta ao início da próxima.

Será útil um pequeno e cômodo divã, no qual a criança poderá reclinar-se e falar, porque os muito pequenos chegam a necessitá-lo com muita frequência e o pedem também os que vão se aproximando da puberdade.

O aspecto do consultório deve ser, por si mesmo, a regra fundamental, para que não seja necessário explicar à criança o que deve fazer. Para isso, na primeira sessão, os brinquedos e os objetos que lhe destinamos são colocados sobre uma mesa, preferentemente baixa, de modo que, ao entrar, tenha uma visão completa do que lhe oferecemos para comunicar-se conosco.

Existe um material *standard* que satisfaz as necessidades de uma criança de até quatro ou cinco anos e com poucas modificações serve também para crianças de mais idade: cubos, massa de modelar, lápis, papel, lápis de cor, borracha, cola, alguns bonecos pequenos, paninhos, tesouras, barbante, autos, tacinhas, pratinhos, talheres e apontador.

Além disso, durante a primeira entrevista, pergunto aos pais com que a criança costuma brincar em casa, e sempre que possível incluo-o no material de sua caixa individual ou na caixa para diagnóstico.

Quando observamos uma criança para diagnóstico, lhe oferecemos um material de jogo que guardamos numa caixa destinada a este fim. Forma parte do consultório, mas deve ficar chaveado quando não se usa para esse fim. Abrimos somente quando recebemos uma criança que vem para uma hora de observação. Quando se decide pelo tratamento, preparamos o material de jogo e sua caixa individual, à qual só o paciente e o terapeuta terão acesso, tal como já descrevemos.

Pode ocorrer que a criança venha para uma hora de observação e mais tarde decidamos analisá-la; neste caso, costumamos incluir na sua caixa individual o material que utilizou na primeira hora, completando-o logo com o que pensemos seja mais adequado para sua idade.

A primeira ação que realiza a criança, assim como o tempo que transcorre até que a inicia, nos ensina muito sobre sua atitude frente ao mundo; o grau de inibição de jogo que manifesta é índice da gravidade de sua neurose. Veremos logo que a primeira sessão é de uma importância muito especial, porque nela a criança mostra qual é sua fantasia inconsciente de enfermidade e de cura e como aceita ou rejeita nosso papel de terapeuta. Ao nos despedirmos, lhe recordamos o dia e a hora da sessão seguinte.

Desde esse momento o terapeuta e seu consultório se oferecem receptivamente à criança e a caixa já preparada é o símbolo dessa situação, que deverá ser mantida sempre.

A caixa individual toma, progressivamente, enorme importância, ainda que nem sempre isso se expresse abertamente. Há crianças que durante meses não tocam num brinquedo,[1] outras se empenham em deixar tudo fora, como se não lhes importasse ter algo para si.

Acontece com frequência que uma criança quer levar à sua casa algum material da caixa; isso deve ser evitado com interpretação adequada. Se não o conseguimos, tratamos de fazê-lo deixar sem violência, ou podemos negar seu pedido dizendo que tudo isso é material para o tratamento e convém deixá-lo no consultório. Se,

---

1 Cf. capítulo 9, caso Verônica.

de acordo com o curso da análise, se considera muito útil, pode-se permitir – como exceção e não como norma –, esclarecendo por que o permitimos. Às vezes poderá roubá-lo e isso será motivo de interpretação na sessão seguinte.

Também é frequente que a criança traga algum brinquedo ou objeto de sua casa, com o que costuma querer mostrar-nos algo da vida familiar desse momento.[2] Nesse caso, se lhe dará liberdade de deixá-lo na caixa, sempre que seja possível, ou levá-lo novamente, interpretando o significado de uma ou outra decisão. Costumam deixá-lo durante algum tempo e às vezes definitivamente, incorporando-o ao material que lhe oferecemos inicialmente, o que é por si mesmo muito revelador. As crianças que reagem assim costumam viver em grande desamparo e satisfazem desse modo sua necessidade de transformar o consultório em seu lar.

Outro problema prático que indefectivelmente se suscitará é se devemos ou não repor o material que incluímos inicialmente na caixa da criança. Papéis, cola e massa de modelar são, junto com a água, elementos que devem estar sempre à disposição da criança.

Assim como nossa permissão para que brinque com água não deve chegar a que o deixemos inundar o consultório, já que regulamos seu abastecimento – além de interpretar os motivos que o levam a inundar –, do mesmo modo administramos os outros materiais. Creio que nisso devemos diferenciar os brinquedos dos materiais que, como a água, devem estar sempre à disposição. Seu uso deve ser controlado pelo analista e, em linhas gerais, diria que, se utilizados adequadamente, devem estar sempre a seu alcance, mas não se a criança os usa para destruição incontrolável. Por exemplo: se a criança usa o bloco de papel para queimar, depois de observar suficientemente as características do fogo, se impedirá e se interpretará o significado de usar algo expressivo e construtivo para fazer dele matéria inútil e destruída. As crianças sem grandes conflitos na aprendizagem pedirão folhas de jornal ou outras, inserviveis, se necessitam queimar papel. O uso inadequado desse material tem o significado de maltrato a partes de si mesmo, do terapeuta e de seu vínculo com ele. A criança poderá tentar tirar folhas de seu bloco no vaso, empapá-las e depois destroçá-las, apertando-as, para atirá-las depois dentro de sua caixa ou ao chão. Todas essas condutas devem ser limitadas oportunamente e interpretadas como pequenos suicídios.

Papel, lápis e lápis de cor são os materiais com os quais preferentemente se comunica uma criança entre seis e doze anos, devendo, portanto, estar sempre a sua disposição para tal fim; o mesmo acontece com a massa de modelar. Mas se uma criança pretende usá-la só para atirá-la ao chão e pisoteá-la, a observaremos até compreender sua atitude em relação com ela e os jogos anteriores – às vezes com o que aconteceu ao iniciar a sessão – e a interpretaremos. No caso de se repetir a mesma atividade compulsivamente, numa evidente tentativa de ficar sem nada, a freamos, além de interpretar. Suponhamos que o jogo anterior à destruição foi

---

2 Um paciente de Elizabeth Garma trouxe uma vez uma caturrita, com o que introduziu o problema de que sua mãe falava demais.

modelar uma casa que ela julgou que lhe saiu mal; atirar e pisotear a massa de modelar será uma forma de mostrar-nos sua impotência, o desconsolo por sentir-se incapaz de criar.[3]

Pode acontecer que, depois de interpretada, mude de atitude; se, ao contrário, ela continua, permitir sem limites sua destrutibilidade aumentaria sua angústia e culpabilidade. Seria além disso um erro interpretar essa conduta como agressiva, pois a aparente atitude sádica encobre aqui profundo masoquismo e culpabilidade que a impulsionam a ficar despojada e destruída, sendo este o ponto de urgência. Do mesmo modo que, se uma criança pretende morrer, queimar-se, atirar-se por uma janela, atitudes bastante frequentes durante o curso do tratamento de crianças neuróticas ou psicóticas, tomamos as medidas de precaução eficazes para evitá-lo, sem deixar por isso de interpretar o ato que freamos, devemos fazê-lo com suas coisas e com o vínculo que existe entre ela e nós através delas.

Uma menina de seis anos usou cola para untar as paredes;[4] o material que se seguiu à interpretação mostrou que, para ela, esvaziar o frasco de cola não era nesse momento um ato masoquista, senão que estava ensaiando as possibilidades de que algo servisse para unir o que estava destroçado. Este ato significava seu ensaio de como podia arrumar dentro dela as palavras destroçadas, sendo a cola uma substância valiosa da qual devia dispor incondicionalmente; a indicação então era encher seu frasco cada vez que estivesse vazio. Se, por outro lado, só o tivesse usado para untar, untar-me ou untar-se, em forma masoquista, não o teria renovado.

Em resumo, determinados elementos que são oferecidos à criança para facilitar a comunicação pré-verbal são básicos e devem ser renovados sempre que sejam úteis para expressar algo. Evitamos, assim, a aniquilação dessas substâncias que simbolizam conteúdos do paciente ou do terapeuta, assim como o vínculo entre ambos, do mesmo modo que preservamos a ele próprio. A reposição de outros materiais: autos, aviões, pratos, etc. se fará sempre que a criança solicite e que as circunstâncias o indiquem. É importante que o material que lhe oferecemos seja simples, de boa qualidade e, se possível, resistente.

Suponhamos que um menino organize corridas de autos nas quais compete com os irmãos e destrói um deles durante o jogo; se pede que seja reposto, é evidente que, além de interpretar, devemos aceder; do contrário, pode sentir que consideramos irreparável a destruição realizada.

Aconselho neste caso não tirar o auto quebrado, ainda que a criança peça que o façamos. Além de interpretar por que não suporta a visão desse auto destroçado, que frequentemente se transforma em acusador ou perseguidor, lhe destacamos a conveniência de guardá-lo. Apesar de tudo, a criança não aceita, às vezes, esta medida, por temor à contaminação; neste caso, separo o brinquedo do resto e o guardo à parte, assumindo esse conflito da criança.

---

3 É um mecanismo descrito por Melanie Klein como típico das crianças pequenas; o objeto danificado que não se pode reparar se transforma em perseguidor e é necessário destruí-lo.

4 Cf. capítulo IX, caso Verônica.

Invariavelmente ocorre que algum tempo depois o reclama, com a finalidade de arrumá-lo, ele mesmo ou com minha ajuda. Se esta mesma criança quebra um auto em cada sessão de seu tratamento, é evidente que não o seguiremos repondo e nos dedicaremos a interpretar suas reações frente a essa frustração e os motivos que o levaram à destruição.

Durante a análise de Estêvão, de oito anos, enfrentei esse problema em forma tão aguda que aprendi muito sobre o manejo dessa situação. Tudo quanto punha na caixa era destruído imediatamente à primeira tentativa de usá-lo para o jogo.

Durante semanas lhe repus o material, de acordo com seu pedido, até que compreendi que era uma conduta errada e que devia colocá-lo frente às consequências de sua destrutibilidade e ver o que fazia de si mesmo e de sua relação comigo.

Essa caixa com restos de brinquedos, em desordem, sem nada que conservasse sua aparência atrativa ou que o levasse a jogar era o quadro de como se sentia ele mesmo. Aceitar sua caixa nessas condições significou para ele que eu o aceitava tal como era, sem lhe exigir o esforço de mostrar-se bem e são. Agregar-lhe coisas atrativas tinha significado que eu lhe exigia mostrar-se como elas, sem compreender que não podia fazê-lo, por estar muito doente.

Neste caso pude analisar em detalhes o significado de conservar, quebrar, repor, conservar o quebrado e, unindo esta experiência a casos similares, cheguei à conclusão de que tecnicamente não é conveniente repor o quebrado, senão na medida em que se mostra útil para a compreensão e expressão de um jogo e que se deve, de todos os modos, manter o quebrado, ainda que a criança pretenda não vê-lo na caixa. Esta recusa obedece a uma necessidade similar à do adulto, que recorre à negação de suas tendências destrutivas ou de seus sintomas. Separar da caixa o destruído significa afastar de sua mente o conhecimento de que há algo destruído e enfermo em si mesmo, por que não se sente capaz de arrumá-lo. A presença do objeto destruído é de suma utilidade técnica, já que quando surgem as genuínas tendências de reparação, recorda-o e procura uma maneira para consertá-lo. É muito interessante observar, nesse sentido, como a criança utiliza substâncias cada vez mais adequadas às suas tendências reparadoras: usa desde massa de modelar, que une debilmente, até a cola e o cimento, que unem definitivamente.

As tendências a reparar implicam as subjacentes tendências destrutivas dirigidas ao exterior e a si mesmo. A diminuição do sadismo para conservar o objeto – amado ou desejado – é o que nos dá o índice de maior adaptação à realidade de capacidade de gozo na vida.

Ao finalizar a hora, guardamos os brinquedos na caixa com sua ajuda ou sem ela – e lhe mostramos:

 1 – que este material lhe pertence;

 2 – que a caixa ficará fechada com chave;

 3 – que ninguém terá acesso a ela em sua ausência e que o terapeuta só a abrirá antes de iniciar a sessão seguinte;

4 – que todo o acontecido durante a sessão será mantido em reserva absoluta de nossa parte;
5 – o horário semanal combinado; e
6 – que toda modificação ou entrevista com familiares se discutirá com ele e logo se comunicará aos pais.

Daremos um exemplo disso resumindo a primeira hora de uma menina de dezesseis meses que tinha sofrido uma convulsão. Como os pais me tinham dito que costumava jogar durante horas com livrinhos de figuras, incluí alguns na sua caixa. Neste e em outros casos me chamou atenção a capacidade da menina para encontrar rapidamente os objetos com os quais podia se expressar melhor.

Susana entrou no consultório com sua mãe, olhou os brinquedos, mas não os tocou; folheou os livrinhos em atitude similar a de um adulto, consultando o dicionário, e quando encontrou o que procurava, mostrou-me. A figura representava uma menina um pouco mais velha que ela com uma maçã na mão. Ao mesmo tempo, pronunciou o nome de uma de suas irmãs, e todas as figuras que selecionou tinham em comum a representação de uma menina ou de uma mulher que possuía algo; a todas dava o nome de sua irmã. Em seguida voltou a mostrar-me a primeira figura. Colocou sua mão esquerda vazia, como se pedisse algo, e com a direita tomou o livro aberto na primeira imagem e o sacudiu, dando pequenos golpes sobre a mão esquerda, como que tratando que os objetos caíssem nela. Depois de repetir isso várias vezes, mostrou-me sua mão esquerda vazia e a figura que representava sua rival com a maçã na mão, olhando-me de forma interrogativa como que pedindo solução. Repetiu o mesmo com todas as imagens que tinha mostrado, dando sinais de impaciência crescente depois de cada fracasso. Nesta primeira ação, mostrou-me sua irmã, a qual via possuindo algo valioso, enquanto ela se sentia com as mãos vazias. Sua fantasia inconsciente de enfermidade era que, em consequência de tanta frustração acumulada, necessitou da convulsão para descarregar a raiva. É possível que sem os livrinhos de figuras houvesse encontrado outra forma de expressar-me o mesmo, mas indubitavelmente sua presença facilitou a comunicação. A notável capacidade da criança para expressar seus conflitos em linguagem pré-verbal nos levou à convicção de que não existe diferença entre a análise de crianças e a de adultos.

Propusemo-nos a verbalizar horas de jogo nas quais a criança expressava um determinado conflito e inversamente expressar na linguagem pré-verbal o que o adulto verbaliza numa sessão de análise. A experiência foi surpreendente, porque fomos adquirindo a convicção da identidade entre a análise de adultos e a de crianças e a semelhança dos conflitos básicos. Apresentou-se muito ilustrativa a sessão de Alba, de dois anos, cujo conflito central neste momento era o terror de separar-se de seu analista, porque este ia viajar. Reagiu através de jogos, nos quais decidia segui-lo e viajar com ele, ou ia impedir a viagem, retendo-o com seduções ou ameaças. Num desses jogos faz "passagens" com pedacinhos de papel e os coloca no bolso do casaco do terapeuta. Interpreta que, ante a necessidade de aceitar a partida, assegura que ele terá passagem para voltar. Expressa a angústia de perdê-lo, e sua recusa a separar-se num jogo em que ela representa um avião: com os braços representa as asas e faz como se voasse, o que em linguagem de adulto seria: "eu vou contigo".

Este jogo expressa uma tentativa de negação maníaca da separação, e quando fracassou este mecanismo, serviu-se de outro, no qual expressou sua angústia de ser pequena, de não poder segui-lo ou não poder alcançá-lo; jogou então que o terapeuta ia de avião e ela era uma lancha. As diferentes velocidades desses meios de transporte faziam impossível o encontro. É interpretada a raiva, o ciúme e a impotência que provoca nela a viagem do terapeuta e o não poder ir com ele. Reage à interpretação com uma série de jogos de sedução, com o que pretende retê-lo: dança, canta, tira a calça, urina e defeca.

Quando, através das interpretações, diminuem os mecanismos maníacos e pode sentir pena e dor pela separação, brinca de subir num móvel e dali atirar-se, para que o terapeuta a receba em seus braços. Elabora assim a partida e a esperança da volta. Ela é o terapeuta que a recebe de braços abertos. Atirar-se do móvel simboliza a aterrissagem de avião, a chegada, o retorno e a reconciliação.

Confirmando a interpretação, o jogo que segue ao anterior é o de esconder-se, e que o terapeuta a procura, ou o inverso.[5] Toda ausência é seguida de um reencontro; elabora assim sua angústia de perdê-lo e sua ânsia de recuperá-lo.[6]

Nos momentos em que reaparecem as tentativas maníacas de negar a realidade dolorosa, inicia novos jogos de sedução ou de segui-lo, mas desta vez continuam com jogos depressivos de separação. Finalmente, realiza um jogo no qual revisa sua caixa, enumera os brinquedos e os membros de sua família, como se fizesse um balanço do que tem na realidade externa e interna para suportar essa dolorosa separação.

Esta menina teve um desenvolvimento genital muito precoce; por isso, suas fantasias de sedução tomaram tão aberto carisma de união genital. O êxito da análise[7] que a levou à cura do sintoma – bronquite asmática – se deveu ao fato de na relação transferencial poder elaborar a perda de seus objetos originários, surgindo as defesas contra a depressão; diminuindo o sadismo, incrementou-se sua capacidade de reparar.

Era frequente, nesta época, que a menina chegasse à sessão mastigando balas ou comendo sorvetes e oferecesse ao analista compartilhar esses alimentos. Tecnicamente está indicado interpretar e não participar, porque estas "coisas de criança" têm seu equivalente em atitudes de adulto, com o mesmo significado. Se o analista é afetuosamente compreensivo com relação ao que significa para a criança essa frustração e a interpreta, este a elabora, aceita-a e se sente compreendido. Uma vez mais teremos que aceitar que a adaptação à realidade é mais rápida e firme na criança do que havíamos suposto.

Além disso, desde muito pequeno, tem suficiente compreensão das exigências da realidade; portanto, se o analista é consequente nas suas atitudes diárias e

---

5 Cf. capítulo 2, nota 14.
6 FREUD, Sigmund: *Más allá del principio del placer*, p. 285.
7 Realizado por Moisés Tractemberg.

cumpre bem seu papel de terapeuta, ele se adaptará à situação analítica e a suas frustrações.

Muitas condutas, como a relacionada com a comida durante a sessão e outras nas quais a criança busca o contato físico com o terapeuta, costumam ter o significado de destruir o tratamento, de transformar a análise numa situação familiar ou social, com o que atacam o vínculo com o terapeuta e negam a enfermidade.

É frequente também que em algum momento da análise a criança busque um contato íntimo com o terapeuta e seja conveniente atuar do mesmo modo que quando nos agride, interpretando sua conduta, colocando limites, derivando a ação a algo que nos represente. Em algumas situações muito especiais, julguei útil satisfazer algumas dessas necessidades. Não é difícil que uma criança tente atacar-nos com as mãos, os pés, com matéria fecal, e é de suma utilidade que saibamos derivar, através da interpretação ou da ação, um ato que, se o realiza, pode determinar nele e em nós uma situação demasiado incômoda e que, se é permitida, tenderá a repetir-se, por culpa e ódio. No caso de um menino de oito anos que atacou fisicamente e com violência sua analista, esta[8] o conteve, abraçando-o com força, atuando como uma camisa de força, e o interpretou.

Durante a análise de um menino de dois anos e meio, tive que recorrer à força física para detê-lo num ataque agudo de ansiedade, no qual quis maltratar-se e finalmente se atirar pela janela.

Há muitas outras situações nas quais um analista de crianças pergunta-se sobre o que deve fazer quando seu instrumento de trabalho, a interpretação, mostra-se insuficiente.

Creio que nossa intervenção limitadora está indicada sempre que vejamos um perigo à integridade física da criança, nossa ou do consultório. É frequente que crianças entre seis e onze anos e em especial as que sofrem de enurese necessitem ou lhes seja imprescindível brincar com fogo. Devemos satisfazer essa necessidade, mas colocando as condições sob as quais o fará e que signifiquem desde o princípio uma total garantia para ele, para o terapeuta e para não destruir desnecessariamente o consultório.

Pode ser útil incluir fósforos, um fogareiro (aquecedor) ou algo inflamável durante a análise da criança. Se ela é pequena, escolheremos fósforos de madeira, que poderá manipular sem perigo; se já é maior, pode usar os fósforos comuns. Se colocamos na caixa um esquentador ou uma lampadazinha de álcool, devemos escolher um modelo que funcione sem nenhum perigo de explosão. O álcool para queimar deve estar sob nossa vigilância e custódia, distante do lugar onde a criança está jogando. Todo jogo com fogo deve realizar-se sobre uma chapa de amianto, que cubra o chão ou a mesa de trabalho, para evitar que se produzam estragos irreparáveis. Às vezes a criança queima papéis, algodão, às vezes até enxofre;[9] deve-se então ter a janela aberta, para que nem ela nem o terapeuta cheguem à situação

---

8 Elizabeth G. de Garma.

9 Cf. PICHON RIVIÈRE, Arminda Aberastury de. "Algunos mecanismos de la enuresis". *Rev. de Psicoanálisis*, tomo VIII, n° 2, p.211.

desagradável de não poder continuar a sessão. Não se deve chegar a esse extremo, e, dentro do possível, deve-se tentar prever antes de chegar a proibir. Suponhamos que um menino de cinco anos tenha trazido de sua casa tubos de tinta e, além de pintar nas suas folhas, quer pintar-nos a roupa, a casa ou as mãos. De nenhum modo deve-se permitir isso, porque é desagradável e desnecessário. Como norma, não incluo no material da criança aquarelas, têmperas e óleo; ofereço-lhes *finger-paints*, ou lápis-aquarelas, que cumprem a mesma função da aquarela, sem as dificuldades secundárias que esta traz. É conveniente que o analista use roupa que não o limite em sua atuação, como, por exemplo, roupa que ele valorize, jóias ou objetos que podem deteriorar-se. Quanto à criança, deixa-se livre, a critério da mãe, a roupa que use nas sessões.[10]

Alguns analistas homens que tratam crianças, perguntavam-se sobre o que deveriam fazer se um paciente lhes pedisse que costurassem ou tricotassem algo. Neste, como em todos os problemas propostos, pode-se considerar a parte formal e manifesta e a latente escondida atrás dela. Num primeiro plano, diremos que é frequente que um homem não saiba fazer nem uma coisa nem outra. Num plano mais profundo, sabemos que não é que não o saiba fazer, senão que o sente proibido.

Para tratar uma criança, o analista deve ter uma série de conhecimentos que não lhe exigem analisar adultos, e entre eles saber, ainda que apenas rudimentarmente, confeccionar roupa de bonecas ou qualquer envoltório que substitua uma roupa.[11] Se consegue elaborar sua angústia de castração e admite seus desejos femininos de ter um filho, a habilidade para fazer o que o paciente lhe pede surgirá espontaneamente.

Pode, além disso, adquirir uma certa habilidade manual, mesmo que a angústia de desempenhar um papel tão evidentemente feminino seja ainda intensa. Pode não vencer nunca esta angústia e sentir-se incapaz de enfiar uma agulha ou de pôr uma fralda num boneco. Neste último caso, não parecerá indicado que continue sendo analista de crianças, não tanto porque seja tão importante fazer um vestido para que a análise se desenvolva satisfatoriamente, senão pelo que significa essa limitação como conflito não resolvido.

Para ser analista de crianças é necessário conhecer e jogar suficientemente bem um grande número de jogos: xadrez, damas, canastra, ta-te-ti, etc. Devem conhecer os personagens e as histórias mais lidas pelas crianças, o que implica o conhecimento e o manejo de revistas infantis já clássicos e ter refletido sobre seu significado. Conservar ainda suficiente prazer pelo jogo e ter ainda uma agilidade que lhe permita enfrentar, sem demasiado esforço, o exercício que exige muitas vezes a hora da criança em análise. Isto não quer dizer que, se um dia estiver cansado ou simples-

---

10 No caso de Verônica (capítulo 9), a mãe lhe colocava um avental de borracha quando ela ia brincar com água.

11 Cf. estudos de Anger Garma sobre vestimentas e as membranas fetais. "El origen de los vestidos". *Rev. de Psicanálisis*, tomo VII, n° 2, 1949.

mente não se sentir com vontade de se movimentar, seja obrigado a fazê-lo; o que não se pode admitir como norma em analista de crianças é que pense poder analisar uma criança sentado numa cadeira, como no caso do tratamento de adultos.

O interesse pela investigação, sobretudo durante a análise de crianças muito pequenas, me aliviou mais de uma vez a fadiga ou o incômodo de um jogo. Por exemplo, no caso de um menino de dezoito meses, que não caminhava e a quem devia analisar sentado no chão, seguindo-o nos seus afãs de movimento. Mas nem sempre acontece assim. Às vezes pode parecer tedioso jogar, durante muitas sessões, de fazer comidinhas e distribuí-las entre os bonecos, mas na medida em que progredimos na compreensão da linguagem pré-verbal e traduzimos as ações do jogo nos seus menores detalhes, compreendendo-os, termina sendo tão apaixonante, ou mais, que escutar o relato de um adulto. Muitas vezes a angústia frente à não-compreensão da atividade lúdica faz com que o analista se limite a jogar; isto é entrar no jogo, mas não é assumir o papel de terapeuta.

Com frequência uma criança pede que o material com o qual jogou fique de fora da caixa, sem que ninguém o toque até a sessão seguinte. Em cada caso, este pedido terá um significado diferente, que deverá ser interpretado, e não podemos aceder ao seu pedido, porque, ainda que a angústia subjacente costume ser o medo a uma modificação, não pode impor-se a outras crianças a visão desse material, que despertará sua curiosidade, talvez inveja ou raiva, complicando desnecessariamente seus vínculos com o terapeuta. Também por ele mesmo não podemos expor seus pertences, que estariam em perigo, porque não poderíamos proibir as reações que suscitariam. Interpretamos sua necessidade de nos pôr a prova, de saber se o defenderemos de sua compulsão a ser despojado e atacado ou de sua necessidade de exibir-se e despertar nos outros ciúmes ou inveja por seus pertences. Às vezes este pedido oculta o desejo de que os outros façam o mesmo e assim poder ver o que eles têm; neste caso, quando nos negamos, costumam insistir no sentido de que abramos a caixa de outra criança, para ver o conteúdo. Tampouco podemos aceder a este pedido, que traria uma série de complicações, de difícil manejo técnico e fundamentalmente lhe tiraria a segurança de que manteremos sua própria caixa em absoluta reserva. Seria similar a responder ao pedido de um adulto que nos perguntasse quais são os padecimentos de outro paciente que viu ao sair ou ao entrar no consultório.

Convém estar sempre atento aos detalhes que possam ter motivado este pedido em crianças que até então se manejaram bem com sua caixa individual. Pode ter acontecido que nesse mesmo dia viram outro paciente ou perceberam um detalhe novo no consultório ou no analista mesmo, e isto os inquietou, por não compreenderem seu significado. Às vezes uma mancha ou raspão que existia há muito tempo é descoberto nesse dia, e querem investigar quem foi que nos machucou ou maltratou. Em qualquer caso, o importante é encontrar na criança mesmo, e não no externo, o que determinou o pedido.

Muitas vezes uma criança que desenhou durante muitas sessões pede que coloquemos seus quadros nas paredes, como numa exposição. Imaginemos num momento o que poderia acontecer se acedêssemos a este pedido. Alguém desejaria destruir todos os desenhos, brabo e ciumento por lhe terem ocupado um lugar que, neste momento, deveria ser só para ele; pode querer desprendê-los e levá-los a sua casa; pode desenhar outros e querer colocá-los sobre os anteriores, para tapá-los. É certo que qualquer desses pedidos pode ser interpretado, proibido ou permitido, sem que isto seja um obstáculo fundamental para que continue o tratamento, mas traria sempre como consequência a tendência a repetir situações similares, complicando e interferindo desnecessariamente em seu próprio tratamento e no dos outros. Se considerássemos tecnicamente necessário aceder a pedidos assim, não faria sentido que oferecêssemos à criança uma caixa individual e lhe assegurássemos a completa reserva de seus conteúdos e tampouco teríamos por que cumprir estritamente a norma de que o acesso à caixa é só permitido a ela e ao terapeuta. Se consideramos tecnicamente necessário oferecer a cada criança uma caixa que seja só dela, é porque ela necessita ter, para curar-se, algo que seja completamente seu, sem interferências, algo que para ela chegará a significar o que foi a primitiva relação com a mãe. Tampouco deve-se dispor do material da criança para nenhuma outra, pois às vezes um pedacinho de pano, um pequeno objeto, uma madeirinha, tem para ela um valor afetivo enorme e se sente terrivelmente despida e enganada se o tocam ou não o guardam.

Às vezes a criança não quer ir embora ao final da sessão; deve-se então fechar a caixa individual, despedir-se dela e pedir à pessoa que a acompanha que entre para buscá-la. No caso de meninos maiores, é suficiente fechar a caixa. Esta não deve ficar aberta sob hipótese alguma. Se a criança escapa do consultório sem fechá-la é função do terapeuta fazê-lo antes da entrada de outra criança.

Quando vamos interromper a análise por motivo de férias ou qualquer outro, é conveniente lembrar a criança com bastante antecedência e estar atento a suas reações frente à iminência da separação. Conheceremos assim muitos detalhes sobre a forma de desprender-se dos objetos. Quando uma criança termina a análise, também convém recordar-lhe com antecipação a data combinada para a última sessão. Não se deve supor que o saiba ou que os pais lhe disseram. Devemos tratar com ela, e sua decisão deve ser logo comunicada e consultada com os pais. As cláusulas do tratamento, na sua parte formal externa, acertamos com os pais, mas no fundo é com o paciente mesmo que fizemos o pacto analítico. Para decidir sobre o final de uma análise, temos que valorizar o grau de seu êxito. Podemos considerá-la terminada se tiverem desaparecido os sintomas, se foram ampliados os interesses, se existe maior capacidade de gozo duradouro, se está equilibrada a dependência e a independência com o meio ambiente. De todos os modos, supor que uma análise é um seguro de saúde mental e física para toda a vida é uma utopia ou um engano. As tensões e os maltratos que chegam do mundo exterior a uma criança podem superar o que seu ego é capaz de elaborar sem adoecer e isto pode suceder, ainda que a análise tenha sido exitosa. É certo, por outro lado, que uma análise na infância a capacitará para desenvolver-se melhor, e um dos grandes benefícios que experimentará será o aumento de sua capacidade de jogo e de aprender com prazer e facilidade, assim como enfrentar os problemas com maior eficiência.

Várias indicações técnicas fazem-se necessárias para esclarecer o que significa jogar do analista, assim como a forma e o momento em que deve fazê-lo. Quando uma criança pede que jogue, o analista, antes de realizar a ação, deve saber o papel que lhe tocará jogar. Se está jogando de preparar comidas e a criança quer que participemos, devemos perguntar-lhe como é a comida que devemos preparar, como a devemos dar e quando. Ainda que a criança não fale, compreende muito bem o que dizemos e se faz compreender por sua linguagem pré-verbal. Quando se trata uma criança de mais idade, pode explicar-nos cada detalhe do papel que nos designa. Por exemplo, se joga de colégio e nos toca ser alunos, além de interpretar a troca de papéis de adulto a criança, lhe pediremos que nos indique que classe de alunos somos, que fazemos, que queremos dele como professor e que quer ele como nosso professor. Se se negar ou resistir a fazê-lo é necessário formular a interpretação que lhe dê novamente consciência da enfermidade, de que somos seus terapeutas e não estamos jogando com ele, mas analisando-o. Só assim poderemos compreendê-lo e ajudá-lo. Alivia-se quando colocamos este limite e lhe ratificamos nosso papel de terapeutas cada vez que ela o elude.

Sem dúvida, para analisar uma criança não basta um frio conhecimento da técnica e da teoria. É necessário ter algo do prazer que sente a criança ao brincar, manter algo da ingenuidade, da fantasia e da capacidade de assombro, que são inerentes à infância.

Assim como o escritor tem qualidades inatas, mas aprende seu ofício, um analista não só deve conhecer teoria e técnica da psicanálise, como ter esse dom que considero não se pode transmitir nem ensinar, mas sim desenvolver notavelmente com a análise individual do psicanalista. Compreendemos isto quando nos conscientizamos de que seu trabalho exige grande capacidade de conexão e de expressão e ambas aumentam com uma boa análise.

Em outro plano da aprendizagem, podemos adquirir muita capacidade na técnica de formular a interpretação. Aconselho todos os que trabalham em análise, em especial de crianças, a fazerem verdadeiros exercícios de estilo, que consistem em revisar uma e outra vez o material e formular por escrito a interpretação, reformulando-a tantas vezes quantas sejam necessárias, até encontrarem a que considerem justa. Não quer isto dizer que estudemos as interpretações para dá-las, senão que devemos encontrar o método para conseguir expressar sem maior esforço o que compreendemos e formulá-lo numa linguagem adequada ao caso e à idade do paciente.

Podemos comparar esta aprendizagem com a que realiza o estudante de música, quando tem que aprender a transportar uma mesma frase musical a distintos tons, maiores e menores, ou aos exercícios de composições que, se não o transformarão num criador, lhe darão em troca a possibilidade de dar boa forma a sua inspiração.

Este estudo da formulação não deve ser só escrito, mas também oral, porque um analista deve acostumar-se a ouvir suas interpretações e a ter capacidade de criticar-se. É frequente que o analista que leva anos analisando adultos e começa a tratar crianças sinta que é mais fácil depois dessa experiência formular interpretações. Creio que esse fato se deve ao esforço que exige adaptar o pensamento, até então considerado privativo do adulto, à linguagem de uma criança pequena.

É freqüente que ao começar o trabalho com crianças se experimentem sentimentos de incomodidade, quando tenhamos que aceitar que a criança percebe, compreende, expressa e julga em nível muito próximo ao nosso. Uma das mais fortes frustrações que sofremos quando pequenos foi não encontrar resposta a nossa curiosidade e, mais ainda, o fato de não sermos compreendidos quando nossa comunicação era pré-verbal ou só rudimentarmente verbal.

Ao interpretar uma criança de 16 a 18 meses e comprovar a facilidade com que compreende nossas palavras e o alívio que experimenta, torna-se evidente o erro do adulto que não só fala qualquer coisa diante dela – porque pensa que não entende ainda – senão que se a criança dá mostras de ter compreendido, o faz calar irritado ou o considera uma criança extraordinária. Analisei crianças desde 14 meses e penso que o aperfeiçoamento da técnica levará a poder fazê-lo com crianças ainda menores.

Nos tratados de técnicas até hoje publicados não se menciona o problema dos honorários na análise de crianças.[12]

Com relação a estes problemas, como os até aqui propostos, tudo leva a supor que não existem diferenças entre a análise de crianças e a de adultos. É óbvio que a criança não pode enfrentar o pagamento de seu tratamento, mas isto não é diferente do que acontece em toda sua vida diária e ela tem clara consciência da situação. Nenhuma criança, ainda que muito pequena, pensa ou espera que lhe presenteiem com algo numa loja, senão que pede a seus pais que o comprem. Neste, como em todos os demais aspectos de sua vida, sabem que os pais ou substitutos pagam suas coisas e o tratamento está incluído neste conceito de sua vida. Para ele, como para um adulto, pode chegar a ser um problema que as sessões sejam pagas, mas não é devido a sua idade que o pagamento em si é um problema. É conveniente que a criança saiba que as sessões são pagas nos primeiros dias do mês. Se seus conhecimentos o permitem, é melhor que ela mesma faça o cálculo das horas. Se possível, deve ela entregar o dinheiro ao terapeuta. Compreende-se que, tratando-se de crianças muito pequenas ou muito enfermas, devem-se tomar as precauções necessárias para que o façam sem risco de perdê-lo. É notável como crianças ainda muito pequenas lembram a seus pais o pagamento das sessões ou chegam ao consultório dizendo que reclamaram o dinheiro ou já o pediram. No seu jogo expressam suas fantasias inconscientes com respeito ao pagamento, do mesmo modo que

---

12 Numa carta enviada a mim por Melanie Klein, com data de 27 de abril de 1945, expressava-se assim: "Em relação a sua primeira pergunta – com respeito ao seu trabalho – eu lhe diria que de maneira nenhuma se discuta honorários com as crianças, embora tenha que ficar claro que são pagos honorários. É preferível que a criança não conheça a cifra total, porque certamente lhe pareceria exorbitante. Os pais devem dizer à criança que é como pagar a escola ou algo assim. De maneira nenhuma deve-se fazer crer à criança que o analista não é pago".

um adulto o verbaliza na sessão, de forma direta ou mascarada. Costuma ser prático sugerir à mãe, na entrevista inicial, que entregue o dinheiro à criança no momento de entrar no consultório. Ocorre que, na medida em que se responsabiliza em outros planos, reclama aqui também o direito a uma maior independência.

O caso que passo a relatar ilustra como a criança conhece a relação que existe entre o número de sessões e o montante dos honorários e distingue a dificuldade ou a facilidade com que os pais afrontam o gasto.

Mário sofre de fobias múltiplas, de pavores noturnos e de agressividade incontrolável, que dificulta seu contato com o meio ambiente. Tinha sete anos e meio quando iniciou o tratamento psicanalítico.[13] A sessão que relatarei corresponde à volta das férias, ocorridas após um ano de tratamento com quatro sessões semanais. Tomou a massa de modelar dizendo que iria fazer uma bola com muitos pés, para que não caísse. Depois de refletir, disse que era muito difícil fazer tantos pés e que por isso faria um canhão para disparar. Como esse dia – ao entrar na sessão – os pais comentaram que tinham resolvido diminuir uma sessão, porque Mário estava melhor e eles tinham dificuldades econômicas, o terapeuta interpretou os pés múltiplos como sua necessidade de assegurar-se de que não rodaria, pela insegurança que lhe causava diminuir o número de sessões e que isto, além do mais, o tinha desagradado muito – o canhão.

Disse que faria uma bola com espinhos por todos os lados, para que ninguém a tocasse e, em continuação, disse: "Sabes quanto é um quarto?" Interpretei que perguntava como seria com um quarto menos de suas sessões e se isto não o faria recair no seu sintoma mais temido, a agressão incontrolável – a bola com espinhos.

Tirou dinheiro do bolso e disse: "É bastante, não? Na minha casa vou fazer o seguinte: vou amarrar um barbante ao teto e vou subir e subir. Mas não lhe parece que vai ser difícil?". É evidente que, ante a dificuldade econômica, surgiu uma tentativa maníaca de negar sua impotência e oferecer seu dinheiro, mas o juízo de realidade o levou a expressar que necessitava crescer de repente para enfrentar o pagamento, apesar de que isto era tão impossível como subir ao teto por um barbante que não o sustentasse.

Parece-me muito interessante este material, por expressar: 1 – o temor de cair no sintoma que mais o fazia sofrer; 2 – a percepção da necessidade do dinheiro para solucionar o problema; 3 – a aceitação de sua impotência; 4 – a insegurança e o desgosto que lhe causava a diminuição das horas de tratamento.

A criança que sabe quanto custa uma sessão trata de não faltar, reclama muito se lhe estão faltando minutos e dá um jeito para que não o tragam com atraso às sessões. Nesta, como em toda situação onde não se propõem claramente os problemas, existe um engano desfavorável para a solidificação da relação transferencial e para a continuidade da análise.

---

13 Com Manuel Kizzer.

7

A primeira hora de jogo: seu significado

Quando Freud analisou um menino de cinco anos[1] e descreveu sua atividade de jogo, seus desenhos, sonhos e sonhos diurnos, deixou os sedimentos para a técnica da psicanálise de crianças. Mais tarde[2] descobriu que se uma criança brinca é porque necessita elaborar situações traumáticas. A análise de crianças confirmou essas conclusões, mas apesar de ser evidente que os problemas fundamentais de uma criança se expressam nessa linguagem pré-verbal, os tratados sobre o tema[3] seguiam afirmando que esta – a diferença do adulto – não tinha consciência da enfermidade nem vontade de curar-se.

Minhas conclusões foram diferentes ao aplicar a técnica do jogo. Constatei que já durante a primeira sessão – fosse esta o início de uma análise ou simplesmente de observação diagnóstica – aparecia a fantasia inconsciente de enfermidade ou de cura.

Propus-me então a investigar se o material da criança durante o tratamento confirmava o que havia mostrado nesta primeira hora e cheguei à conclusão de que era assim em todos os casos, corroborando a idéia inicial de que a criança sabe que está enferma e que compreende e aceita o tratamento. Com a técnica do jogo,[4] fei-

---

1 FREUD, Sigmund. "Análisis de la fobia en un niño de cinco años", tomo XV, *Historiales Clínicos*.
2 FREUD, Sigmund. "Más allá del principio del placer", p.285, tomo II, *Una teoría sexual y otros ensayos*.
3 FREUD, Anna. *Psicoanálisis del niño*. Ed. Imán, Buenos Aires, 1951. KLEIN, Melanie. *Psicoanálisis de niños*. Biblioteca de psicoanálisis, Buenos Aires, 1948.
4 A utilização e observação sistemática da hora de jogo para diagnóstico realizou-se pela primeira vez na Argentina.

tas as modificações assinaladas, comprovei que a criança nos comunica, desde a primeira hora, qual é a sua fantasia inconsciente sobre a enfermidade ou conflito pelo qual é trazido ao tratamento e, na maior parte dos casos, sua fantasia inconsciente de cura.

Penso que o surgimento tão imediato é devido à pressão do temor a que repitamos a conduta negativa dos objetos originários que lhe provocaram a enfermidade ou conflito. Junto a este temor, evidencia o desejo de que não sejamos como elas e assumamos o papel através do qual lhe damos o que necessita para sua melhoria. Este processo é vivido pela criança como um novo nascimento; a separação inicial dos pais e a entrada no consultório costumam acompanhar-se das ansiedades que experimentou ao nascer.

O temor à repetição das experiências com o objeto ou os objetos originários obedece tanto ao que aconteceu com os pais reais como à sua própria compulsão a repetir situações que lhe causaram dano.[5] Na sua fantasia de cura, expressa o desejo de modificação do mundo exterior real e seu desejo de curar sua compulsão a repetir ditas experiências.

O temor de repetir sua relação com o objeto originário é o que nos transforma em pessoa a quem e de quem se desconfia. O objeto originário carregado de frustração e medo projetado no terapeuta transforma este em alguém temido pela criança e de quem espera que adote a mesma conduta negativa de seus pais e o ataque. Este objeto originário em seus aspectos amados – nos aspectos em que satisfez suas necessidades – confere ao terapeuta os atributos necessários para curá-lo. Esta dupla fonte de transferência deve ser interpretada desde o primeiro momento,[6] mas como os dois aspectos estão sempre presentes durante o tratamento, a interpretação de seu significado deve fazer-se também nas sucessivas sessões.

É fundamental que desde o primeiro momento assumamos o papel de terapeuta, porque isto ajuda a criança a situar-se como paciente e a ir fazendo consciente o que mostrou como fantasia inconsciente; para isso devemos interpretar a dupla imagem e seus significados. Já frente aos pais teremos esclarecido nosso papel de terapeutas do filho e não deles, conduta que confirmamos ao não lhes pedir modificações na sua vida familiar e antecipar-lhes as reservas que manteremos com as sessões do filho.

Na descrição do consultório fiz referência ao significado que tem a caixa individual, descrevi o material que oferecemos à criança e os problemas técnicos que surgem de seu uso. Esta caixa individual que lhe oferecemos ao iniciar o tratamento constitui, desde o primeiro momento, o símbolo do segredo profissional, como a promessa verbal de sigilo que fazemos ao adulto – na qual confia – quando inicia o tratamento psicanalítico.

Os casos que passo a narrar referem-se às primeiras horas de jogo para diagnóstico e às primeiras horas de tratamento, com crianças de diferentes idades.

---

5 FREUD, Sigmund. "Más allá del principio del placer".
6 KLEIN, Melanie. *Psicoanálisis de Niños*.

Neles destacarei, de forma especial, aqueles aspectos que configuram as jogadas de abertura, cuja importância se faz evidente no curso ulterior do tratamento.

CASO I

Roberto é um menino de dois anos que padece desde os dezoito meses de pavores noturnos e tendência a insônia. Seu desenvolvimento parece ter sido normal até aquele momento. Depois da primeira entrevista com a mãe, resolvemos que o observaria durante uma hora de jogo antes de decidir seu tratamento.

Informaram-lhe que viria ver-me, que não era uma visita pediátrica, que não o examinaria, nem ele daria medicamentos, e sim que estaria uma hora com ele e lhe daria coisas para brincar; falaríamos e trataríamos assim de compreender o motivo de suas dificuldades para dormir e o modo de aliviá-lo.

Entrou no consultório com sua mãe, que se sentou, enquanto o menino se aproximou dos brinquedos que estavam sobre uma mesa baixa e começou a jogar imediatamente.[7] Utilizou pratinhos, taças e talheres, iniciando um jogo que durou ao redor de dez minutos e no qual representava uma alimentação prazenteira, sem apuros, adequada, com carinho e estabilidade, segundo se ia deduzindo dos detalhes dos seus atos.

Interrompeu o jogo para pedir que acendesse a luz. Tomou logo um pratinho, chupando e mordendo-o desesperadamente, e apresentando índices de ansiedade crescente. Deter-nos-emos para analisar sua conduta até esse momento.

O acender a luz e logo morder e chupar desesperadamente, depois de um jogo de alimentação com satisfação adequada, permitiu situar na noite a hora do seu sintoma, e nos deu uma pista para investigar o motivo de seu transtorno do sono. Morder e chupar o prato com desespero e a crise de ansiedade imediata a esta ação mostravam quais podiam ser seus sentimentos na noite, se lhe surgiam tais desejos.

Sabemos que o pratinho chupado e mordido existe como objeto real no mundo exterior, mas representa também um desejo interno, símbolo do peito introjetado que alguma vez foi externo. Neste momento, ao jogar, não só morde e chupa o pratinho, senão também o objeto interno que o ataca, sua mãe proibidora. Na sessão, eu, como terapeuta, repetia a proibição interna; por isso abandonou o jogo e teve ansiedade.

Já sabíamos algo do que provocava o pavor noturno e a insônia, as duas formas de transtorno do sono pelas quais nos consultavam. A imagem de algo que morde e chupa, projetada, simbolizada e personificada pelo pratinho, trouxe como consequência a crise de ansiedade. Víamos assim como atuavam nele as defesas frente às tendências destrutivas. Os primeiros mecanismos de defesa frente a ela foram a expulsão, a projeção e a simbolização[8] e logo veio a destruição violenta do

---

7 A inibição para brincar é um índice de neurose grave e se considera em especial para o diagnóstico e prognóstico de uma neurose. Este menino evidenciou uma grande capacidade para expressar e elaborar em seus jogos os conflitos, o que constituirá um bom prognóstico.
8 FREUD, Sigmund. "Más allá del principio del placer".

objeto carregado de destrutividade, que pela projeção, se teme como perseguidor.[9] Sigamos agora com seu jogo e vejamos como expressou novamente que este ato de chupar e morder se dirigia finalmente a sua mãe real, tanto como a sua mãe interna, simbolizada no pratinho.

Encheu a pia até que a água transbordasse e caísse ao chão; com as mãozinhas, empurrou em direção à mãe a água que tinha caído, pisou até empapar as solas dos sapatos, caminhando então sobre as partes secas e deixando deste modo as marcas de suas pisadas, que também se dirigiram à sua mãe. Quando se esgotou a água do chão e dos seus sapatos, observando que já não deixava marcas ao caminhar, virou mais água, repetindo a atividade descrita, até conseguir que a última marca chegasse até a mãe. Subiu então sobre ela e a abraçou com um gesto envolvente, como se quisesse levá-la nos braços. Ao começar o jogo com água, enquanto enchia a pia e produzia inundações, exigiu que o tivesse pela mão, ficando excluída da ação sua mãe, que continuava sentada na sala de jogos, contígua ao banheiro.

Sabíamos já que de noite, sozinho ou com a babá, sentia ansiedade. Sua mãe não estava com ele e necessitava conhecer o caminho que o levasse até ela.[10] Estas marcas eram o símbolo das marcas mnêmicas da boa imagem de mãe, que se apagam quando o terror pela má imagem o inunda. Transmitira-nos o motivo do pavor e agora expressava sua necessidade de ajuda para encontrar o caminho que o levasse até sua mãe quando estava aterrorizado à noite." Mostrava-me ainda a necessidade de um apoio incondicional, ao exigir de mim que não deixasse nem um minuto sua mão enquanto manipulava a água que lhe permitiria chegar até a mãe.

Analisemos mais detalhadamente esta segunda parte de seu jogo. Ao transbordar a água na pia, comunicava-nos também que se urinava de noite quando tinha ansiedade. Estando sua mãe ausente de noite, tinha ansiedade, urinava-se e necessitava encontrá-la. A forma envolvente do abraço e seu gesto de aproximar-se muito a ela reproduziam a forma inicial de contato corporal com a mãe depois do nascimento, mostrando com isto que necessitava voltar ao apoio incondicional – desta vez do terapeuta – para curar-se. Neste, como em outros casos, ultrapassar o limite entre o banheiro e a sala de jogo simboliza o nascimento, e a forma como o menino o fazia nos mostrou muito sobre as características do seu parto e dos primeiros contatos com o mundo exterior.[12]

A presença da mãe no consultório facilitou a dramatização das divisões entre boa e má mãe, externa e interna, mas sem ela também o expressaria, utilizando o analista, um jogo, um objeto ou qualquer detalhe do consultório.

---

9 A universalidade das figuras da fada e da bruxa, ou do bom e do mau nos contos infantis, se explica pelo duplo aspecto do objeto original.

10 As marcas perdidas e o deixar marcas duradouras para reencontrar o caminho da casa abandonada ou perdida é tema de muitos contos infantis.

11 A mãe que desaparecia quando o terror pela imagem má o inundava.

12 Cf. capítulo 11.

CASO 2

Relatarei agora a primeira hora de jogo de um menino, também de dois anos, que padecia de insônia e de *rocking*. Este último sintoma era tão agudo, que, pela intensidade, violência e continuidade dos movimentos, foi necessário forrar com almofadões o berço do menino, amortecendo assim os efeitos dos golpes da cabeça ao bater-se contra as grades, como também forrar com almofadões o quarto, de maneira que o movimento do berço diminuísse um pouco, pois sem isto nem os pais, que dormiam no quarto contíguo, nem a babá, que dormia com ele, podiam conciliar o sono, pelo ruído que produzia o berço ao deslocar-se e bater contra as paredes do quarto. A insônia era quase diária, sendo ineficazes os sedativos com que trataram de evitá-la.

Ernâni era o menor de quatro irmãos e o único com transtornos. Os pais pareciam profundamente unidos entre si e com seus filhos. No edifício em que viviam, tinham seu apartamento tios e tias, todos com filhos, havendo-se constituído uma grande comunidade infantil da qual Ernâni era *o enfermo*.

Da entrevista inicial com os pais ressaltava um dado, o único que poderia ter sido significativo no sintoma. Nasceu vinte dias antes da data calculada, porque se induziu o parto, adequando-o a um dia que resultasse cômodo à comunidade familiar. A mãe resistiu a princípio, quando o médico o sugeriu, mas a pressão de seu meio ambiente e a confiança que lhe inspirava o médico favoreceram a decisão. Em interrogatório posterior, compreendemos que se não pôde defender mais seu filho, foi porque a gravidez se produziu num momento difícil e a conflituou mais que a dos outros filhos. No desenvolvimento ulterior do menino não houve aparentemente outros transtornos e tinha um aspecto tão sadio e agradável, que era difícil imaginá-lo com sintomas tão penosos.

Ernâni entrou com sua mãe e começou a jogar, enquanto esta permanecia sentada perto dele.[13] Seu jogo[14] consistiu em distribuir os brinquedos sobre a mesa, formando grupos de tudo o que lhe parecia semelhante. Quando um grupo ficava formado, me dizia: "dormem". Colocou galinhas com galinhas, cubos com cubos, bolas com bolas, massa de modelar com massa de modelar. O último grupo que formou foi de cachorrinhos. Separou o menor. Colocou-o em minha mão e fechou-a, deixando dentro o cachorrinho. Observou minuciosamente e com desconfiança minha mão, fechando-a cada vez com mais força, como se temesse que eu a abrisse. Logo disse: "Faça-o dormir você". Que expressou com este jogo? Cada grupo representava uma família em que todos dormiam, mas numa delas – a própria – o

---

13 Como no primeiro caso, lhe haviam explicado onde iria e para quê.

14 O leitor notará que neste caso o material de jogo é mais variado e significativo que em outros. Corresponde à primeira época da técnica do jogo. Anos depois, compreendemos que não era necessária tal variedade e era inconveniente a utilização de brinquedos muito similares aos objetos reais, porque a semelhança inibia parte das fantasias. Ao contrário, os mais simples e menos significativos facilitam a projeção das fantasias mais reprimidas.

menor não dormia – seu sintoma – e me pedia – o terapeuta – que o ensinasse a dormir; era aceitar a ajuda terapêutica, mostrar que a necessitava. A forma como colocou o cachorrinho na minha mão e a fechou hermeticamente mostrava fantasia inconsciente da razão do sintoma, juntamente com a forma como podia curar-se. Necessitava voltar ao ventre da mãe, e que eu não repetisse o que ela tinha feito, o guardasse em minha mão, e com um novo nascimento – logo após ter recebido de mim o necessário – poderia dormir.

A desconfiança e o medo de que eu repetisse a conduta da mãe e o deixasse sair de minha mão expressou-se através da forma minuciosa e desconfiada com que cuidava se minha mão guardava o cachorrinho que ele me confiou. Vemos que para o primeiro menino a vida estava dividida em duas partes – antes e depois do transtorno – e sua vida diária atual também estava dividida em antes e depois da noite. Por isso dividiu a sessão em uma parte com jogo tranquilo e outra em que tudo foi invadido pela ansiedade. Acender a luz foi o limite de sua vida prazenteira e depois disso ocorreu o aparecimento brusco do chupar, do morder, da angústia, do urinar-se e da solidão por não conhecer o caminho de retorno ao objeto. Este desconhecimento era a consequência de não ter elaborado a ansiedade depressiva, o que foi impedido pela quantidade excessiva de tendências destrutivas, não canalizadas de forma normal. O primeiro menino mostrou que o medo de perder a mãe provocava o pavor noturno, sendo a insônia uma defesa contra o pavor. O segundo menino expressou, por outro lado, sua singular situação de ser diferente de todos os que o rodeavam por não poder dormir, e se colocou "nas minhas mãos para aprender a fazê-lo".

Nos dois casos que relatei, a hora foi de diagnóstico e as crianças foram logo encaminhadas a outro terapeuta.

CASO 3

Estudaremos a hora de jogo de um menino um pouco menor, Adolfo – também com transtornos de sono –, cuja observação foi seguida de tratamento com a mesma terapeuta, o que nos permitiu confirmar a exatidão das primeiras conclusões. Tratava-se de um menino de 21 meses, que se acordava angustiado à noite e passava para a cama de alguém, preferentemente a da mãe. Sofria também da tendência a chupar compulsivamente o polegar e não tinha aceito ainda o controle de esfíncteres, que se havia iniciado aos cinco meses. Nessas primeiras tentativas, que coincidiram com o desmame, mantinham-no duas ou mais horas no urinol. Como a aprendizagem fracassou, abandonaram-na temporariamente, para reiniciá-la aos onze meses, coincidindo desta vez com a perda definitiva do peito. Como nessa época se movimentava muito e podia escapar-se do urinol, mantinham-no atado, às vezes por mais de duas horas.

A primeira sessão que relataremos foi de observação, porque a mãe procurava quem a orientasse na educação de seu filho. O alívio que a criança demonstrou foi decisivo para que a mãe e o terapeuta[15] decidissem iniciar uma análise, apesar de não existirem até aquele momento, experiências sobre o efeito deste tratamento numa criança menor de dois anos. Daremos primeiro a descrição da hora diagnóstica, e logo passaremos a analisar seu significado.

Apesar de sua pouca idade, não manifestou dificuldade em separar-se da mãe,[16] entrando no consultório com a terapeuta, enquanto a mãe ficava na sala de espera. Os primeiros objetos que tomou foram um curral e um bercinho com um bebê dentro. Foi em seguida à sala de espera buscar a mãe e a trouxe ao consultório. Sentou-se no chão e rodeou-se do berço com o bebê, do banheiro e do móvel com louças, sentando-se a terapeuta junto dele.

Indicou com alegria que um bebê estava sentado no vaso, tirando-o e sentando-o repetidas vezes. Em seguida, tentou desvestir um bonequinho, cortando uma cinta que lhe atava a roupa, aludindo possivelmente ao ter sido atado ao urinol quando pequeno, e ao consegui-lo suspirou com alívio. Para fazê-lo, pediu ajuda à terapeuta, o mesmo fazendo para retirar o mosquiteiro do berço. Deu comida ao bonequinho, cobriu-o e logo o surrou. Desvestiu outro bebê e o colocou junto ao primeiro, dizendo que eram ele e a menina. Prestou atenção à água que gotejava na pia e disse: *água*; em seguida, a terapeuta abriu mais a torneira e ele lavou tudo o que tinha ao redor, secando depois com um pano. Banhou o bebê, envolveu-o, embalou-o junto ao seu peito, deitou-o e cobriu-o. Derramou a água, angustiou-se e secou logo com um pano. Observou a massa de modelar e tomou em seguida lápis e papel, tentando desenhar.

Levantou-se, levando a cadeira e a mesa ao centro da peça;[17] sentou-se, pedindo ao terapeuta que se sentasse na outra cadeira. Voltou a lavar, indo em seguida ao divã, onde havia brinquedos; agarrando uma menina sentada num banco de escola, banhou-a. Como era a hora e lhe indicaram que devia se retirar, atirou-se ao chão, negando-se a fazê-lo. Aceitou ir quando o terapeuta lhe disse que voltaria no dia seguinte.

Que tenha entrado sem sua mãe, sendo ainda tão pequeno era índice de que recorria com intensidade à negação da realidade como defesa ante uma crescente angústia. Foi assim que Adolfo negou a princípio a realidade de que essa era uma situação nova, portanto temida, assim como o sofrimento que lhe impunha separar-se de sua mãe. O curralzinho com o qual brincou inicialmente e do qual tirou o bebê simbolizava a prisão, o cercado, a limitação que sentia no seu desenvolvimento – pelos sintomas que em seguida nos mostraria – e também a necessidade de sair desse encerramento. Por isso, no jogo que seguiu, detalhou suas dificuldades de acordo com sua urgência.

Se essa sessão tivesse sido verbalizada por um adulto, ele nos teria dito: "Tenho sintomas incômodos que me dão mal-estar e me dificultam na vida; venho ao

---

15 Elizabeth G. de Garma.
16 Esta reação, frequente em crianças autistas, é indicador de sérios transtornos afetivos.
17 Eram móveis pequenos e leves.

senhor para que me livre deles." Logo após essa proposição inicial, enumeraria seus sintomas, espontaneamente ou a pedido nosso. O mesmo faz Adolfo com seus jogos.

Quando voltou ao consultório brincou com o berço do bebê – seu transtorno do sono, o banheiro – seu conflito com o controle de esfíncteres, e o móvel com a louça – seus conflitos orais, que o levavam a chupar o polegar. Manifestou alegria quando viu o bebê no vaso e jogou de levantá-lo e sentá-lo nele. Esta repetição mostrava as sucessivas tentativas que realizaram com ele para que adquirisse o controle, assim como sua necessidade de fazer ativamente o que tinha padecido. Por isso se mostra tão feliz quando vence o temor e o bebê aceita o urinol.

No jogo parecia que de todos os seus sintomas o mais dominável era o do controle, já que podia manejar sozinho essa atividade,[18] mas não como desvestir o boneco ou tirar o mosquiteiro, atividades para as quais pediu ajuda ao terapeuta. Pedi-la tinha o significado de ajuda para livrar-se de algo que ele sozinho não conseguia afastar – livrar-se de sua mãe em seu interior que o incomoda e coage.[19] O mosquiteiro era símbolo das angústias que o envolviam de noite. Outro fator que se apresenta relacionado com a angústia noturna era o temor à grande surra, que ele dá na boneca depois de deitado.

O resto do jogo refere-se ao controle de esfíncteres, o gotejar como perda da urina e o limpar como aquisição do controle. No mesmo sentido, podemos interpretar a observação da analista sobre uma preocupação do paciente, pouco frequente nesta idade: colocar no lugar cada objeto depois de tê-lo usado.[20]

A inclusão da menina e o banco escolar no fim da hora mostrava seu afã de ser maior – a irmã tinha seis anos – e adquirir conhecimentos. Esta necessidade se compreende melhor considerando a circunstância de que os adultos que o rodeavam não lhe explicavam as coisas claramente, por considerá-lo muito pequeno.

Ser tratado com carinho, alimentado e assim crescer e conhecer bem as coisas parecia ser sua fantasia de cura. Quando chegou o fim da sessão, sua vontade de ficar com o terapeuta mostrou-nos até que ponto esta criança necessitava de tratamento e tinha sentido alívio ao expressar seus conflitos através de sua linguagem pré-verbal.

CASOS 4 E 5

Relatarei dois casos que julgo de especial interesse, por se tratar de meninas quase da mesma idade – ao redor de dois anos – que estavam sob a pressão de um luto recente. A primeira tinha perdido seu irmão e a outra a mãe. As duas sessões

---

18 É interessante comentar que depois desta hora, apesar de não haver interpretações, o menino conseguiu sentar no vaso e continuou fazendo-o depois. Foi esta reação que incentivou a mãe a iniciar o tratamento.

19 GARMA, Angel: "El origem de los vestidos". Rev. de Psicoanálisis, tomo VII, n° 2, 1949.

20 O aparecimento prematuro de mecanismos obsessivos é indício de empobrecimento do ego e aparece frequentemente em casos onde o controle de esfíncteres foi também prematuro.

foram realizadas em diferentes horas, no mesmo consultório, com a mesma terapeuta[21] e dispondo do mesmo material de jogo, usado por elas de modo diferente para expressar o mesmo conflito básico.

Ana foi trazida à consulta por apresentar insônia há várias semanas. A situação desencadeante desse sintoma foi a morte de um irmãozinho de três meses, ocorrida durante a noite. A mãe tinha dado à luz, há três meses e meio, gêmeos prematuros, ambos meninos, que nasceram antes do sétimo mês de gravidez. Um deles faleceu ao nascer, enquanto o segundo sobreviveu, à custa de grandes esforços, até o terceiro mês. Nesta idade já compartilhava o quarto com Ana e a menina tinha testemunhado o momento em que o pai, ao entrar no quarto, descobrira que seu filho estava morto no berço, onde o havia deixado com vida poucas horas antes. Depois desse episódio sumamente dramático, começou o sintoma que motivava a consulta – insônia –, que foi precedido por um episódio de pavor noturno.[22]

Antes do parto, a mãe tivera que se encarregar do cuidado de seus sobrinhos e do sogro, além de atender sua filhinha. Estes acontecimentos provocaram em Ana um sentimento de desamparo e abandono, reforçado depois pelas circunstâncias do parto e pelas características dos meses que se seguiram, nos quais os pais tiveram muita preocupação com o menino prematuro, tendo que ocupar-se intensamente com ele.

A hora que relatarei foi observada poucos dias depois da morte do menino e a terapeuta foi a mesma que chamaram para consulta quando do nascimento dos prematuros.

A caixa de brinquedos preparada para a hora do jogo continha, além de cubos, bolas, aros, pratinhos e taças, um pequeno boneco. O jogo da menina consistiu em atirar fora todos os conteúdos da caixa, retendo apenas a boneca pequena, a qual tentou colocar na palma da terapeuta repetidas vezes, abrindo e fechando-lhe a mão para colocá-la e para retirá-la em seguida. Em determinado momento, deixou cair a boneca; evidenciou um grande pânico, urinando-se no consultório e, espantada pelo acontecido, rompeu em intenso choro. Neste estado, saiu correndo do consultório em busca de sua mãe, que a aguardava na sala de espera.

A menina repetia nesta hora de jogo a situação dramática pela qual tinham passado seus irmãos, com os quais se identificava, sendo o sintoma consequência dessa identificação: tinha medo de que em seus sonhos lhe acontecesse o mesmo que a eles. Pedia que a terapeuta guardasse o boneco na mão, assim como teria querido que fossem colocados seus irmãos no ventre da mãe por mais tempo e protegidos ambos da morte. A queda do boneco (em geral deixar cair simboliza não proteger) expressava a perda, tal como tinha sido o parto prematuro da mãe. O fato de urinar-se no consultório tinha o mesmo significado e, segundo foi possível compreender mais tarde, traduzia também a ansiedade que nela tinha despertado ao ver seu irmão reiteradamente sobre a tampa da banheirinha ou sobre a mesa, quando

---

21 Susana L. de Ferrer.
22 Cf. capítulo XIII.

lhe trocavam as fraldas, em situação de perigo; ao estar só, poderia ter caído. Além disso, o pai verbalizou mais de uma vez diante dela o medo de que isso acontecesse evidenciando a necessidade de tomar precauções. A menina temia que os mesmos perigos pelos quais passaram seus irmãos se repetissem com ela, com iguais consequências definitivas. Ao não dormir, vigiava e controlava os perigos que sentia ao redor e que a tinham apavorado.

Sua fantasia de cura era sentir-se suficientemente protegida para afugentar o perigo. Por isso fazia com que a terapeuta protegesse o boneco, guardando-o na mão fechada. Essa menina conhecia a verdade com respeito ao destino de seus irmãos, mas ainda não tinha conscientizado a relação do sintoma com o seu temor a seguir o destino deles. Seu tratamento devia mostrar-lhe a realidade da morte deles e ajudá-la na elaboração, assim como no alívio das ansiedades subjacentes que a faziam reagir com insônia. Este sintoma se explicava pela necessidade de se manter alerta, a fim de que não lhe ocorresse o que acontecera a seus irmãos.

A outra menina cuja hora de jogo descreveremos a seguir, a quem chamaremos Luísa, tinha também dois anos de idade. Para sua primeira hora de jogo, marcada para o mesmo dia que a de Ana, lhe foi oferecida a mesma caixa de brinquedos, com os mesmos conteúdos, mas seus jogos foram absolutamente diferentes. Esvaziou a caixa sem interessar-se nem um pouco pelos brinquedos e seu esforço orientou-se sempre para a penetração na caixa, conseguindo-o ao final. Uma vez acomodada, pediu que lhe pusessem a tampa. Permaneceu assim durante um longo tempo e em silêncio,[23] pedindo depois ajuda para sair da caixa. Quando o conseguiu, saiu correndo do consultório, em busca do pai, tomou-o pela mão na sala de espera e parou com ele diante da porta. Ali percebeu um baú de madeira escura, muito entalhado, cuja tampa pediu que levantasse a fim de poder explorar seu conteúdo, enquanto perguntava o que tinha dentro.

Conhecendo a história da menina, compreenderemos o significado desse jogo. Sua mãe tinha falecido há um ano, depois de seis meses de enfermidade, em função da qual Luísa foi transferida à casa de sua avó, onde passou os últimos meses da vida de sua mãe. Não lhe falaram de tudo isso por considerá-la demasiado pequena para compreender a morte e seus problemas. Tampouco lhe disseram a verdade nos dias em que sua mãe estava em estado grave. O pai da menina, quando faleceu sua esposa, foi viver também na casa onde estava sua filha, e tanto ele como a avó guardaram silêncio sobre o ocorrido. Decorrido um ano, o pai viu a possibilidade de voltar à casa e esta decisão incrementou na menina dificuldades que já existiam: inibição de jogo, complicações na rotina diária e com o meio ambiente, sendo estes os motivos da consulta. As características da consulta mostravam que o interesse mais vivo da criança era que lhe dissessem a verdade, com respeito a algo que já conhecia a fundo e era a morte de sua mãe. Seus esforços para debelar este mistério se expressaram no jogo de entrar na caixa, onde, através da identificação com a mãe – colocar-se na caixa e pedir que lhe ponham a tampa –, tentava experimentar o que

---

23 A identificação com o objeto perdido é uma forma de elaborar a perda.

se sentia dentro. Também o fato de pedir que lhe levantassem a tampa da caixa e que a ajudassem a sair dela era sua forma de expressar o desejo de sair desse conflito, visto não poder fazê-lo sozinha. Suas dificuldades estavam intimamente ligadas com essa verdade, que lhe foi proibida conhecer, ainda que tenha padecido as consequências, já que não voltou a ver sua mãe. Para curar-se, necessitava ser esclarecida sobre o destino desta – conhecer o conteúdo do baú. Era o que esperava do tratamento: o conhecimento da verdade para ela e para seu pai, a quem fez voltar ao consultório e diante do qual interrogou sobre o baú-caixa.

CASO 6

Virgínia é uma menina de dois anos e meio, que apresentou desde os três ou quatro meses bronquites espasmódicas febris, quadro que se repetiu com muita frequência, acompanhado de anorexia, perda de peso, marcado decaimento geral e intensa palidez. Assim que se recuperava, voltava a repetir o mesmo processo quase sem intervalos de bem-estar. Fizeram-lhe sempre tratamentos com antibióticos e medicamentos sintomáticos, sem conseguir melhoras. O quadro apresentou-se pela primeira vez quando tinha três meses, coincidindo com o desmame, com um desastre econômico familiar e com ameaça de separação dos pais. Quando estes consultaram o terapeuta,[24] ele os advertiu que não podia tratá-la, mas que poderia fazer um diagnóstico e encaminhá-la a outro.[25] Portanto, não houve interpretações verbalizadas.

Colocou à disposição dos brinquedos que correspondiam a sua idade e acrescentou alguns outros que lhe pareciam úteis depois da entrevista inicial com os pais.[26] Virgínia chegou acompanhada da mãe. Era pequena para sua idade, pálida e magra, seus olhos, grandes e inexpressivos, recordavam o rosto de uma boneca. Reclamou os brinquedos dos quais lhe tinha falado sua mãe quando lhe explicou o motivo da consulta e se separou dela para entrar ao consultório, sem expressar nenhuma emoção, conduta que em uma menina tão pequena indicava sério transtorno dos afetos. Necessitava negar as ansiedades depressivas que lhe provocava a separação de sua mãe e as ansiedades paranoides que normalmente desperta toda situação nova; a debilidade de seu ego fez com que, para enfrentar essas ansiedades recorresse a uma intensa negação.

Agarrou um garfo, um autinho e um avião; balbuciou algo e, tomando uma colher, disse: "colherzinha"; em seguida agarrou uma faca e sussurrou: "faca"; colocando depois todos os talheres perto dela. Agarrou um aviãozinho e disse: "minha mãe vem me buscar", e ao terminar esta frase apoderou-se de um avião rosado,

---

24 Jorge Rovatti.
25 Moisés Tractemberg.
26 Dois aviões, dois autinhos, duas xícaras, um espelhinho, dois jogos de talheres, um rolo de cordão, tesouras, três barras de massa de modelar.

olhou as rodas, mostrou-as ao terapeuta, as fez girar, movendo o avião para trás sem soltá-lo de sua mão.

Vamos parar neste momento da sessão para analisá-la em detalhes. O balbuciar algo incompreensível e em seguida pronunciar claramente "colherzinha" e de uma maneira menos clara "faca" foi sua forma de expressar que havia coisas que conhecia bem, outras não muito bem e que algumas lhe eram incompreensíveis. Sendo a situação terapêutica desconhecida para ela, parecia que o que não entendia era o que ocorria ali entre ela e o terapeuta e, ao atuar desse modo, tratava de fazê-la compreender como se sentia confusa. A angústia frente à situação nova a leva a testar a realidade, se podia dispor de tudo que existia; por isso agarra os talheres e os coloca perto dela. Certa de que pode dispor dos brinquedos, agarra o aviãozinho, que, pela associação verbal seguinte, utiliza para personificar sua mãe. A primeira associação "minha mãe vem me buscar" é expressão também do temor de que não aconteça assim, reaparecendo aqui a ansiedade que negou de separar-se dela sem afetos. Isto se confirma quando mostra o meio que tem o avião para deslocar-se: as rodas. Sente-se abandonada por sua mãe e teme que não a venha buscar.[27] A intensidade da angústia, negada no começo, volta a expressar-se no jogo seguinte, onde tenta magicamente negar a separação, ao fazer voltar o aviãozinho para trás, desandando o percurso realizado.

Continuemos analisando seu jogo: colocou lado a lado dois aviões, um rosa e outro azul, e frente a eles um auto branco. A escolha da cor, a forma como os colocou e as relações espaciais entre eles permite supor que o branco a personifica, simbolizada por um de seus sintomas – a palidez –, e os outros representam seus pais. No seu jogo, o auto branco está enfrentando os pais, unidos. Sabemos que a situação traumática mais intensa do conflito edípico é a de ser o terceiro excluído. Se pensamos que os aviões representam os pais unidos não é só porque os situou como casal, mas porque escolheu um rosa e um celeste, cores que em nosso meio simbolizam comumente o feminino e masculino. Se aceitamos que o jogo tem o valor de uma associação verbal, podemos dizer que Virgínia associou o abandono que experimentou quando sua mãe desapareceu ao que sente quando seus pais estão juntos.

Em seguida, pega o autinho branco, aproxima-o a outro e os faz rodar juntos, enquanto diz: "Os autos". Levanta-os, enfrenta-os, superpõe-os e os separa para pegar o branco e, mantendo-o na mão, o obriga a ir para frente e para trás sucessiva e ritmicamente. Impulsiona os dois juntos pelo chão e o branco fica mais na frente. Emparelha-os novamente, pega-os juntos, pronunciando palavras que não se compreendem, e, enquanto põe em contato as rodas de um com as do outro, diz: "Os aviões". Durante este jogo, o terapeuta permaneceu sentado no chão contra a parede e Virgínia diante dele. Novamente as configurações espaciais e o fato de que o autinho branco a personificou previamente fazem pensar que estes autinhos eram nesse momento ela e o terapeuta, tendo uma relação que não compreende bem, cuja característica é a de movimentar-se ritmicamente, com intervenção das rodas

---

27 Cf. caso três deste capítulo.

como símbolo das partes baixas do corpo – os genitais. A última parte deste jogo, quando forma os dois casais, é a síntese da mesma situação, na qual insiste, em parte por falta de interpretação e em parte porque é uma das características do jogo: repetir os pontos de urgência. Comunicou-nos que para compensar o abandono realiza com o terapeuta – e antes com sua irmã – o que os pais fazem quando estão juntos e ela está só.[28]

Continuaremos agora o relato da sessão: agarra uma xícara com um prato; coloca a xícara de boca para baixo e em seguida modifica a posição, colocando-a de boca para cima. Com uma faca e um garfo faz como se comesse; pega duas facas e as afia uma contra a outra; depois pega o garfo, deixa a colher e tendo numa mão o autinho rosa, move-o ritmicamente de frente para trás, repetidas vezes, deixando o autinho branco atrás dela. Levanta o aviãozinho celeste e diz: "Aqui está". Pega a xícara e o prato, boceja e coloca-os ao lado dos talheres. Põe o avião celeste entre as pernas e o faz subir pelas coxas em direção dos genitais; coloca o celeste de um lado dos talheres e a rosa no outro.

Estudaremos este fragmento da sessão em detalhes. Pôr a xícara de boca para baixo sobre o prato e modificar isso, colocando-a de boca para cima, é um gesto que correntemente pode expressar que está vazia. Colocá-la depois numa posição receptiva, onde se pode colocar algo, é um modo de dizer que está disposta a que a encham outra vez, sendo sua associação seguinte tomar a faca e um garfo e fazer como se comesse. A xícara é o símbolo do seio que ficou vazio, e pede ao terapeuta que o encha de novo; por isso junta os talheres e finge comer, repetindo assim neste fragmento seu pedido de que o terapeuta a acompanhe e a alimente e a encha nos seus genitais,[29] modificando a imagem de vazio que parecia ligada a seus objetos originários. As facas que se afiam, tornando-se cortantes, simbolizam os dentes, aos quais parece atribuir a perda do seio. Além do incremento da agressão oral provocada pela perda do seio, seus desejos de morder fazem pensar que a aparição dos dentes esteve muito ligada com o desmame, ainda que a mãe não tenha fornecido dados a respeito.

Se consideramos o desenvolvimento de uma criança, podemos deduzir que a perda precoce do peito conduziu Virgínia a um interesse prematuro pelos genitais, o que no material é representado pelo auto rosa que se move ritmicamente, aproximando-se do aviãozinho celeste – que representa o pai – e de seus genitais. A xícara e o prato colocados ao lado dos talheres mostram que no seu inconsciente liga o peito com os alimentos e os dentes. A busca de união genital para compensar a perda da relação oral expressa-se ao colocar o aviãozinho entre as pernas. Assim como acontece desde o momento do aparecimento do pai no complexo de Édipo, mostra a ambivalência entre o pai e a mãe, quando coloca o aviãozinho que simboliza a mãe numa perna e o que simboliza o pai em outra, até aproximá-los dos genitais.

---

28 Esta menina continua seu tratamento e atualmente aparece com clareza que uma das soluções da inveja edipiana foi acoplar-se a sua irmã, com quem realizava jogos sexuais compulsivamente.
29 Cf. o conceito de fase genital prévia no capítulo 4.

Por semelhança, identifica-se com a mãe e necessita do pai como objeto de gratificação, buscando incorporá-lo pela vagina. Esta tentativa fracassa, porque dita união está carregada do grande perigo que acompanhou a ruptura abrupta da relação boca-seio.

O material que segue consiste em espetar ambos os lados de seu corpo com um garfo e uma faca e raspar-se a cabeça com esta, dizendo "tac, tac", e bate-se no ouvido. Amplia-nos assim a compreensão de sua fantasia inconsciente da enfermidade. Sabemos agora que Virgínia sente dentro da cabeça todo o conflito: um seio esgotado, dentes que mordem, um pênis duro e cortante que machuca. Bater no ouvido é também uma referência ao que ela ouvia durante o coito de seus pais, experiências reais que, enlaçando-se com suas fantasias, configuram um mundo interno que, como vemos nesta hora de jogo, faz com que sinta a união genital tão perigosa como dentes que trituram alimentos.

Durante a fase genital prévia, a cena está dominada pelas fantasias de coito contínuo dos pais. A frustração a que está destinada esta fase reforça a concepção sádica de coito. Sua forma de descarga, a masturbação e os jogos sexuais, realizam-se então com ditas fantasias, existindo culpa por isso. Em Virgínia, as situações mostradas impediram a elaboração normal dessas ansiedades, levando-a à negação da realidade e à somatização do conflito, como veremos no material seguinte.

Antes de continuar, quero ressaltar outra característica das configurações espaciais nos seus jogos. Virgínia permaneceu sentada, sem movimentar-se, sem investigar nada do consultório, nem fazer pergunta alguma. Isso denotava os transtornos nas funções de seu ego, o grau de inibição de seu instinto epistemofílico, o aumento da ansiedade paranoide e seu medo do mundo externo, negado no começo da sessão.

Continuaremos agora com o relato de seu jogo. Depois de bater na cabeça e no ouvido com a colher, pôs o garfo dentro da xícara, mexeu e bateu, fazendo "chic-chic". Os dois aviões foram colocados ao lado do carro rosa; empurrou-os, agarrou-os e os colocou entre suas pernas. Levantou a saia e baixou a calça exclamando: "Ah!", olhando-se no espelho. Durante essas ações, sua respiração foi ruidosa, dando sinais de intensa ansiedade e desespero. Tirou do terapeuta o carrinho rosa, colocou-o entre as pernas e voltou a olhar-se no espelho. Colocou o espelho de pé, no chão, com a lente orientada ao sapato. Arranhando o assoalho com o espelho, fazia andar o autinho entre as pernas. Bocejou, olhou-se duas vezes no espelho, pronunciou algo como "chst-chst-ssh", pegou a xícara, bocejou novamente, bateu seus genitais com o espelho, apoiou-o depois sobre eles, como se tentasse colocá-lo dentro de si; a seguir, raspou o assoalho com a xícara.

Já não lhe serve o autinho, para representá-la masturbando-se frente aos pais em coito e recorre ao espelho e a seus genitais, porque nesse momento seu ego perde a função simbólica, pelo aumento da ansiedade. Comunica o que ela sente quando se masturba fantasiando com o coito de seus pais, inundada por uma excitação que a assusta e a enlouquece. Podemos supor que a respiração ruidosa reproduz a respiração dos pais em coito e suas sensações ao masturbar-se, assim como a atuação dessas imagens na bronquite espasmódica. Chegamos a compreender que para Virgínia a bronquite, a perda de peso e a anorexia se produzem pela atuação de fantasias inconscientes de um coito perigoso dos pais, coito que é contínuo e que ela não pode controlar nem com a masturbação, nem com o jogo, e tenta como último recurso controlá-lo dentro de seu corpo.

Nesses processos bronquiais, a febre – *calentura** – tinha um papel fundamental, que se compreendeu à luz dessas fantasias inconscientes.

Dissemos que a xícara representava o peito, cuja perda não pôde elaborar. Expressou essa dificuldade ao raspar o assoalho com a xícara voltada para baixo, juntamente com outro de seus sintomas, quando aparece "algo que raspa", como o catarro bronquial. Seus pais unidos, como lhe acontecia durante a crise, sente-os em seu corpo ofegante, raspando-a e impedindo-a de comer. De um modo dramático, simboliza depois o fracasso na elaboração da perda do seio através da masturbação. Toma numa mão uma xícara e um prato e com a outra tenta colocar de pé o espelho, mas aperta-o de tal maneira que quebra o suporte. Toca então a parte quebrada do suporte, olhando-o com desgosto. Põe uma taça entre as pernas, agarra o espelho e tenta colar o suporte quebrado, mostrando novamente sua fantasia de cura.

O fracasso da incorporação pela intensificação da ansiedade depressiva expressa-se através da simbolização da boca com dentes e da vagina dentada. Coloca um garfo dentro da xícara e, sujeitando-a na borda, introduz o cabo de outro, fazendo entrar e sair ritmicamente, reproduzindo assim os movimentos da mastigação e do coito. A ansiedade e o desespero por sentir-se incapaz de solucionar seus conflitos sozinha – o terapeuta era um observador – expressou-os ficando estática, pestanejando, fechando os olhos, esfregando-os, oscilando, coçando a nuca e os genitais, gemendo, colocando sua mão dentro da calcinha e, finalmente, adormecendo. Cambaleou até quase cair, virou-se de costas para o terapeuta e, gemendo, sustentou a cabeça com as mãos. Suspirou depois, respirou forte, esfregou vivamente os olhos, os genitais, a cara e a boca, realizando sempre esforços respiratórios. Seu cabelo tinha caído sobre a cara e os olhos estavam avermelhados e úmidos; continuava esfregando o olho direito. Por um momento, pareceu que ia chorar. Ao finalizar a hora, urinou-se.

Deu as costas ao terapeuta, como também dava as costas à vida com sua enfermidade, que a obrigava a permanecer na cama, sem contato com o mundo, rejeitando a comida e tudo o que fosse prazenteiro. O diagnóstico, entretanto, não era grave, porque demonstrou – sobretudo na primeira parte da sessão – suficiente capacidade de jogo e de conexão, que faziam esperar êxito terapêutico. Além disso, a ansiedade, tão negada no princípio da sessão, foi se manifestando até chegar à crise de angústia, fato que melhora o prognóstico numa menina dessa idade.

Os casos até agora mencionados poderiam situar-se, do ponto de vista técnico, no que Melanie Klein chama de "análises precoces".[30] A técnica que exponho nestas páginas apaga esses limites, assim como apaga os que separam a análise de

---

*A palavra *calentura*, derivada de *calor*, na gíria do espanhol significa *excitação sexual*.

30 KLEIN, Melanie. *El psicoanálisis de niños*, capítulo II.

crianças da de adultos, fazendo com que o método psicanalítico seja aplicável, sem modificação, a todas as idades. Tentarei demonstrar que só varia a forma como a criança se comunica com o terapeuta e em parte a forma como se verbaliza a interpretação; digo em parte, porque as diferenças são mínimas.

Relatarei, para ilustrar, as primeiras horas de uma menina de cinco anos e meio, que sofria de constipação; as de um menino de oito anos, cujos sintomas eram encoprese e enurese; as de uma menina de seis anos, com fobia aos rengos; e a de um menino de oito anos pilético.

CASO 7

Ema é uma menina de cinco anos e meio, que trouxeram à análise[31] porque desde os seis meses padecia de uma constipação intestinal crônica. Sua situação ambiental era muito particular; foi levada a tratamento pela pessoa que a cuidava, que ela acreditava ser sua mãe. Na realidade, a mãe tinha falecido durante o parto, numa crise de eclâmpsia, o que causou seu nascimento prematuro por cesariana. Ao nascer, pesava 1,300kg e permaneceu em incubadora durante um mês, atendida pelo pessoal do estabelecimento (figura 1). A particular condição traumática de seu nascimento, somada à frustração oral por falta de amamentação materna, substituída por uma pobre atenção hospitalar – durante o mês em que permaneceu em incubadora – aumentaram suas ansiedades paranoides e depressivas. Relataremos sua primeira hora de tratamento, na qual essas ansiedades se fizeram muito evidentes.

Dos brinquedos que a terapeuta tinha preparado, agarrou uma metralhadora, fê-la soar e revisou minuciosamente o cano; colocou-a numa bolsa, junto com dois índios unidos e os deixou afundar, dizendo: "Perigo, afogam-se os dois". Simbolicamente, repetia seu nascimento, que, pelas características assinaladas, estava sempre unido à fantasia de luta contra a morte, e o sofrimento por abandono.

Sua mãe, antes de morrer, confiou o cuidado de Ema a uma amiga. O pai se encontrava em viagem quando Ema nasceu, deixando passar um tempo prolongado antes de conhecê-la, nunca se fazendo verdadeiramente responsável por ela. Desde que o pai começou o relacionamento com a filha, apresentou-se uma situação de luta contínua entre a mãe adotiva e os avós paternos, que lutavam solapadamente pela posse da criança. Essa situação viu-se agravada pela diferença de recursos econômicos que Ema observava entre as duas famílias – sua mãe adotiva era pobre e os avós muito ricos – e também pela forma como a tratavam, com muitas atenções, para seduzi-la, mas com pouco afeto real. A menina percebia isso e também a indecisão do pai, que flutuava entre os dois ambientes.

Ema expressou o conflito que essa situação lhe criava quando tirou da caixa um pião. Girou-o acompanhando os movimentos de balanço com movimentos de seu próprio corpo; quando o pião estava por parar e cambaleou, antes de cair per-

---

31 Sua terapeuta foi Sara G. de Jarast.

▲ Figura 1

guntou: "Para que lado cairá?". Antes que caísse, levantou-o, deixando-o suspenso no ar. Simbolizava assim a falta de segurança e estabilidade que ela sentia, aumentada pelo tratamento que recebia no ambiente familiar. Em certas ocasiões, lhe diziam que continuaria vivendo com a mãe adotiva e em outras, que iria morar com seus avós; ficava sempre *no ar*.

O sintoma pelo qual a trouxeram à análise era uma constipação tão intensa que passava cinco ou seis dias sem evacuar seu intestino, apesar de ter sido submetida a toda classe de regimes alimentares e tratamentos medicamentosos. Relataremos como expressou seu sintoma e o conhecimento de que era por essa razão que ia de sua casa à casa do terapeuta. Numa folha de papel traçou o percurso do bonde (figura 2). Disse: "É o bonde que vai de tua casa à minha", e marcou as paradas com grandes pontos. Enquanto desenhava, disse: "O fim da linha é na Praça San Martin, onde eu moro, mas não sei por que fazem as pessoas descerem um pouco antes... empurravam-se para sair todas ao mesmo tempo..., depois o bonde fica completamente vazio..."

O percurso do bonde com os grandes pontos – as paradas – representava para Ema o percurso da matéria fecal através do intestino. Mostrou depois, no transcurso do tratamento, qual era sua fantasia inconsciente do ato de defecar e da matéria fecal. Para Ema, a matéria fecal representava o feto dentro do ventre da mãe e particularmente ela, como filha má, isto é, como matéria fecal destrutiva. Ao dizer, enquanto desenhava, que a gente desce um pouco antes da parada final do bonde, mostrava seu conhecimento dos acontecimentos do seu parto, abandonando o corpo de sua mãe de forma abrupta, antes que esta morresse – parar antes do fim. Com o bonde completamente vazio representava a morte da mãe. Ficar até o final teria significado morrer com ela, mas abandoná-la antes e viver deixou-a carregada de intensa culpa, que pagava em parte com seu sintoma. A fantasia ficou ainda mais clara quando terminou seu desenho, acrescentando na parada final (Praça San Martin) uma caveira – a morte.

Esta culpa inconsciente se expressava em seu corpo através da constipação. Com este sintoma, Ema se identificava com a mãe e, retendo a matéria fecal – símbolo do feto, ela mesma –, não a abandonava nem a matava. Não deixar sair a matéria fecal era para ela perpetuar a fantasia de ter um feto vivo dentro de uma mãe viva.

Durante sua primeira hora de jogo, após expressar esses conflitos, a ansiedade intensificou-se de tal forma que, depois de desenhar a caveira, rasgou o papel em dois e o jogou fora. O papel sujo e rasgado em dois – como papel higiênico usado – personificava seu próprio ego, sujo pela culpa e maltratado pela divisão que criava nela seus conflitos internos. Agravavam a situação os adultos com sua atitude de disputá-la, fazendo-a sentir-se dividida. Era nesse momento objeto de controvérsia dos dois núcleos familiares que a seduziam e a disputavam, mas nenhum deles conseguia constituir um único objeto bom – objeto bom total. Este fato levava Ema a refugiar-se num objeto idealizado – sua mãe.[32] Expressou assim sua fantasia incons-

---

32 A idealização é um corolário da perseguição. Cf. KLEIN, Melanie. "Some theoretical conclusions regarding the emotional life of the infant". Capítulo VI, *Developments in Psycho-Analysis*, The Hogard Press Ltd, 1952. Traduzido na *Revista Uruguaya de Psicoanálisis*, tomo II, p.3, 1958.

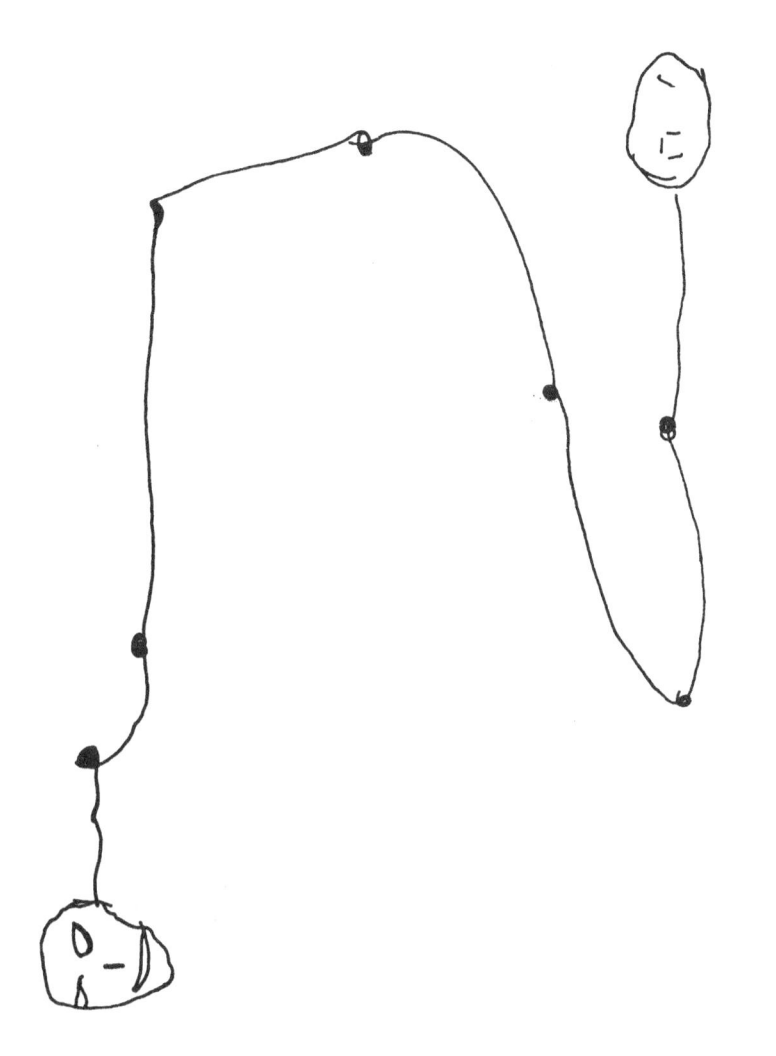

▲ Figura 2

ciente de enfermidade. Também apareceu nessa primeira hora sua necessidade de curar-se, representada pelo fato de romper e desfazer-se do desenho que representava sua enfermidade. Por esse jogo ser executado no consultório adquiria o significado de que colocava sua enfermidade nas mãos da terapeuta.

Durante muitas sessões, fez a esta contínuas repreensões. Era evidente que sentia que cada esclarecimento da verdade com respeito a sua mãe, seu pai, sua mãe adotiva, os avós, etc. despedaçavam-na, provocando renascimentos tão sofridos como o que experimentou na realidade. Suas repreensões não eram mais que um contínuo pedido de amor; exigia, com justiça, que o terapeuta lhe desse todo o amor que a mãe não pôde lhe dar. Esta hora nos faz muito evidente que, não obstante o esforço dos adultos que a rodeavam por ocultar-lhe a verdade, ela sabia qual havia sido o destino de sua mãe. Na figura I mostrou como representava seu período na incubadora, enquanto os outros bebês estavam no berçário, e como sua mãe esteve só com o médico no momento do parto.

CASO 8

No caso anterior, vimos, como uma menina de cinco anos, que sofria de persistente prisão de ventre, simbolizou as dificuldades para evacuar o intestino. Mostraremos agora como Fernando, de oito anos, representou o sintoma contrário: a falta de controle urinário e fecal. A primeira hora de jogo foi diagnóstica, não verbalizando, portanto, interpretações do material. O terapeuta[33] colocou à disposição dele cubos, lápis de cor, tesouras, massa de modelar, apontadores, bolinhas, cola e fita adesiva.

Fernando agarrou os cubos e com eles construiu um barco (figura 3), dizendo que depois faria o cais. Quando o construiu fez um tanque grande com saída de água (A), segundo ele um *escapamento*, e que em cima havia uma lixeira (B). Destacou que ali se acumulava tudo e para solucioná-lo precisava de uma válvula. Repetiu que em A havia um problema e que era necessário reforçar algo, porque se acumulava muito e podia sair todo o líquico. Se considerarmos o tanque com sua saída de água (A) e a lixeira (B) como a simbolização projetiva do ventre e de seus conteúdos, e a base (C) que não sustenta o tanque, por ser muito menor do que devia, podemos interpretar a totalidade como uma representação de seu esquema corporal e a insegurança que lhe produzia seu sintoma tão incômodo. O barco que vem ao cais o representava vindo ao tratamento, para que lhe arrumasse tanto a enurese como a encoprese.

---

33 Manuel Kizzer.

MUELLE

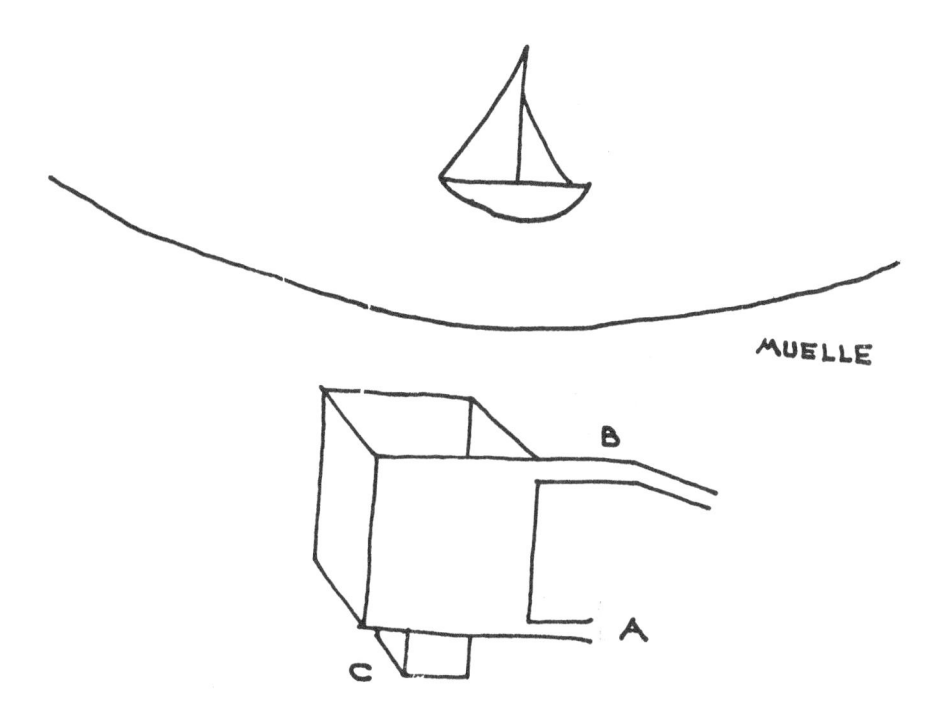

Muelle: cais.

▲ Figura 3

CASO 9

Beatriz, menina de seis anos, foi analisada em duas oportunidades: quando tinha quatro anos, por sofrer de uma fobia aos rengos, e aos seis, por fobia à escola. Relataremos a primeira hora de sua análise,[34] a dos quatro anos.

Beatriz tinha dois anos quando um dia, sentada com sua mãe na porta da casa, ao ver passar um homem rengo, pôs-se a chorar aterrorizada e quis entrar. Desde então não pôde mais sair à rua, a não ser que lhe assegurassem que não veria nem entraria em contato com algum rengo. A fobia foi-se deslocando a situações que de algum modo se relacionavam com a originária. Por exemplo, não podia ver meninos com uma perna vendada, nem alguém que tivesse dificuldades de caminhar. O terapeuta soube, pela mãe, que Beatriz nasceu depois de um parto prolongado, sofreu asfixia, não respirou em seguida e a mantiveram vinte minutos em incubadora, ajudando-a com oxigênio. Quando a mãe a colocou ao peito teve dificuldades para agarrá-lo, chorava e não podia succionar. Nessa circunstância, uma enfermeira do sanatório ajudou muito a mãe. Relatou que sem esse apoio inteligente e incondicional não teria podido amamentá-la. A lactância, que iniciou com as dificuldades mencionadas, continuou depois por nove meses e, ao que parece, sem transtornos. Apesar disso, Beatriz foi sempre um bebê inquieto, e chorão. Quando tinha um ano e meio nasceu uma irmã, isto é, a gravidez iniciou-se quando a paciente tinha nove meses, período que, em todo o desenvolvimento, é de especial complexidade e muito mais neste caso, porque coincidiu com o desmame e sobre a base de um mau início de relação com a mãe. Quando esta voltou para casa com o novo bebê, Beatriz chorou durante horas, agarrada de um modo dramático às grades do berço de sua irmãzinha.

Pouco antes do início do sintoma, morreu a avó materna, em circunstâncias particularmente traumáticas para Beatriz, pois dormiam na mesma cama. O falecimento repentino ocorreu durante a noite, mas, segundo a mãe, a menina permaneceu dormindo e não soube de nada. Quando, mais tarde, lhe explicaram que sua avó tinha ido para o Céu, Beatriz pediu para morrer e assim poder ir brincar com ela. A fobia aos rengos coincidiu com a aprendizagem do caminhar de sua irmã e se fez realmente evidente no dia em que esta deu os primeiros passos sozinha. De todos os dados que subministrou a mãe, parece importante agregar que uma irmã da avó morta é renga, embora Beatriz não a visse com frequência.

Beatriz era uma menina bonita, de olhar expressivo e simpático. Na sua primeira hora de jogo, uma vez dentro do consultório, olhou assustada a tudo que a rodeava. Depois de alguns momentos de vacilação, agarrou um bonequinho, depois outro, olhando-os alternadamente, como para compará-los. Deixou-os, agarrou um telefone, aproximando-o ao seu corpo, tentando em seguida colocar uma boneca de pé.

---

34 Com Hector Garbarino.

Analisemos este fragmento: na inspeção ansiosa da sala, mostrou sua desconfiança frente ao analista e o temor de que fosse como os pais. O desejo de comunicar-se intensamente com ele foi expresso através da observação alternada dos bonecos, seguida da aproximação do telefone ao seu corpo. Quando colocou de pé a boneca, evidenciou sua preocupação pela bipedestação e anunciou que seu sintoma se relacionava, de algum modo, com o colocar-se de pé. Recordemos que o aparecimento do sintoma coincidiu com os primeiros passos de sua irmã e a gravidez de sua mãe coincidia com os seus próprios primeiros passos.

Continuou o jogo tentando introduzir essa mesma boneca na banheira, sem consegui-lo. Colocou em pé alguns bonecos. Agarrou depois uma barra de massa de modelar, partiu-a ao meio e perguntou: "Que vou fazer com isto quebrado?" Através deste novo fragmento de seu jogo estamos mais próximos de compreender o significado de sua fobia. Expressa o desejo de que a irmã não tivesse nascido – a boneca que tenta introduzir na banheira, símbolo do ventre materno –, fazendo isto imediatamente depois de havê-la colocado de pé. Mas a irmã existe e fica de pé – as bonecas que coloca em pé – e então surgem seus impulsos destrutivos e parte em dois a barra de massa de modelar, com o significado de quebrar-lhe as pernas. Seu problema é agora como arrumar o que destruiu. Por isso pede ao terapeuta que lhe ensine a reparar as pernas dos rengos, representando estes um deslocamento e uma condensação do dano à irmã e à avó. Mediante esse deslocamento dos conflitos com sua irmã – produto do coito dos pais – à figura dos rengos, estes se transformaram em objetos perseguidores, que devia evitar. Colocando neles o ódio e o medo, pôde continuar vivendo em paz com sua irmã. A mãe disse que Beatriz adora a sua irmã e em certo sentido tem razão.

Através do exposto, podemos inferir por que Beatriz escolheu os rengos como objeto de sua fobia. Esta coincidiu com a aprendizagem do caminhar de sua irmã, que ao andar aumentou os ciúmes, a inveja e a rivalidade, assim como se transformou em alguém mais temido, por poder deslocar-se livremente. A morte da avó, ocorrida nesses dias, significou para Beatriz o juízo de realidade de que a morte existe, aumentando o medo a que suas fantasias destrutivas pudessem materializar-se. No momento em que viu um rengo, o defeito físico da irmã de sua avó e o falecimento desta foram a ligação que possibilitou a união, no seu inconsciente, da rengueira e da morte. De algum modo, o relato dos pais de seu pranto incessante, agarrando-se às grades do berço no dia em que sua irmã chegou a casa, nos evoca a imagem de alguém que se agarra a algo para não cair. Todos esses conteúdos foram-se esclarecendo no transcurso do tratamento. A interpretação sistemática do material, formulada no plano transferencial e no plano da sua relação com os objetos originários – pais, irmã, avó –, determinou uma melhora considerável de sua fobia. Isso induziu a mãe a interromper a análise dois meses depois de iniciada.

A fobia à escola, que apareceu dois anos depois deste tratamento, também estava em íntima relação com sua irmã, de quem se tornou inseparável. Permanecia constantemente ao seu lado, impedindo-lhe toda ação, isto é, paralisando-a.

CASO 10

Geraldo, de oito anos, sofria de epilepsia, com frequentes convulsões (quatro ou cinco por dia), e sua aprendizagem estava perturbada por contínuas ausências. Entrou sozinho no consultório e pareceu não se interessar pelos brinquedos; começou a desenhar uma casa, esmerando-se em fazer bem todos os detalhes e conseguindo-o de modo que poderia ser considerado como adequado a sua idade. Coloriu-a cuidadosamente e, quando terminou, fez sobre ela múltiplas nuvens, grandes e escuras. As primeiras estavam muito próximas da borda superior da folha e as que se seguiram foram se aproximando cada vez mais do teto da casa. Quando desenhou a última, tinha perdido o limite entre esse céu carregado de nuvens e o teto da casa. Então disse: "Chegou a tormenta, o teto vai cair". As nuvens cada vez mais próximas à casa simbolizavam e dramatizavam a *aura* e a tormenta que derrubava a casa era representação do ataque convulsivo com a consequente queda.

Depois de dizer-me: "Chegou a tormenta, o teto vai cair", pediu-me que o ensinasse a fazer uma casa "que não desaba". A fantasia inconsciente de sua enfermidade era que uma força alheia a ele, incontrolável – a tormenta –, da qual sentia o anúncio – aura –, mas contra a qual não podia lutar, o vencia, produzindo-lhe convulsões. Sua fantasia de cura consistia em que lhe ensinasse a controlar essa força, para poder assim evitar a convulsão e o desabamento.

8
Entrevistas posteriores com os pais

Uma vez que possuamos os elementos que consideramos úteis e sobre eles tenhamos elaborado nosso diagnóstico do caso, combinamos uma nova entrevista com os pais.

A investigação cuidadosa das possibilidades reais para cumprir o tratamento ou a orientação é imprescindível, pois não convém criar-lhes uma nova ansiedade ao oferecer uma solução que seja inacessível para eles. Devemos partir da base de que o pai normalmente não sabe o que é um tratamento psicanalítico e portanto pode pensar que em poucas horas, ou em poucas semanas, tudo estará solucionado. Geralmente não conhece o custo de uma sessão analítica e pode fazer seus cálculos comparando-o com o que lhe custaria uma professora ou um tratamento médico habitual. Sabemos por experiência que o alto custo do tratamento psicanalítico é o argumento mais simples que utiliza todo pai para resistir em colocar seu filho em análise, mas há pais que realmente não podem enfrentar. Famílias que têm muitas obrigações e muito poucas receitas terão que fazer um verdadeiro sacrifício para pagar um tratamento caro longo; por isso, em tais casos, indico o tratamento psicanalítico só se o considero indispensável para a criança. Quero deixar bem claro que em qualquer caso o tratamento psicanalítico é mais eficaz, sempre e quando o esforço que se pede aos pais não exceda ao que humanamente pode se pedir por um filho.

Suponhamos que nos consultam por um transtorno do sono, leve e passageiro. Quando se conta com um ambiente familiar adequado e condições econômicas suficientes, pode-se e deve-se indicar um tratamento para resolver os pontos de fixação que, no futuro, poderiam desencadear uma neurose mais séria, sobretudo se as circunstâncias exteriores se tornam adversas. Mas se a dificuldade econômica é real, vigiando o crescimento do menino com entrevistas frequentes ou em um grupo de orientação de mães pode-se concluir pela possibilidade de não-tratamento, sem grandes riscos futuros.

Muitas vezes o sintoma de um menino é criado pela mãe ou, pelo menos, mantido ou agravado por ela. Em determinada oportunidade, consulturaram-me sobre um menino de três anos e meio, Miguel, que urinava na cama de noite. Tudo quanto soube de sua vida até então e de sua vida familiar atual era muito animador, mas a mãe tinha padecido de uma enurese e isso me orientou a averiguar como era a conduta dela com o sintoma do filho. Soube assim que o fazia dormir ainda com fraldas, ainda que o filho, já há algum tempo, lhe pedia que as retirasse. Todas as manhãs despertava-se com a obsessão de saber se o menino tinha amanhecido seco ou molhado e ia comprová-lo imediatamente. Supus que a atitude da mãe e sua ansiedade pela recordação de seu próprio sintoma tinha um papel fundamental na manutenção do sintoma. Como se tratava de uma pessoa bastante informada sobre esses assuntos e o quadro familiar parecia sem excessivas complicações, propus, como ensaio, antes de enfrentar um tratamento, que lhe tirasse as fraldas, avisando o menino, e que todas as noites o despertasse na mesma hora e o levasse caminhando até o banheiro para urinar; não mais de uma vez por noite. Esclareci também que na avaliação atual da neurose, a enurese não é considerada um sintoma, a não ser depois dos quatro anos, informação destinada a aliviar sua ansiedade. O menino teve uma reação de alívio e satisfação, aceitando as condições e depois de poucos dias de iniciada esta rotina, deixou de urinar de noite.

Poderíamos perguntar-nos por que um sintoma que com frequência é rebelde solucionou-se tão facilmente neste caso. Creio que o alívio da mãe ao saber que não era tão grave como ela pensava, favoreceu a melhora e, por ter uma boa relação com o filho pôde cumprir com as indicações. Além disso, tratava-se de um menino com desenvolvimento normal, cujo sintoma tinha sido favorecido pela ansiedade da mãe e por dispor de um pai e de uma mãe unidos e em boa relação com ele.

Muitas vezes nós referimos que em todo sintoma devemos considerar as séries complementares entre os fatores internos e externos. Num conflito interno – que no caso deste menino era o temor de crescer[1] –, se os fatores ambientais são bons, podemos lutar contra o sintoma. Se a este mesmo conflito interno se tivessem somado situações externas negativas, por exemplo, falta de contato com a mãe, ausência do pai, castigo, exigências equívocas, o sintoma estaria já tão estruturado que não teríamos podido solucioná-lo desta forma. De qualquer maneira, a indicação feita aos pais e aceita por eles foi a de acompanhar de perto a evolução do menino e se aparecesse outro sintoma ou recaísse no mesmo, iniciar então o tratamento psicanalítico.

Nem sempre a mãe pode reagir assim, pois geralmente seus conflitos o impedem. Recorreremos então ao grupo de orientação de mães, onde se interpretam e resolvem os conflitos, além de esclarecer o que é a vida de um bebê.

---

[1] Um dia, observando um cachorrinho de três meses perto da mãe, disse: "Que pena; está grande e não vão querê-lo mais".

Os grupos de orientação de mães oferecem otimistas possibilidades para a profilaxia das neuroses infantis, sobretudo se a mãe ingressa quando está grávida ou quando o bebê é pequeno. Quanto mais cedo resolva seus problemas ou se informe sobre as condições adequadas para um bom desenvolvimento da criança, maiores são as possibilidades de uma boa relação com seu filho desde os primeiros períodos.

A chave do adequado desenvolvimento posterior da criança está no primeiro ano de vida. Quando Freud descobriu a importância dos traumas infantis para o desenvolvimento posterior, referiu-se em especial aos primeiros cinco anos de vida. Dentro deste conceito, estava involucrado o conceito de que o complexo de Édipo florescia ao redor dos três ou quatro anos e que o superego se formava posteriormente, como herdeiro deste complexo. O que hoje se sabe sobre o desenvolvimento nos faz supor que já no primeiro ano de vida se realiza a relação da criança com ambos os progenitores. Na segunda metade do primeiro ano, com o florescimento de tendências genitais e o estabelecimento da situação edípica, fecha-se o círculo no qual as relações objetais iniciam o triângulo edípico. É o começo das tendências heterossexuais nas meninas e das homossexuais nos meninos, quando passam ambos a se relacionar com o pênis do pai, abandonando em parte o peito da mãe.

Segundo nossa experiência, as dificuldades que surgem no primeiro ano de vida são as que se revestem de maior gravidade para o futuro. Uma criança que perde o pai durante o primeiro ano de vida está tanto mais condenada a desenvolver conflitos psicológicos do que se tivesse sete anos, por exemplo.[2]

Conhecer o desenvolvimento das primeiras etapas nos permite avaliar o normal, o patológico, as conquistas e as dificuldades. Permite-nos adequar a exigência de adaptação e os estímulos ao momento do desenvolvimento em que pode render o máximo e sem transtornos. Ao termos um ponto de referência, no qual podemos incluir o desenvolvimento normal ou patológico na relação de objeto, podemos avaliar a normalidade da relação da criança com seus objetos de acordo com o seu nível. As últimas conquistas teóricas sobre a relação da criança com a mãe, a inclusão do pai e irmãos na sua vida emocional, o despertar de interesses, o início do processo de simbolização, permitem a orientação do lactante, orientação que, sem dúvida, será a melhor profilaxia de futuros transtornos. Assim, temos visto que a orientação antecipada da mãe é o melhor antídoto para a formação de sintomas derivados de dificuldades não tão graves. Por exemplo, mães cujos filhos maiores tinham tido variadas alterações do sono e da alimentação puderam comprovar que depois de sua assistência a um grupo de mães, em seus filhos menores não se apresentaram essas alterações; e ainda em quadros mais graves também tiveram incidência menor.[3]

Nas crianças de um a cinco anos as modificações da atitude da mãe, se bem que não tão afetivas em todos os casos, seguem sendo muito importantes. Se a criança está em tratamento, a orientação da mãe vai favorecê-la; se não está, o

---

2 Cf. capítulo 10, parte I.
3 Cf. capítulo 13.

grupo a ajuda a melhorar sua conduta, diminuindo o sentimento de culpa, que aparece, invariavelmente, com maior ou menor intensidade, de acordo com a gravidade da enfermidade do filho.

Também recomendamos o ingresso da mãe num grupo de orientação nos casos de crianças maiores de cinco anos, porque o alívio da culpa favorece uma melhor atitude frente a seu filho, em especial nos pré-adolescentes, possibilitando a compreensão dos conflitos e das novas necessidades instintivas, ajudando a aceitar o crescimento.

Quando a criança padece de asma, acetonemia, tendência a cair e bater-se, anginas a repetição, inibições ou transtornos no desenvolvimento por detenção de funções básicas como caminhar, falar ou inibições na aprendizagem escolar, a solução está em buscar as raízes inconscientes que determinaram esta sintomatologia. E para fazer consciente o inconsciente dispomos, até hoje, de apenas um método verdadeiramente eficaz: a psicanálise. Nesses casos, portanto, não bastam as modificações de atitude externa e interna da mãe, sendo necessário o tratamento psicanalítico da criança. Esta medida é ao mesmo tempo terapêutica e profilática, pois a experiência mostra que a melhoria da criança traz como consequência uma diminuição da tensão familiar, que por si só já é uma profilaxia para novos transtornos.

Nos casos em que a indicação de psicanálise da criança seja peremptória, mas por dificuldade econômica real dos pais não possa ser realizada, e por outro lado a mãe possa ingressar no grupo de orientação, esclarecemos que esta solução é parcial e transitória até que se encontrem condições de enfrentar, mais adiante, um tratamento individual. Pode parecer cruel dizer esta verdade, mas protelar este conhecimento não é senão prejudicar crianças e pais. Quando se trata de uma criança epilética e temos a convicção de que só um tratamento psicanalítico vai libertar a criança de seus sintomas, devemos defender esta convicção, ainda que num primeiro momento não seja fácil. No caso de Nora,[4] os pais tiveram que fazer grandes sacrifícios para enfrentar o tratamento individual da menina e o de grupo de orientação para a mãe, mas se não tivessem feito, a enfermidade da menina teria chegado a um grau tal que qualquer tipo de terapia fracassaria. Não só isto, senão que, de acordo com o que vimos, a segunda filha, com pouca idade, teria chegado a enfermar-se, tal como sua irmã.

Nos livros de técnica de análise infantil até hoje publicados,[5] há sempre referências às dificuldades que acrescentam os pais à já complicada tarefa de analisar uma criança. Na verdade, devemos contar com a participação deles desde o início do tratamento, porque uma criança não é um ser social e emocionalmente independente.

Durante muitos anos acreditava-se que, ao contrário do adulto, faltariam à criança a consciência da enfermidade e do padecimento neurótico que a levariam a um tratamento.

---

4 Cf. capítulo 14, p.262.

5 KLEIN, Melanie. *El psicoanálisis de niños*. Biblioteca de Psicoanálisis, Buenos Aires, 1948. FREUD, Anna. *Psicoanálisis del niño*. Ed. Imán, Buenos Aires, 1951.

Quando compreendi que uma criança sabia que estava enferma e desde a primeira hora mostrava sua fantasia inconsciente de enfermidade e de cura, aceitando o terapeuta por sua própria decisão, tornou-se muito claro o papel dos pais que não se decidiam ao tratamento ou o interrompiam,[6] sob o pretexto de que a criança não queria vir. Até esse momento, sempre tinha a dúvida sobre se os pais a manteriam em análise o tempo necessário ou – como mostrava a experiência de todos os analistas de crianças – aproveitariam as férias, ou uma viagem, ou o desaparecimento dos sintomas para decidir pela interrupção, às vezes num momento muito pouco indicado.[7]

Na primeira época de meu trabalho recebia os pais com bastante frequência. Quando me pediam conselho, lhes dava e opinava a favor das necessidades urgentes da criança. Se, por um lado, algumas vezes dava bom resultado momentâneo, trazia-me, posteriormente, dificuldades e uma invariável atitude hostil e persecutória, ainda nos casos em que a análise, objetivamente, tinha sido exitosa. A reflexão sobre o significado latente dessas entrevistas ajudou-me a aperfeiçoar, pouco a pouco, a técnica que exporei nas páginas seguintes.

Foi durante uma análise de uma criança de quatro anos que tinha matado um primo de poucos meses[8] que compreendi melhor o papel que devia designar aos pais para vencer as dificuldades que assinalei. Pude ver que estas surgiam de uma confusão de seu papel com o do terapeuta, criada com a técnica anterior, quando deviam colaborar, modificando situações ou atitudes.

Cheguei à convicção de que não convém dar conselhos aos pais – sempre que a criança esteja em análise –, ainda quando se trate de situações sumamente equívocas, como compartilhar o luto, castigos corporais, sedução, etc... Mantenho a opinião de que somente através da melhoria da criança se pode condicionar uma real modificação no meio ambiente familiar e, portanto, trabalho com ela na relação bipessoal, como na análise de adultos.

O psicanalista de crianças enfrenta-se com duplo problema de transferência: do paciente e dos pais. Entramos com este tema num ponto fundamental da técnica de crianças: o relacionamento com os pais e sua inclusão no tratamento da criança.

Com o descobrimento da técnica do jogo foi possível compreender como funciona a mente da criança pequena, interpretar seus conflitos e solucioná-los. Mas frequentemente o êxito da terapia não se via acompanhado de um aumento da confiança dos pais. Pelo contrário, comumente interrompiam a análise do filho por motivos fúteis, subitamente, sem deixar-nos o tempo suficiente para elaborar, com o paciente, a separação.

Ainda quando os analistas de crianças tenham verificado essas dificuldades técnicas repetidas vezes, não há trabalhos que tratem de compreendê-las ou solu-

---

6 PICHON RIVIÈRE, Arminda Aberastury de. "La inclusion de los padres en el cuadro de la situación analítica y el manejo de esta situación a través de la interpretación". *Rev. de Psicoanálisis*, tomo XIV, n° 1/2, p.137.
7 Cf. capítulo 7, caso Beatriz.
8 Idem 6.

cioná-las. Limitaram-se a estudá-las como obstáculo inevitável, acreditando que a criança não vai ao tratamento por sua vontade nem depende dela sua continuidade. Anos de experiência em análise de crianças me levaram também a esta constatação, mas resisti a considerá-lo não solucionável. Pensei sempre que a dificuldade devia surgir de uma deficiência da técnica, que, nascida da técnica de adultos, não nos dava os elementos necessários para resolver este problema.

Um dos obstáculos fundamentais consistia na necessidade de manipular uma transferência dupla e às vezes tripla. Como já referimos, durante muitos anos segui a norma clássica de ter entrevistas com os pais e, em certa medida, essas entrevistas me serviam para ter uma idéia da evolução do tratamento e para aconselhamentos. A experiência possibilitou-me compreender que esta não era uma boa solução à neurose familiar, já que os motivos da conduta equivocada eram inconscientes e não podiam modificar-se por normas conscientes.

Compreendi, por exemplo, que, quando o pai ou a mãe insistiam em compartilhar a mesma cama ou o castigo corporal, eu me transformava numa figura muito perseguidora e a culpa que sentiam era canalizada em agressão, dificultando assim o tratamento. Além disso, o aumento da culpa conduzia-os a atuar de forma pior com o filho, buscando meu castigo ou minha censura. O conflito se agravava ao não ser interpretável, já que eles não estavam em tratamento. Isso os levava a interromper a análise.

Pouco a pouco comecei a distanciar os intervalos entre as entrevistas com os pais e abandonar os conselhos. Se no começo do meu trabalho pediam para analisar um menino que dormia com os pais, aconselhava que lhe dessem um quarto separado. Este conselho era um erro, porque interferia abruptamente na vida familiar, quebrando artificialmente – de fora – uma situação, sem saber como se tinha chegado a ela, sem saber qual era a participação da criança e em que medida lhe era imprescindível, o sintoma em função de sua neurose. A experiência ensinou-me que, quando uma criança elabora um conflito ainda no caso de ser muito pequena, exige por si mesma a mudança, com a vantagem de tê-la analisado previamente. Assim eu não interferia com uma proibição, viciando desde o começo, a situação transferencial. Isso permitia também aos pais adaptar-se a uma nova relação com o filho.

Se a interpretação é o instrumento básico do tratamento psicanalítico e, em especial, da interpretação da transferência, é evidente que a relação com os pais, sem a interpretação, deixa-os livres a qualquer tipo de elaboração.

Por outra parte, a evolução da psicanálise nos levou cada vez mais a não valorizar em excesso os dados que os pais podiam nos dar sobre a vida diária da criança.[9]

A prática foi me ensinando que o conselho atuava pela presença do terapeuta e que, separados deste, o pai e a mãe seguiam atuando com o filho de acordo com seus conflitos, com o agravante de que, se atuavam como antes, sabiam que isso estava mal e que era causa de enfermidade da criança. O terapeuta transforma-se assim num superego e a culpa se converte geralmente em agressão.

---

9 Cf. capítulo 5.

Quando pretendia modificar as situações exteriores, meu erro era atuar como se os pais não tivessem conflitos e apoiar-me na transferência positiva que estabeleciam comigo. Mas não tinha em conta um fator inconsciente fundamental: a crescente rivalidade que estabeleciam com a criança. Deixavam de ser pais para transformar-se em filhos rivais em busca de ajuda; havia um privilegiado, o que estava em tratamento, contra outro prejudicado, que não tinha tratamento e, ademais, devia pagar pelo outro. A esta rivalidade se somava a que sentiam comigo, como mãe que rouba o afeto do filho de outro e emenda o que eles teriam feito mal. Todos estes sentimentos contraditórios conduziam-nos a trabalhar de modo compulsivo e muitas vezes, ainda que conscientemente tivessem querido seguir meus conselhos, não podiam fazê-lo por interferir demasiado em seus próprios conflitos. Como todo este jogo de transferências não podia ser interpretado, não era elaborada por eles, mantendo-se reprimido e levando-os a flutuarem entre a obediência absoluta e uma rebelião sistemática.

Essa complicada e sutil rede fazia cada vez mais difícil a utilização das entrevistas nas quais se manifestava geralmente a fachada de idealização ou de amor, e não o ressentimento e a frustração, o que os conduzia com frequência a destruir o tratamento do filho, que outra parte de sua personalidade defendi e sustentava. Outro fato importante era que se o terapeuta do filho lhes pedia modificações para ajudar ou apurar a cura, sentiam-se fracassados se não podiam cumpri-lo.

A compreensão desses problemas e o desejo de aliviá-los ou solucioná-los levou-me a mudar a técnica, pois entendia: I – que não era útil para a criança minha atitude anterior; 2 – perturbava a vida familiar; 3 – terminava por destruir o tratamento. Decidi deixar que os pais seguissem sua conduta habitual, não tentar influenciá-los, não indicar-lhes os defeitos e erros na educação, sempre que colocassem o filho em tratamento.

Um pai que necessita bater no filho deixará de fazê-lo transitoriamente por conselho nosso, mas a qualquer momento repetirá a conduta anterior ou alguma similar, se sua modificação não obedece à compreensão dos motivos que o levam a atuar assim. Se uma mãe teve a tendência de colocar seu filho na cama matrimonial, nosso conselho de não fazê-lo se verá limitado pela ansiedade conflitual que a leva a isso. Mas quando se modifica o casal mãe-filho pela modificação de uma das partes, a criança, mesmo a menor, rejeitará compartir o leito e buscará outra forma de contato com a mãe. Um tratamento psicanalítico capacita uma criança, ainda que muito pequena, para modificar seu meio ambiente. Ainda que às vezes não saiba expressar-se com palavras ou fazer-se compreender nos seus desejos, as modificações na sua conduta costumam ser uma advertência que termina por ser compreendida.

Esta situação levou-me a suprimir quase que totalmente as entrevistas com os pais, exceto quando manifestam tal necessidade; negar-lhes também seria perturbador. Nesses casos, realizo-as em condições estabelecidas de antemão: a criança, por pequena que seja, deve ser informada do dia e da hora em que veremos os pais e deve saber que tudo o que se fale lhe será comunicado. Reafirma-se também que o conteúdo de suas sessões não será revelado, tal como convimos com ela ao iniciar o tratamento.

Os pais, por sua vez, devem saber as condições deste convênio, isto é, que tudo o que eles falem será transmitido à criança e que, por outro lado, não poderemos informar o conteúdo das sessões.[10]

Adotar essa conduta leva a uma real confiança no vínculo com a criança e a uma melhor relação com os pais. Estes sentem-se aliviados ao depositar toda a enfermidade nas mãos do analista, com a consequente diminuição da culpa ao ser compartilhada.

Além do que, se os pais estão fora da ação terapêutica – fora do consultório – seu vínculo transferencial com o analista faz-se mais manejável ao estar menos exposta às frustrações inerentes a um contato que, sendo aparentemente profundo, termina por ser superficial e de apoio, porque a transferência não é interpretada.

Se o analista assume a responsabilidade do tratamento, além de aliviar os pais, adota uma atitude mais real e adequada. Por outro lado, se aconselhamos modificações para ajudar na melhoria do filho e não podem cumpri-las, sentem-se responsáveis por qualquer retrocesso e sua ansiedade é intolerável, chegando, às vezes, a interromper o tratamento. Quando a cura da criança depende tanto da atuação do terapeuta como da atitude dos pais e das modificações que estes façam na vida familiar, aparecem os conflitos. Podem sentir-se incapazes de seguir as normas – por causa de seus próprios conflitos – e terão tendência a pensar que o tratamento vai mal; o sentimento de culpa será insuportável e apelarão a um mecanismo psicológico já descrito por Melanie Klein. Segundo ela, quando alguma coisa não pode ser reparada deve ser destruída.[11] Deve-se a este mecanismo grande parte das frequentes interrupções nas análises de crianças. Com a técnica atual, o terapeuta assume integralmente seu papel; a função do pai está limitada a enviar o filho e pagar o tratamento.[12]

A experiência mostrou-me que mesmo crianças muito pequenas eram capazes de exigir que dormissem sozinhas, para evitar situações em que seriam castigadas e dirigir sua necessidade de afeto a figuras mais indicadas quando os pais não o eram. Lembro-me de uma criança de 18 meses que se analisou por transtornos no caminhar e lentidão no desenvolvimento. Essa criança, quando melhorou, impôs novas condições de vida, como: dormir sozinha e estar mais tempo com a mãe do que com a babá. Isto é, ao quebrar o vínculo neurótico, pela melhoria de um de seus membros, o outro poderá modificar-se e elaborar a situação de separação. Também é muito frequente que diante das modificações do filho também os pais procurem ajuda terapêutica.

As modificações que sofreu o tratamento psicanalítico da criança são muitas. Foram motivadas pelo fato de analisarmos crianças cada vez menores ou ainda sem

---

10 Cf. capítulo 9.
11 KLEIN, Melanie. *El psicoanálisis de niños*.
12 Cf. capítulo 5.

rendimentos de linguagem, tornando-se necessário encontrar técnicas cada vez mais adaptadas à expressão pré-verbal.

A ansiedade manifestada pela criança ao iniciar o tratamento – vivido por ela inconscientemente como um novo rompimento da relação com a mãe – é a repetição da angústia provocada pelo nascimento. Ao compreender esta situação, verifiquei que era importante reproduzir, dentro do possível, a situação originária. Por isso, esclareço aos pais e à criança que é conveniente que entre sozinha no consultório. Quando não consigo que o faça, interpreto todos os detalhes de sua reação frente a mim e comunico-lhe que na próxima vez entrará só. Aconselho a mãe, se não se sente capaz de suportar a separação, que a criança seja acompanhada por outra pessoa, pois a ansiedade da mãe poderia prejudicar o início do tratamento. Acrescento que eu me encarregarei das reações da criança. Este esclarecimento é necessário, pois pode ser que grite, sapateie, chore e se desespere.[13] A duração da reação, sua intensidade, que pode ser ou não modificada pela interpretação, nos ensina muito sobre a história da criança e sua forma de atuar no mundo.

Depois dessa primeira e abrupta separação, é habitual que a criança entre espontaneamente no consultório e permaneça nele. Mais adiante, podem aparecer novas crises, mas cada vez mais fugazes e domináveis.

Os pais deverão trazer a criança quatro a cinco vezes por semana, de preferência cinco. Antecipadamente se escolherão os dias e os horários em que deverá comparecer, devendo permanecer com o terapeuta durante cinquenta minutos, igual que um adulto em tratamento psicanalítico. No caso de suspensão das sessões por dificuldades do analista, quando possível, serão substituídas. E se atuará da mesma forma quando as dificuldades forem provenientes dos pais, pois é muito importante a continuidade no tratamento. Os honorários serão estabelecidos no início, assim como a data das férias do analista. Isso permite aos pais organizar a vida familiar, conhecendo previamente as condições e procurando adaptar-se a elas. O contrato estabelece que as sessões suspensas por dificuldades do paciente são geralmente pagas, seja por motivo de viagem, doença, férias ou outra causa. A continuidade do tratamento deve ser preservada dentro do possível, pois às vezes a angústia causada pela análise de um filho leva a inesperados projetos de viagem, modificações ou prolongamento desnecessário de enfermidades.

Marcados já os limites de nosso papel e assegurada a total reserva do material que a criança nos confia, devemos ainda esclarecer outros pontos. É necessário que os pais saibam que em algum momento do tratamento surgirá a necessidade de satisfazer a curiosidade sexual; portanto, devemos estar seguros de que eles aceitam essas condições e suas consequências. Não os aconselhamos a ter uma determinada conduta quando os filhos perguntam, mas que estejam preparados.

É necessário esclarecer também a posição do terapeuta ante o problema religioso. É muito comum que pais não praticantes, mas que de certa forma creem nos preceitos religiosos, eduquem os filhos em colégios que seguem essa orientação

---

13 Cf. capítulo 11.

e também lhes dão educação religiosa. Essa situação confunde a criança, sentindo-se conflituada entre duas tendências e responsabilizando-se pelo destino final de seus pais. Por exemplo, pode pensar que os pais irão para o inferno quando não cumprem as exigências que seus professores espirituais lhes ensinaram como normas imprescindíveis. Concluímos, através da experiência, que isso traz graves consequências à criança. Há casos de pais muito religiosos que educam seus filhos de acordo com suas crenças e que preferem que os filhos sigam enfermos antes de arriscar a que percam a fé. Nesses casos evitam a confusão, mas não os conflitos.

Em todo início de tratamento convém esclarecer aos pais que durante o transcurso deste é possível que ocorra a perda da fé. Entretanto, isto não significa que o terapeuta adote uma atitude ativa neste tópico. Os esclarecimentos serão dados na medida em que aparecerem no tratamento, analisando os conflitos que surjam. Não se pode prever o momento nem a forma como será proposto o problema. Em alguns casos, pais ateus mandam seus filhos a colégios religiosos e os fazem cumprir com determinadas exigências; geralmente as mesmas que foram impostas aos pais quando estes eram crianças. Nada se consegue explicando aos pais a confusão que surge na mente da criança pelas duas posições que lhe impõem – ateísmo e religiosidade. Esta contradição deverá ser solucionada pelo próprio paciente.

O início do tratamento se faz com as condições básicas estabelecidas previamente. Assim, o terapeuta poderá atuar com a criança com a mesma liberdade com que trata um adulto, sem necessitar de novas entrevistas com os pais.

O terceiro tema que é necessário esclarecer com os pais é a posição do terapeuta ante a procedência do filho: adoção, ilegitimidade, etc. A experiência de muitos analistas levou a concluir que quando as crianças são adotadas, sabem inconscientemente a sua verdadeira condição. Mesmo naqueles casos em que a verdade foi ocultada cuidadosamente. A análise leva-os a tornar consciente essa situação. Ao proporem o problema aos pais, estes, mais de uma vez, se negaram a dizer-lhes a verdade ou interromperam bruscamente o tratamento. Atualmente se informa tudo isso aos pais e se inicia o tratamento com a condição de que estejam dispostos a esclarecer sua origem quando os filhos perguntarem. Se não aceitam esta condição, é impossível chegar ao êxito terapêutico. Quando se vai aproximando o enfrentamento com a real situação do filho, os pais adotivos costumam pedir uma entrevista. Ao iniciar a sessão seguinte, comunicamos ao paciente o conteúdo daquela entrevista; isso facilitará o esclarecimento, aliviando, além do mais, a ansiedade dos pais, que assim se sentem ajudados.

Em muitas outras situações onde um aspecto importante da verdade foi omitido, esta técnica de entrevista facilita o esclarecimento no momento em que a criança está realmente preparada para enfrentar e elaborar a realidade. Não somente o paciente, senão também os pais, necessitam tempo para esclarecer essas situações, pois precisam ser muito penosas para permanecer em segredo durante tanto tempo.

Trouxeram para consulta uma criança adotada que sofria de graves problemas de aprendizagem, um dos sintomas frequentes nesses casos. Glória, de nove anos, expressava seus problemas desenhando edifícios. Tinham normalmente nove andares – sua idade – e o problema que propunha no desenho era o das portas fechadas do andar térreo – seu primeiro ano de vida. Nos primeiros andares também as janelas estavam fechadas. Em suas associações, era evidente a preocupação de saber por onde se entrava no edifício. O significado latente dessa pergunta era o de averiguar se tinha entrado pelos genitais de sua mãe – a porta de entrada – ou pela porta de entrada da casa em que habitava. Se a porta permanecia fechada, era porque lhe haviam negado este esclarecimento.

Quando o analista começou a interpretar este material, falou com os pais, para que eles confirmassem à menina a verdade; como não tinham sido advertidos, se negaram determinantemente, o que motivou a interrupção brusca do tratamento.

No caso de Pedrinho,[14] de quatorze anos de idade, quando o tema da análise era a diferença de sexos e suas fantasias relacionadas com a vagina, recebi um telefonema da mãe, que me comunicou ter consciência de sua inadequada atitude, mas que fora levada por algo mais forte que sua vontade. Ao voltar de uma sessão, o menino perguntou à mãe se ela tinha pênis e ela respondeu: "Claro que sim". Poder incluir na sessão seguinte este diálogo com a mãe, não só permitiu esclarecer o conhecimento equívoco que o deixava numa confusão ainda maior sobre a diferença de sexos, como ainda possibilitou a retificação da mãe sem demasiada angústia.

Durante a análise de Fanny, uma menina de dez anos, cujos pais e meio familiar eram muito católicos, estando portanto submetidos a repressões e prejuízos muito intensos, propuseram-me um problema similar, que eu pude solucionar manejando a entrevista com os pais tal como indiquei. O pai era médico e conhecia algo de psicanálise; a mãe, também profissional, tinha conhecimento teórico do que podia ser o tratamento de sua filha e leu muito sobre este tema antes de decidir-se. Esses conhecimentos os familiarizaram com a idéia de que o esclarecimento sobre sexualidade era fundamental, mas sendo eles mesmos muito inibidos, não tinham se animado a responder as insistentes perguntas que a menina lhes fazia desde pequena. Poucos meses depois de começar o tratamento, incrementaram-se as angústias genitais de minha paciente, antes dos primeiros indícios de seu crescimento puberal. Por outra parte, os sintomas mais incômodos tinham desaparecido, motivo pelo qual os pais estavam aliviados e o expressavam.

Um dia pediram uma entrevista, a qual lhes concedi, após prévia consulta com minha paciente. A mãe estava muito angustiada e atemorizada, pois pensava que sua filha lhes criasse, também no colégio, sérias dificuldades, já que falava demasiado em sexo, em termos muito vulgares, perseguindo-os com seus conhecimentos. Concedi a entrevista, fazendo previamente as advertências já comentadas. Na sessão seguinte, enquanto a menina abria a caixa e se dispunha a continuar um desenho que fazia há várias sessões, relatei integralmente a entrevista e lhe interpretei sua conduta. Assustar os pais e os colegas era mostrar até onde ela estava assustada com as novas sensações que sentia em seu corpo e pelo que ia conhecendo dele.

---

14 PICHON RIVIÈRE, Arminda Aberastury de. "La transferencia en el análisis de niños, en especial en los análisis tempranos". *Rev. de Psicoanálisis*, tomo IX, n° 3, p.265.

Apoiei-me, para esta interpretação, nos minuciosos detalhes do desenho. Estava entusiasmada com os conhecimentos que vinha recebendo, mas os considerava maus e proibidos, ainda que fizesse alarde deles. Por isso os formulava de forma vulgar e provocante, procurando ser repreendida ou censurada. Disse-lhe ainda que sua conduta tinha sido uma tentativa de fazer suspender o tratamento, porque, não podendo dominar o que acontecia em seu corpo – crescimento de seus peitos e de outros aspectos que a faziam mulher e as sensações novas que a invadiam –, queria deter o conhecimento de sua mente, numa tentativa de detê-los no seu corpo. Tinha me enviado à mãe, para que eu arrumasse essa confusão e colocava além disso à prova se sua conduta me tinha assustado, e se eu, com seus pais, não responderia mais às suas necessidades de esclarecimento. Continuei lhe dizendo que o desaparecimento de seus sintomas incômodos tinha modificado o relacionamento com os pais e que em certo sentido queria voltar ao passado, preocupando-os com novos problemas. O resultado dessa interpretação – que foi elaborada pouco a pouco, com a repetição dos fragmentos que acreditava útil – foi a modificação de sua conduta.

O esclarecimento das causas mais profundas que a tinham motivado revelou-se na transferência, como repetição das situações originárias, um material novo. Desde pequena, desejava a posse de um pênis, e as modificações atuais de seu corpo reativaram essas fantasias; o mais temido em sua relação comigo é que eu desse cumprimento a esse velho desejo seu.

Dissemos que na entrevista inicial vão se definindo claramente os papéis: existe um terapeuta para uma criança que necessita de tratamento e existem os pais da criança e seu meio ambiente, que vão receber os benefícios, mas também os impactos de um tratamento psicanalítico. Devem saber, por exemplo, que as dificuldades podem se incrementar em dado momento, e a rápida melhoria pode ser seguida por uma recaída; quando, ao analisar uma criança, se coloca em jogo todo um passado, é possível que se apresentem momentos difíceis, tanto a eles como ao filho.

Não é necessário nem adequado antecipar os resultados, já que somente durante o tratamento podemos avaliar a gravidade do transtorno. É tácito que se o terapeuta se encarrega da análise, é porque acredita no método. Geralmente os pais pedem que lhes indique a fórmula de ajudar a melhoria de seu filho, e então convém valorizar o esforço que farão em trazer a criança quatro ou cinco vezes por semana, pontualmente, por um período de um ano, no mínimo. Deve-se responder que, cumprindo esta parte, ajudam da melhor maneira possível o terapeuta. Valoriza-se assim o esforço que fazem os pais ao enfrentarem um tratamento longo e caro, no qual a pontualidade é muito importante e que, muitas vezes, limita a mobilidade da família para férias, viagens, passeios, etc. Essa posição se adapta mais à realidade e é a mais eficaz.

Em certo sentido, a modificação técnica seguiu a mesma evolução que havia sofrido a própria psicanálise, preocupando-se em princípio com os fatos externos, pelos traumas reais, e focalizando em seguida seu interesse para os internos, quase desvalorizando o externo, e chegando finalmente ao interjogo da realidade interna e externa. Agora, sem desvalorizar o exterior real, trabalha-se com o interno – a versão que da realidade se forma a criança –, unindo-o aos dados da vida diária que nos fornecem os pais. Da mesma maneira procedemos com os adultos quando nos relatam algo de outra pessoa e o referimos na sua relação transferencial. Também na análise de adultos não tentamos modificar os objetos que rodeiam nosso paciente. Não temos entrevistas com seus familiares, nem os aconselhamos, ainda que muitas vezes vivam com eles relações de dependência tão extremas como a de uma criança com seus pais. Levaremos o paciente a uma independência interna e, se se consegue isso, poderá ele desprender-se do objeto externo real, na medida em que seja necessário.

Nossos descobrimentos nos levam também à conclusão de que a validade dos dados subministrados pelos pais é muito relativa e de que poderemos saber mais através da própria criança. Uma criança, por pequena que seja, nos informa por si da evolução do tratamento. Quando é necessário, ela provoca consciente ou inconscientemente uma entrevista com os pais, que completam o quadro do grupo familiar; portanto, não se justifica a entrevista para conhecer os efeitos do tratamento. Essa técnica tem a vantagem de manter-nos no nosso papel de terapeutas. Assumimos de um modo total nosso lugar e confiamos apenas no nosso trabalho com a criança para solucionar seus problemas ou sintomas, deixando aos pais um papel de pais, sem perturbar a estrutura familiar com nossos conselhos.

Recapitulando: unicamente concedo entrevista aos pais durante o tratamento, quando o paciente está de acordo. O que foi falado se relata, em todos os detalhes, à criança no início da sessão seguinte. Tínhamos lhe dado a certeza de que o ocorrido no consultório ficaria tão hermeticamente em segredo como o conteúdo da caixa individual. Às vezes parecem não compreender o que lhe dissemos ou não interessar-se em absoluto, em seguida vemos que cada um dos detalhes penetrou na mente e é elaborado, às vezes, durante semanas ou meses. Ainda que consideremos a unidade filho-pais, a interpretação deve dirigir-se exclusivamente ao paciente.[15]

---

15 Cf. capítulo 5.

III

CASOS CLÍNICOS

No capítulo 9, mostrarei como se desenvolve a análise de duas meninas, de seis e quatro anos, com transtornos similares, e como foram utilizados, na interpretação, os dados fornecidos pelos pais.

No capítulo 10, POLA I. DE TOMÁS expõe fragmentos da análise de um menino de três anos, destacando como elaborou a morte do pai. SUSANA FERRER descreve, em continuação, algumas sessões da segunda análise do mesmo paciente, quando já contava dez anos; em função do casamento e de nova gravidez da mãe, reativaram-se as mesmas ansiedades que o acompanharam no desaparecimento do pai e no tratamento pôde reelaborar o luto.

No capítulo 11, expõem-se sessões de três crianças tratadas por MERCEDES DE GARBARINO, JORGE ROVATTI e EDUARDO SALAS. Os três pacientes têm diferentes idades e sintomas, mas todos eles revivem uma mesma situação – o trauma de nascimento.

No capítulo 12, ELISABETH G. DE GARMA mostra em três crianças no período de latência um mecanismo similar, o de reprimir e isolar um núcleo de sua instintividade percebido como destrutivo e perigoso, com o que adquiriam aparência de normalidade.

> ... le mot, loin d'etre le simple signe des objets
> et des significations, habite les choses et véhicule
> les significations.
>
> *Phénoménologie de la perception*
> **M. MERLEAU-PONTY**

> *Nuestro primer hallazgo es el nacer.*
> *Si se nace*
> *con los ojos cerrados, y los puños*
> *rabiosamente voluntarios, es*
> *porque siempre se nace de quererlo.*
>
> *Mundo de lo prometido,*
> *agua.*
> *Todo es posible en el agua.*
>
> *Razón de amor,*
> **PEDRO SALINAS**

9

Casos clínicos

Ilustrarei com fragmentos do caso de duas meninas com transtornos similares algumas das afirmações técnicas que expressei nos capítulos 6 e 7:

1 – Na entrevista inicial, os pais costumam esquecer – por angústia – detalhes fundamentais da vida do filho que estiveram intimamente relacionados com o aparecimento da neurose.

2 – Durante a análise de crianças vão surgindo as situações traumáticas e, se a ansiedade e a culpa dos pais diminuíram ao melhorar o filho, eles costumam confirmar-nos esses fatos e, às vezes, ampliá-los com novos detalhes, permitindo-nos assim reconstruir as circunstâncias nas quais se iniciou o problema ou o sintoma.

3 – Se durante o tratamento tinha entrevistas com os pais, avisava a criança antes de concedê-las e estipulava com o paciente e com os pais as condições em que se desenvolveriam: a) não informaremos aos pais o que acontece durante as sessões; b) tudo quanto falemos com os pais será transmitido à criança na sessão seguinte e utilizado para interpretação.

Nos dois casos que relatarei, as meninas sofriam de marcado atraso de linguagem, sintoma que era consequência das profundas dificuldades de conexão com o mundo exterior. No primeiro caso, tratava-se de uma menina de seis anos, Patrícia, irmã mais velha, seguida por outras duas meninas de quatro e dois anos. No segundo, Verônica era a mais moça de quatro irmãos, contando quatro anos e oito meses quando iniciou o tratamento. Nos dois casos, os irmãos eram sadios, não havendo apresentado transtornos evolutivos.

Patrícia

Para a entrevista inicial apresentou-se só a mãe. O pai, que era homem de negócios, ocupava-se pouco de suas filhas, embora cuidasse de que tivessem todo o necessário e fosse generoso para oferecer-lhes quanto desejassem. Com o tratamento atuou da mesma forma; facilitou a parte relacionada com os honorários e a assistência regular às sessões, mas nunca acompanhou Patrícia, mostrando-se também desinteressado por seus progressos.

Vivia com eles a avó materna, mulher idosa e com débil desenvolvimento mental, figura muito negativa para a adequada evolução emocional de Patrícia. O motivo de consulta era um marcado atraso na linguagem. Tinha seis anos e só dizia *mamãe, papai* e *atá*, contração de *aqui* e *está*; *está* era utilizado para expressar o aparecimento e o retorno de objetos ou pessoas. Usava as três palavras adequadamente e dispunha ademais de uma série de sons inarticulados, com os quais parecia querer mencionar objetos ou situações, mas que resultavam completamente incompreensíveis, mesmo para seu meio ambiente. Padecia também de uma anorexia séria e seu nível de jogo estava muito abaixo do esperado para sua idade. Segundo a mãe, Patrícia sofria por não poder expressar-se, notando-a com ciúmes das irmãs, que falavam e brincavam normalmente.

Desde que Patrícia tinha três anos consultavam por causa deste sintoma, mas o pediatra que a atendia não deu importância ao transtorno, esperando sempre que se solucionasse com o tempo. Foi a iminente entrada no colégio que levou o pediatra a recorrer a um tratamento psicanalítico.

Patrícia foi uma filha desejada, sendo que a gravidez e o parto parecem ter sido normais. Sua mãe não recordava quantas horas depois de nascer a colocaram ao seio pela primeira vez, nem o ritmo em que a alimentou, mas esclareceu que se prendeu bem ao seio desde o primeiro momento. A lactância desenvolveu-se sem dificuldades até os sete meses, época em que ocorreu bruscamente o desmame, por ter a mãe ficado novamente grávida. Inicialmente, Patrícia não reagiu mal a esta perda brusca, aceitando bem a mamadeira. Paulatinamente, foram aparecendo dificuldades crescentes com a comida, terminando por apresentar uma anorexia séria.

A data em que se deteve o desenvolvimento da linguagem e o momento em que começou o controle esfincteriano também não foram recordados pela mãe. Tinha a impressão de que não foi cedo, agregando que ela não foi demasiado exigente com a limpeza. Todos os detalhes sobre este momento, quando se iniciou o controle, suas características e como foi vivido por Patrícia, surgiram da análise da menina e foram depois confirmados pela mãe, que agregou, então, dados importantes lembrados naquele momento.

Patrícia caminhou com mais ou menos um ano e nesta época pronunciou suas prmeiras palavras. Quando nasceu sua irmã tinha dezessete meses e sua linguagem estava em plena evolução. A mãe não recorda que tivesse demonstrado curiosidade durante as gestações e partos e nem de tê-la visto se masturbando. O nível de jogo estava abaixo de sua idade, a ponto de suas relações com as irmãs e com outras crianças estarem seriamente dificultadas; a isto somava-se a dificuldade na linguagem. Seu sofrimento, ciúmes e inveja eram muito evidentes, assim como a diferença dela com as irmãs, não somente melhor dotadas, mas também mais bonitas.

Do seu caso farei especial referência à forma como expressou sua fantasia de enfermidade e cura e como me comunicou seus sentimentos durante o controle de esfíncteres e as circunstâncias em que foi realizado.

Depois da entrevista inicial com a mãe, decidiu-se pelo tratamento de Patrícia, com a frequência de quatro sessões semanais. Sobre uma mesa baixa tinha colocado autos (alguns de corda, outros não), uma pequena garagem, uma mesinha, cubos, lápis, papel, lápis de cor, borracha, tesouras, cola, barbante, bonecos, pratos, xícaras e talheres. Na mesma havia uma máquina para fazer ponta de lápis cujo depósito era transparente.

Patrícia era uma menina magra, evidentemente inibida e com expressão muito triste. Quando entrou no consultório, demonstrou grande desconfiança, mas aceitou separar-se da mãe, na condição de que a porta permanecesse aberta, para poder vê-la. Depois de alguns minutos, nos quais observou tudo quanto a rodeava, tomou os autos e fazia com que entrassem e saíssem da garagem repetidas vezes. Tomou, depois, um lápis e começou a apontá-lo com a máquina; olhava com muita atenção o buraco no qual o lápis entrava. Fez várias experiências de introduzir o lápis, girar a manivela, ver cair o grafite e a madeira esfarelada no depósito transparente da máquina, que se enchia. Depois, com a massa de modelar, tapou o buraco. Tentou, então, meter os lápis no buraco tapado com a massa e mostrou-me com gestos que não podiam mais entrar. Repetiu o jogo várias vezes.[1] Neste momento fiz a primeira interpretação: "Fechas o buraco da mamãe para impedir que as coisas entrem e saiam dela e por isso precisas também vigiá-la". Negou com a cabeça, mas, enquanto negava, esvaziou o conteúdo do depósito (serragem e grafite pulverizados), colocou tudo num pequeno papel, fez um pacote bem apertado e reforçado com vários papéis e guardou-o em sua caixa individual, fechando com chave.

Começou então a examinar o consultório e a agarrar brinquedos. Primeiro, olhava-os atentamente, depois me mostrava e, por meio de sinais e sons inarticulados ou com alguma de suas três palavras, perguntava-me o nome de cada um deles. Observei que escolhia objetos muito conhecidos, como, por exemplo, cama, cadeira, etc., e também os autos que tinha utilizado no começo da sessão. O gesto interrogativo tinha o sentido das perguntas que fazem as crianças *porque sim*, sobre coisas que já conhecem, mas que esconde o desejo de saber algo que lhes é censurado ou que as angustia. Interpretei que queria saber por que ela não podia falar e as outras crianças sim, do mesmo modo que me mostrou autos com corda e autos sem ela, e também porque sua mãe a tinha feito assim. Sem responder à minha interpretação, pediu para ir ao banheiro, fazendo sinais de que queria urinar. A mãe, ao vê-

---

[1] Esta repetição foi denominada por Melanie Klein de "ponto de urgência". Cf. KLEIN, Melanie. *El psicoanálisis de niños*. Bibl. de Psicoanálisis. Buenos Aires, 1948.

la sair, acompanhou-a e pude ouvir como a repreendia por haver sujado as mãos com lápis e massa de modelar. Quando entrou novamente no consultório, estava muito ansiosa, fazendo-me sinais de que queria ir embora imediatamente. Interpretei: "Queres ir porque tens medo que eu te transforme em uma pessoa má, que ponha dentro de ti coisas más – a sujeira nas mãos – e que possa fazer-te mal – a repriminda da mãe – do mesmo modo que imaginas que são estas coisas más que a tua mãe colocou em ti as que te fizeram não poder falar".[2]

Enquanto lhe falava, colocou a parte suja das mãos na boca e, chupando-a, olhava-me interrogativamente. Depois chupou a parte limpa das mãos, estava sorridente, mas com expressão angustiada. Falei-lhe: "Aqui tu e eu vamos ver, pouco a pouco, por que não podes falar, por que sorris mesmo quando estás triste e assustada e por que tens medo de mim e da tua mãe". Estávamos ao final de hora e, antes de sair, correu até o divã, deu-lhe um beijo e se foi rapidamente, sem olhar-me.

Expressou nesta primeira sessão seus sofrimentos e seus sintomas através do depósito que simbolizava o corpo da mãe e o seu próprio. Fechar o buraco significava, além da interpretação feita, que ela tinha fechado o seu buraco – a boca – por causa dos sofrimentos experimentados pela gravidez da sua mãe, assim como teve que fechar seu buraco – o ânus –, submetendo-se ao controle. Em segundo lugar, mostrou que suas dificuldades para a contenção urinária estavam ligadas à idéia de que ela se sentia destruída e incompleta (foi urinar depois da interpretação sobre os autos com e sem corda). Em terceiro lugar, expressou a sua crença em que essas dificuldades deviam-se a coisas más colocadas nela por sua mãe (o produto do coito, o grafite e a serragem do lápis) ou que se transformaram em más por causa de suas fantasias destrutivas (quando ela chupou a parte suja das mãos). Depois mostrou-me que precisava colocar coisas boas nela (a parte limpa de suas mãos) para curar suas dificuldades. Finalmente, expressou sua capacidade de amar e seu desejo de incorporar algo do terapeuta-mãe, quando beijou o divã, levando algo de mim,[3] o que podemos compreender se recordamos que sua lactância foi inicialmente boa. Isto era possível pela projeção do seu amor em mim, que em parte sentia que podia ajudá-la, chupar o limpo de sua mão e beijar o divã. Assim como na primeira relação de objeto a criança projeta em sua mãe amor e ódio e recebe dela satisfações e frustrações, em sua relação comigo fizeram-se evidentes a aceitação e a fé em que pudesse ser ajudada, como também apareceram seu rechaço e sua desconfiança na minha pessoa.

Em sessões posteriores, colocou, dentro de pacotes hermeticamente fechados, as substâncias que usou para simbolizar o interior do corpo e seus conteúdos. Fechava-os com chave na sua caixa e em cada sessão realizava inspeções sobre os conteúdos destes pacotes, manifestando a ansiedade paranoide de que podiam ter sido destruídos, roubados ou danificados durante a sua ausência, situações todas

---

[2] Expressou assim sua fantasia inconsciente de enfermidade, que se confirmou no transcurso do tratamento.

[3] Mostra que desde a primeira sessão se projeta tanto o bom como o mau. Cf. KLEIN, Melanie. "The origins of transference". *Int. Journal of Psicho-Analysis*, vol. 33, 1952.

interpretadas cada vez que apareciam. Representavam para ela o produto das relações sexuais dos pais; o que a mãe tinha dentro, pênis e substâncias para fazer crianças; o que tinha colocado nela e nas irmãs. Possibilitaram a simbolização da idéia de ser incompleta e insuficiente e dos ciúmes pelas irmãs, mais favorecidas pela mãe. Na transferência, ao encerrar esses conteúdos em pacotinhos e inspecioná-los cada vez para comprovar se não foram danificados ou roubados parcialmente, expressava o ciúme pelos outros pacientes e o temor de que eu não a defendesse dos ataques e roubos que podiam fazer-lhe. Quando algo escapava dos pacotinhos e perdia o controle onipotente – conseguindo através do encerramento hermético as menores partículas – vivia-as como perseguidoras. Tentava limpar-se ou me pedia para que o fizesse. Representou com essas substâncias a fantasia de seu mundo interior: a) como foi feita; b) sua imperfeição; e c) como queria nascer de novo íntegra e completa – com corda.

Com o progresso de sua análise, estas substâncias se enriqueceram, agregando outras que considerava positivas: leite, café. Com elas representa a fantasia de nascer de novo, em outras condições, brincando com uma grande "panela de *puchero*", onde colocara todas as substâncias disponíveis de sua caixa individual. Colocava as substâncias: o que considerava mau deixava fora, enquanto o que era bom agregava cada vez em maior quantidade. As substâncias boas eram, por exemplo, o açúcar, que representava carinho e beleza, e o café, que significava ser grande, etc.

Quando, com o passar do tempo, estes conteúdos chegaram a um ponto de bondade que ela considerou suficiente, derramou-os na sua caixa, simbolizando que já era o momento de nascer. Este jogo ampliou-se posteriormente com outro, onde enchia três panelas iguais e não se decidia sobre o que correspondia a cada uma delas. Deste modo, simbolizava as três gravidezes da mãe e seu desejo de que as três nascessem iguais.

Numa fase posterior da análise, abandonou o jogo com substância e simbolizou as mesmas situações com brinquedos que representavam continentes ao invés de conteúdos; por exemplo, coleções de tacinhas, jarras, panelas, etc. Selecionava-os pela possibilidade ou impossibilidade de que se quebrassem e pudessem ou não ser consertados. Manifestou, através destes jogos, suas fantasias e sua capacidade de reparação.

Numa última fase, utilizou continentes com conteúdos; por exemplo, grandes sacolas cheias de brinquedos. Estes variavam segundo as fantasias atuantes no momento. O tema central era: "necessito ter um pênis dentro de mim para poder falar"; "não sei se uma mulher pode ter um pênis"; "quero que tu me dês um pênis que arrume meu interior e me cure".

Estes conteúdos tinham uma evidente característica de segredo, semelhante à dos pacotes hermeticamente fechados do começo. A importância do clima de segredo foi tão dominante que nos levou a situações extremas. Assim, enquanto brincava, pretendia obrigar-me a permanecer em uma sala contígua e não ver o jogo. O isolamento a que me condenou durante este período de sua análise era a repetição na transferência do que sentiu com sua mãe quando os acontecimentos exteriores aumentaram suas angústias e tendências destrutivas na época em que a mãe foi para o hospital ter a segunda irmã.

O jogo que realizava me fez compreender que o controle de esfíncteres começou na ausência da mãe. Quando reviveu comigo essa iniciação, expressou toda a angústia experimentada através de um jogo com uma boneca, a quem alimentava e cuidava. Escolheu para este jogo um bebê, que, além da boca aberta, tinha outro orifício, por onde urinava. Sua atitude de carinho e cuidado modificou-se bruscamente depois de algumas sessões. No começo o vestia e alimentava com carinho e, antes de ir-se, preocupava-se com que ficasse na cama e bem abrigado. Um dia começou a sujá-lo, cobri-lo com pintura, tirou-lhe a roupa, submeteu-o a fome e frio, até convertê-lo num boneco sujo, sem roupas e maltratado, o qual abandonou no chão do banheiro. Eu não devia fazer nada para defender o bebê desses maus tratos, pois tinha que permanecer na sala ao lado, não podendo interferir. Dava-me o papel da mãe ausente, que não vinha em sua ajuda, quando foi maltratada por ser uma menina suja. Este isolamento, ao qual me condenava, e o não querer ver-me respondiam também à necessidade de não ver os fatos traumáticos e a raiva pela mãe que a tinha abandonado. Neste jogo, a boneca era ela: malvada, suja, abandonada e cheia de porcarias – como se sentia no início da análise, quando foi ao banheiro urinar e chupou a parte suja das mãos. Ao mesmo tempo, desempenhava o papel da babá, flutuando continuamente entre a maldade que padeceu e a que fazia padecer. Neste período, mostrava curiosidade e ciúmes por todas as crianças que eu atendia, querendo abrir as caixas para ver o que continham. Como Patrícia expressou ao mesmo tempo sua solidão, o ser maltratada, a idéia de ser suja e, na transferência, a curiosidade e o ciúme pelas outras crianças – suas irmãs –, pensei que o controle de esfíncteres tinha sido severo e iniciado concomitantemente ao nascimento da irmã. Pedi uma entrevista à mãe e perguntei-lhe. Lembrou-se então que quando ela foi internada para ter a segunda filha, a babá forçou Patrícia a um controle muito severo. Quando a mãe voltou do hospital, oito dias depois, Patrícia controlava urina e fezes.

Nesta mesma entrevista recordou, com tristeza, um acontecimento que ela associou com a detenção do desenvolvimento da linguagem. Nos dias que se seguiram ao retorno do hospital, Patrícia fazia grandes esforços para pronunciar o nome da irmã. Um dia, quando esta dormia no berço, pronunciou pela primeira vez, com voz muito estridente e eliminando o M inicial, o nome da irmã. Gritou *Ônica*, em vez de *Mônica*. A mãe chorou ao recordar que sua reação foi bater-lhe nas mãos, dizendo-lhe que podia acordar a irmã, ao invés de valorizar o progresso tão arduamente conseguido por Patrícia. Também recordou que, como o parto foi de noite, Patrícia não soube de sua partida e ao acordar não a encontrou, não recebendo nenhum tipo de explicação.

Esta entrevista com a mãe foi transmitida a Patrícia na sessão seguinte e na interpretação dos jogos mencionados, agregaram-se os acontecimentos traumáticos recordados pela mãe. Uma vez mais comprovamos a interação entre a realidade externa – maus tratos da babá e da mãe – e a interna, a desvalorização que Patrícia mostrou por seus conteúdos.

Vimos desde a primeira sessão que Patrícia pensava que era diferente de suas irmãs, que nasceu incompleta, idéia simbolizada através de jogos com autos sem corda, tendo que competir com outros equipados com corda – suas irmãs que falavam bem. Pensava que sua mãe tivesse colocado nela coisas más e insuficientes. Expressava essa fantasia com dois outros jogos. Enchia três panelinhas – ela e as irmãs –, mas enquanto na sua panela as coisas eram feias e tinham que ser jogadas fora, estragavam, etc., nas outras duas as comidas ficavam ótimas. Este jogo era acompanhado por crises de ansiedade, aparecendo fantasias de roubar os conteúdos das outras panelas, juntamente com idéias paranoides de ter sido roubada nos dias em que não vinha à sessão.

No outro jogo, ia colocando numa grande panela o conteúdo de todas as panelas. Este conteúdo era cuidadosamente colado, separando as coisas consideradas ruins, até conseguir um interior perfeito. Então brincava de renascimento, que consistia em esvaziar sua caixa e colocar dentro o conteúdo da panela.

Outra de suas fantasias era a de esvaziar a mãe, encher-se com os conteúdos que seu pai lhe dava – a sacola com aviões e autos. Aparecia então o medo de misturar o bom com o mau e o temor de tomar algo de sua mãe, destruí-la e não poder repará-la. Desde o momento em que começou a aparecer a confiança em sua capacidade de restaurar os jogos com continentes, brinquedos irrompíveis ou passíveis de arrumação, as sacolas cheias de objetos, começou a falar. Se podia restaurar, podia fazer coisas e encher-se, podia ser agressiva, já que também podia refazer o que destruía. Se estava cheia dos conteúdos do pai, pensava que podia falar e ser inteligente. Estas fantasias foram expressas, a princípio, nos seus jogos com substâncias e depois fabricando sacolas, que enchia de autos e aviões, e eram guardados hermeticamente fechados na caixa. Ela e a mãe estariam cheias dos pênis do pai, mas a sacola tinha que estar hermeticamente fechada, para que ninguém pudesse roubá-los.

Recapitularei agora como viveu ela as sucessivas frustrações que envolveram a gravidez da mãe e o desmame brusco: 1 – para ela, a mãe a privou do seio, para com isso fabricar sua segunda filha; 2 – para que nascesse a segunda filha, abandonou-a ao ir ao hospital; 3 – na ausência da mãe, foi obrigada a dar suas matérias fecais e foi tratada duramente; 4 – quando a mãe voltou do hospital, ela tentou superar suas tendências destrutivas e recriar a irmã, pronunciando seu nome; a mãe bateu nela, impedindo-a de falar. Este fato foi para ela a comprovação de que a mãe se havia transformado em má, por todas as suas fantasias agressivas; 5 – ela não podia restaurar e não podia destruir, o que a forçou a uma defesa excessiva e prematura contra o sadismo, impedindo o estabelecimento do contato com a realidade e inibindo o desenvolvimento do mundo da fantasia.

"Não existindo posse e exploração sádica do corpo materno e do mundo exterior – o corpo da mãe no sentido mais amplo –, cessa de forma quase total qualquer relação simbólica com as coisas e objetos que a representem e, consequentemente, o contato com seu ambiente e com a realidade em geral. Esse afastamento forma a base da carência de afetos e de angústia, que é um dos sintomas característicos da demência precoce. Essa enfermidade caracteriza-se, assim, por uma regressão direta à fase primitiva da evolução, na qual a posse e destruição sádica do corpo materno – como imagina a pessoa em suas fantasias – e o estabelecimento de uma relação com a realidade foram impedidos ou freados devido à angústia."[4]

Patrícia submeteu-se ao dar suas matérias fecais, mas guardou para ela as palavras que tinham o mesmo significado mágico de destruir e reparar: eram fezes, urina e crianças. Ao mesmo tempo, castigava sua mãe e expressava sua agressão ao meio ambiente com um sintoma que os angustiava e preocupava. Os progressos no desenvolvimento da linguagem se evidenciavam, a princípio, somente durante as sessões. Em casa mantinha sua incomunicação verbal. Escondia as palavras, porque queria esconder todos os maus pensamentos e agressões que, na fantasia, desejou que fossem destinados à mãe e às irmãs. Com as palavras guardava seus segredos, como nos pacotinhos fechados hermeticamente. Por isso era-lhe mais fácil falar comigo que em sua casa, onde continuavam as situações reais de ansiedade provocadas pela inveja e pelo ciúme.

Seu primeiro jogo, quando tapou o buraco da máquina de apontar lápis, simbolizava também fechar a boca, fechar seu ânus, assim como fechar a mãe e, pude entender mais tarde, fechar seus próprios genitais, para que não entrasse o pênis do pai.

Se falasse, possibilitaria o conhecimento do seu interior. Por isso, quando recomeçou a falar, pronunciava obscuramente as palavras. Falar era revelar não só o mau, mas também suas fantasias de incorporação do pai como objeto do amor. Costumava pronunciar as palavras invertidas, sendo este um modo de mascarar seu pensamento, como também de representar a introjeção da palavra, que depois projetava no mundo exterior.

A proibição de falar significou para ela a impossibilidade de expulsar a irmã, mas também levou-a a esconder que a tinha dentro de si. Quando disse *Ônica*, eliminando o *m* de *mamãe*, estava negando que era o produto da união com sua mãe. Ela tinha que guardar no corpo as palavras que para seu inconsciente estavam equiparadas ao defecar, urinar e gerar filhos. A equiparação das substâncias corporais, tantas vezes destacada por Melanie Klein, foi muito evidente durante o tratamento desta menina. As substâncias que manipulava representavam tanto matérias fecais como urina, sangue menstrual, leite da mãe ou leite do pai. Pertenciam tanto à mãe como a ela própria e nos seus jogos o intercâmbio de substâncias de um pacote a outro, de uma panela a outra, significava misturar seu interior com o da mãe ou comer os produtos da mãe (produtos de adultos), para identificar-se com ela. Por isso agregava substâncias como o café, que lhe era proibido em casa.

Estes jogos muitas vezes eram interrompidos, quando aumentava a ansiedade proveniente do temor a destruir os alimentos e não poder repará-los ou que fosse despojada deles retalativamente.

---

4 KLEIN, Melanie: "The importance of symbol-formation in the development of the ego", (1930). *Contributions to Psycho-Analysis*, The Hogarth Press Ltd., London, 1948. Traduzido na *Revista Uruguaya de Psicoanálisis*, tomo I, n° 1, 1956.

Quero esclarecer que se enfatizei a conduta da mãe e da babá durante a aprendizagem da limpeza, nos dias prévios e posteriores ao parto do nascimento da irmã, não foi por considerar que esta conduta por si só fosse capaz de produzir a detenção da linguagem e os outros sintomas, mas porque no decurso da relação transferencial evidenciaram sua importância. Creio que a situação interna de Patrícia naquele momento evolutivo fez com que esses acontecimentos fossem suficientemente traumáticos para provocar sintomas tão sérios. Patrícia tinha sete meses quando a mãe a desmamou bruscamente, tendo como motivo a nova gravidez. O que sabemos hoje sobre a evolução da criança – confirmado cotidianamente pela experiência clínica – permite-nos compreender que o sadismo oral e uretral, que predominam naquele momento, foram aumentados pelo desmame brusco e pela gravidez da mãe.

Quando uma criança nasce, estrutura-se a fase oral, imprescindível para a sobrevivência do ser humano, não somente pela necessidade de alimento, mas também pelos estímulos, que lhe permitirão refazer um vínculo com a mãe, através do qual possa superar o trauma do nascimento. O aparecimento dos dentes, na fase oral-sádica, por serem instrumentos que possibilitam a realização das fantasias de destruição que dominam esta fase, determina o abandono do vínculo oral, aparecendo a necessidade de refazê-lo através de outra zona do corpo. Neste momento da vida, o descobrimento da vagina na menina e da necessidade de penetração no menino iniciam a etapa genital, de tal forma que a união pênis-vagina substituiria a da boca com o seio. Esta etapa pode satisfazer-se somente com fantasias e atos masturbatórios, entre os quais incluímos toda atividade lúdica do lactente. A impossibilidade de uma satisfação total das necessidades deste período da vida forçam a uma regressão ao momento do nascimento quando se dispunha de tendências orais, anais e genitais para unir-se à mãe. A seguir, se estrutura uma nova fase, a anal primária de expulsão, coincidente na maioria das vezes com a bipedestação e com o interesse pela matéria fecal.

No caso de Patrícia, a difícil relação com o seio deslocou-se ao pênis e à figura total da mãe, como possuidora dos pênis do pai, fazendo com que esta fosse mais temida e odiada. Na evolução normal, o deslocamento da boca à vagina faz com que esta seja a depositária das angústias vinculadas ao seio. O fato de que seu pai estivesse psicologicamente ausente aumentou as dificuldades e inibições para receber do pênis o que tinha perdido do seio. Esta interação de fatores internos e externos foi também evidente na aprendizagem da limpeza, coincidindo com o parto da irmã. Assim como foi realizado, fizeram-lhe sentir que estava impedida de ter uma identificação feminina, que estava privada de ter seus próprios filhos, fezes e urina. A gravidez da mãe incrementou em Patrícia as fantasias de assalto, esvaziamento e destruição dos seus conteúdos e provocou o temor à vingança do objeto atacado deste modo.

A exigência de limpeza – no momento em que atuavam estas fantasias – foi vivida com uma confirmação da possibilidade de realização de seus temores e reforçou sua necessidade de encerrar e guardar dentro de si algo próprio – as palavras

–, como aconteceu na primeira sessão de análise e, posteriormente, quando guardava os conteúdos em pacotes herméticos ou tapava o furo com massa de modelar.

A atitude da mãe, quando Patrícia quis pronunciar o nome da irmã, não seria traumática se não se somasse com as dificuldades anteriores, adquirindo o conjunto o significado de realização de fantasias inconscientes muito temidas. O incremento da ansiedade depressiva, produzida pelo aumento das fantasias de ataque – a dentição –, mais a prova de realidade do temido desaparecimento da mãe – ansiedade depressiva – e o temido esvaziamento de seu corpo, confirmado pelo controle brusco e severo – ansiedade paranoide –, foram intoleráveis para seu ego. Os fatos exteriores apareceram como mais traumáticos, porque se somaram, acumulando-se, e, além disso, porque foram a confirmação dos temores mais atuantes naquele momento evolutivo.

No caso de Patrícia, a brusquidão e o entrecruzamento parecem ser as características dos traumas fundamentais. O desmame realizou-se bruscamente, em consequência da gravidez da mãe; a aprendizagem no controle esfincteriano foi realizada pela babá de forma brusca, coincidindo com a ausência da mãe e com o nascimento da irmã. A ausência do pai dificultou ainda mais a elaboração normal da perda do seio, pois não possibilitou sua substituição pelo pênis. Duas experiências de perda, o seio e o interior de seu corpo, estão unidas em sua mente, quando do nascimento da irmã, mais intensamente do que costuma acontecer.

Os dois sintomas, anorexia e inibição no desenvolvimento da linguagem, eram a expressão de suas dificuldades com o mundo exterior, seu rechaço e seu temor ao contato. Mais profundamente, era o rechaço a uma ligação genital que lhe possibilitaria superar a perda do vínculo oral. Quando nasce a irmã, perde a mãe. A babá rouba-lhe violentamente os produtos do interior de seu corpo e quando tenta reparar a sua irmã, refazendo-a com a palavra, é castigada pela mãe, que lhe proíbe falar. No seu mundo de fantasia, a mãe lhe proibia a reparação da irmã – mais profundamente fazer ela mesma um filho –, condenando-a a viver num mundo destruído e a guardar as palavras em seu interior.

A anorexia explica-se pelo incremento de ansiedades paranoides, mas também pelo temor a incorporar coisas boas e transformá-las em más e destrutivas – fezes e urina – pelo deslocamento da vagina à boca. Nesta situação de angústia e decepção frente à mãe, a figura do pai podia tê-la ajudado a vencer a depressão, mas neste caso se tratou de um pai psicologicamente ausente, que não a ajudou a elaborar a perda da mãe. Além disso, não existia no meio ambiente outra figura masculina substituta, e Patrícia identificou-se com a pessoa mais ligada à mãe – sua avó –, reforçando suas limitações intelectuais e seu sentimento de invalidez.

A inibição no desenvolvimento da linguagem deu-se por um deslocamento do corporal ao mental. Conservar os conteúdos mentais era sua forma de compensar a falta de conteúdos materiais – fezes, urina e filhos. Quando, através da situação transferencial pude incorporar algo positivo, meu peito, e em consequência disso o pênis, foi capaz de pronunciar palavras e continuar o desenvolvimento da linguagem.

Para confirmá-lo, diremos que as primeiras palavras que agregou a seu vocabulário durante o tratamento foram *não* e *sim*, que surgiram da interpretação de seu vínculo transferencial. O *não* significava seu rechaço às palavras que saíam de mim, assim como um rechaço aos conteúdos da mãe, repetindo a situação originária. Expressava a situação de rechaço geral ao mundo, seu submetimento às situações traumáticas mencionadas. Dizer *sim* significou mudar de posição frente ao mundo externo; era receber minhas palavras, incorporar meu peito e meu pênis – cena primária –, o que lhe permitiu a estruturação de um mundo interno novo. Podia dizer que esta incorporação que se expressou no *sim* verbalizado anunciou o processo de cura.

Freud, no seu artigo sobre a negação,[5] interpreta o *sim* como aceitar, engolir, assimilar, incorporar, e o *não* como cuspir, como o rechaço à vida, expressando os instintos de vida e morte respectivamente. Quando Patrícia pronunciou o seu primeiro *sim*, decidiu viver no mundo.

Parece-me importante destacar – como exemplo do que significa a caixa individual para a criança – que, antes de pronunciar as primeiras palavras, o anunciou, deixando-a aberta e desfazendo os pequenos pacotes que havia fechado hermeticamente durante a primeira hora. Representava tanto a boca que fala como a vagina que recebe o pênis, assim como a mãe que concebe um filho. Claro que essa atitude de abrir-se a mim, de entregar e receber sofreu retrocessos e avanços durante o tratamento e muitas vezes regressou a sua atitude de isolamento e clausura total, para sair deles com novas conquistas. O refúgio de seu mundo interno e de suas dificuldades na formação de símbolos evidenciaram-se em jogos com substâncias que não correspondiam a sua idade. Todo o mundo externo era para ela imagem e semelhança de seu mundo interno, constituído por urina e fezes.

Dissemos antes que ela pensava ser diferente e incompleta, simbolizando esta sensação através de diversos jogos. Imaginava que sua imperfeição e esvaziamento deviam-se às más coisas que sua mãe colocou nela, assim como à falta de incorporação do pênis paterno. Como fantasia de cura, aparecia seu desejo de encher-se com as substâncias de sua mãe e minhas, mas somente a diminuição da ansiedade e a culpa, assim como a fusão das imagens extremamente boas e perseguidoras, permitiram-lhe esta realização mediante o vínculo transferencial e uma melhor relação com o mundo.

Durante suas sessões analíticas, raras vezes jogava com brinquedos. Preferia manipular substâncias como grafite, serragem, lápis, farinha, água, etc. Com isso simbolizava os conteúdos da mãe, dela mesma, a confusão do seu interior com o da mãe, sua avidez pelo interior desta e sua identificação com ela. Posteriormente, diferenciou as substâncias que fantasiava terem os adultos e das que atribuía às crianças. Expressou seus temores persecutórios e sua culpa roubando e danificando os adultos, como nesta segunda etapa da análise, quando brincava com a minha

---

5 FREUD, Sigmund: "La negación", vol. II, p.1.042, *Obras completas*, Ed. Biblioteca Nueva, Madrid, 1948.

bolsa, apoderando-se de todos os seus conteúdos. Às vezes, vendia-os por preços exorbitantes; outras vezes enganava-me, porque, após receber o pagamento, não entregava a mercadoria vendida. Estes jogos eram seguidos por crises de ansiedade e de raiva ou fugas do consultório de crianças, como se me temesse. Fabricou depois pacotes, que enchia de autos e aviões, mantendo-os hermeticamente fechados e de reserva, amontoados dentro de sua caixa, expressando sempre temores de ser roubada ou que alguém os danificasse.

O progresso na simbolização aumentou sua possibilidade de contato com o mundo externo; esta modificação se produziu, para ela, ao analisar-se e modificar seu mundo interno. Foi capaz de relacionar-se melhor com as irmãs e com algumas amigas.

Devo esclarecer que neste caso as circunstâncias na vida familiar tornaram-se muito difíceis em função de situações externas reais e não foi aconselhada nenhuma modificação para melhorá-las. O progresso de sua adaptação à realidade foi o resultado da análise de seu mundo interno e aprendeu a movimentar-se melhor dentro do ambiente familiar e, de um modo progressivamente mais adequado, no seu meio escolar, embora não pudesse ser considerada ainda como uma menina totalmente normal.

Verônica

Verônica era a filha mais moça de pais aparentemente sadios e de bom relacionamento como casal; os filhos pareciam ser normais. O fato de ter encontrado semelhanças entre Verônica e o caso anteriormente exposto fez com que o pediatra, que recomendou o tratamento,[6] pensasse que este podia ser-lhe de grande ajuda.

À entrevista inicial vieram o pai e a mãe. Pareciam muito preocupados pelas dificuldades da filha. Respondiam com facilidades às perguntas e informaram detalhadamente sobre o motivo da consulta. Recordaram muito pouco da história da menina. A descrição de sua vida diária, de como passava os sábados e os domingos e como eram festejados os aniversários foi muito resumida. Por momentos pareciam entender a gravidade dos transtornos da filha, especialmente alguns dos sintomas que os levava a superprotegê-la e a tratá-la como um bebê; por momentos, negavam a gravidade, referindo-se aos sintomas como sendo transtornos de conduta ou caprichos.

Quando fui consultada, os irmãos tinham treze e doze anos e a irmã dez, sendo os três aparentemente sadios. Segundo os pais, não apresentaram distúrbios evolutivos e suas escolaridades eram normais. Queriam que Verônica fosse analisada, porque a consideravam impossível de educar. Explicaram que Verônica tinha um atraso na linguagem, pois as palavras que aprendeu aos dois anos foi perdendo

---

6 Prof. F. Bamatter, da Clínica Universitária de Pediatria de Genebra.

pouco a pouco. Eles a compreendiam, mas as outras pessoas do meio ambiente não podiam reconhecer como palavras os sons que emitia. Além disso, embora acreditando compreendê-la, percebiam às vezes uma falta de relação entre os objetos e as situações expressas. Descreviam Verônica como muito nervosa, sofrendo crises de raiva e de choro, especialmente quando não a compreendiam, o que acontecia com muita frequência. Com estranhos esta sintomatologia se agravava, ficando incômoda e descontrolada. Destacaram que as fobias mais intensas eram às flores e aos cachorros, o que impossibilitava sua adaptação ao meio ambiente, já que, estando no campo, lhes era muito difícil evitá-los. Agregaram que parecia sempre atemorizada, que não olhava de frente, costumando observar as mãos das pessoas. Ao entardecer, ficava retraída, esperando a chegada da lua; a escuridão a aterrorizava e quando se aproximava a noite tinha verdadeiras crises de terror. Apesar disso, ia docilmente para a cama, sem pedir companhia. Tinham, por momentos, a impressão de não serem reconhecidos e diferenciados dos estranhos.

Verônica foi uma criança desejada e a gravidez transcorreu sem inconvenientes. O parto foi rápido – uma hora – e, segundo a mãe, totalmente normal. Três horas depois, ofereceram-lhe peito e succionou muito bem. A lactância materna durou três meses e, com desmame gradual, começou com a alimentação mista. Comia bem, embora não recordassem detalhes de horários e ritmos da alimentação. Sempre foi pouco ativa e de escassa habilidade motora; recordavam-na como um bebê tranquilo, que nunca protestava ou pedia algo. Teve transtornos durante a aprendizagem do caminhar, tendo medo de cair; seus primeiros passos foram muito inseguros. Não lembraram quando os deu, mas supunham que seria ao finalizar o primeiro ano. Como o processo foi muito lento, caminhou bem aos dois anos. A partir de então, não teve tendência a cair ou machucar-se.

As primeiras palavras foram pronunciadas aos dois anos, segundo os pais (aos três, pela informação do pediatra), mas perdeu-as progressivamente. Recordava fragmentos de canções em francês, que cantarolava por não articular bem, tendo uma notável afinação ao fazê-lo.

Desde essa época costumavam encontrá-la sozinha, falando consigo mesma e começou, ao entardecer, a esperar deslumbrada a chegada da lua. As poucas palavras que pronunciava nesses momentos não tinham relação nem com a sua atitude nem com o que parecia estar esperando.

Os pais a comparavam a um *doble*, copiando ou imitando as pessoas, sem ser nunca ela mesma. Nunca tinha pronunciado uma frase ou palavra adequada. Seus pais e irmãos falavam francês e espanhol; as empregadas e alguns amigos falavam somente espanhol. Não recordavam nada sobre a dentição, pensando que a evolução foi sem transtornos. Com relação ao controle de esfíncteres, disseram que foi conseguido facilmente e sem castigos corporais; pensavam que foi especialmente cedo, embora não recordassem a data exata em que o começaram. O informe do pediatra assinalava algumas perdas isoladas do controle urinário. O sono fora perturbado em certo período, que também não podiam precisar, relatando que atualmente dormia bem, embora não mais de cinco ou seis horas.

Nunca havia manifestado algum tipo de curiosidade sexual; não a tinham visto masturbar-se nem ter jogo algum desta índole com os irmãos.

Nesta segunda parte da entrevista, conhecemos muito mais do transtorno de Verônica e muitos dos detalhes agregados foram de especial interesse para nós. O dia de vida foi relatado de um modo muito sintético. Acordava cedo, tomava café da manhã sozinha (tomava desde pequena o leite no copo sem derramar). Não puderam lembrar quando tinha abandonado a mamadeira e o bico. Depois do desjejum, brincava sozinha, não conseguindo sair do jardim, pelas fobias mencionadas.

Quando perguntei quais eram os jogos de Verônica, relataram-me os dois brinquedos. Um consistia em tomar nos braços uma boneca, largá-la e retomá-la novamente; o outro era de introduzir objetos na boca, especialmente de metal. Como podemos ver, os dois jogos têm as mesmas características e podiam ser de um bebê ao finalizar o primeiro ano da vida. Às vezes tentava brincar com cubos, mas ficava impaciente e abandonava-os facilmente, destruindo o pouco que tinha construído. Rechaçava geralmente os brinquedos, quebrando-os ou ignorando-os.

Almoçava ao meio-dia com toda a família e parecia adaptada ao ritmo familiar. Raras vezes dormia a sesta. Tomava o chá com os irmãos, ficando depois com eles, embora, em realidade, não brincando nem relacionando-se com ninguém. Ao chegar a noite, embora o escuro lhe produzisse temor, ia para a cama sozinha e docilmente, sem protestar. De manhã também não exigia companhia, apesar de despertar-se muito cedo. Esperava com paciência a chegada de alguém que a levantasse e vestisse.

Em um momento da sua evolução – que não lembraram exatamente – despertava-se, de noite, atemorizada. Atualmente, isto não acontecia.

Aos sábados e domingos, a vida mudava muito pouco: iam à casa de amigos ou os recebiam em sua casa. Como isso transtornava tanto Verônica, evitavam-no cada vez mais. Os aniversários não eram especialmente festejados, já que não manifestava interesse por nada; inclusive podia-se dizer o contrário, que os estímulos novos a excitavam. Não tinha resposta afetiva positiva a nenhum estímulo e, por momentos, a mãe tinha a impressão de não ser reconhecida. Tinha inesperadas crises de raiva, gritando sem que ninguém pudesse compreendê-la ou acalmá-la.

Como não tinha habilidade motora, a mãe a vestia e desvestia, como também era obrigada a banhá-la, como se fosse um bebê. Contudo, não havia tentado que o fizesse sozinha, por julgá-la incapaz. Não recordavam enfermidades ou traumatismos.

Ao finalizar a primeira entrevista com os pais, ficou decidido o tratamento. Como não moravam em Buenos Aires, era necessário encontrar uma solução adequada, que possibilitasse o tratamento sem perturbar demasiadamente a organização familiar. Pela gravidade do caso e pelo tipo de transtorno, estava completamente contraindicado separá-la da família. Por outro lado, a gravidade do caso exigia um tratamento de muitos anos. Se a mãe ficasse em Buenos Aires para acompanhá-la, desmembraria também a família, separando-a do marido e dos outros filhos. Propus que tivéssemos períodos de tratamento, escolhendo os meses que considerassem como menos prejudiciais para a relação familiar.

Escolheram para o tratamento os períodos em que os filhos maiores estudavam internos em escolas, ficando livres os meses de férias. Estas resoluções foram tomadas por eles, antes de iniciar o tratamento. Não foi modificada a rotina diária. Propus seis sessões semanais, antecipando que a análise duraria anos e que os resultados eram imprevisíveis.[7]

Adverti-os de que durante o tratamento se sentiriam mais de uma vez sem esperanças ou com dúvidas e que nem então lhes poderia dar informações sobre a análise, nem aconselhá-los, apesar de entender que pudessem ser momentos difíceis. Que continuassem com sua modalidade educativa e que eles mesmos adequariam sua conduta às modificações de Verônica, na medida em que sentissem necessário.[8] O primeiro período de análise transcorreu sem que tivéssemos entrevistas, salvo no dia da despedida, quando a mãe me falou sobre algumas modificações que tinha notado na filha, combinamos a data de reinício do tratamento. Pouco depois, recebi uma longa carta do pai, que transcrevo mais adiante, quando comento como utilizei essas informações.

O primeiro período da análise durou quatro meses e foi realizado sempre com seis sessões semanais. Após uma interrupção de um mês, reiniciamos por cinco meses. Interrompeu-se depois em função das férias de verão, reiniciando no ano seguinte, até novembro, sem interrupção, quando demos por terminada a primeira etapa do tratamento.

Resolvemos que ficaria sem análise por um tempo – como prova –; decidimos assim por considerar uma vez mais o sacrifício que significava para os pais o tratamento e também porque se havia conseguido progressos mais rapidamente do que o esperado. Se tivesse alguma dificuldade especial ou retrocesso, repensaríamos a decisão.

Como a mãe tinha dificuldades externas e internas para dedicar a sua filha o tempo e o contato que lhe eram imprescindíveis, foi viver com eles uma moça que se ocupava exclusivamente de Verônica.[9] Era uma pessoa bem dotada, que compreendeu que devia ser apoio nas suas conquistas, mas sem forçá-la. As atividades de Verônica incluíam exercícios e jogos, visando a favorecer o desenvolvimento motor; um mínimo de aprendizagem escolar, consistente no ensinamento de letras e números, alternado com desenhos livres[10] e o ensinamento de pequenos trabalhos manuais e domésticos, como pôr a mesa, fazer sobremesas, costurar e bordar. Verônica gostava e chegou a mostrar grande habilidade nessas atividades femininas,

---

7 Apesar dos progressos da filha, quando meses depois me entrevistei com eles novamente, não agregaram nada de novo ao já exposto.

8 Cf. capítulo 8.

9 Embora Verônica tivesse melhorado, estava ainda muito abaixo da evolução normal de sua idade e como a mãe não se sentia em condições de dar-lhe a atenção necessária, recorreu a este meio.

10 Com as letras teve a mesma dificuldade que com as palavras; podia reproduzi-las, mas não compreendia seu significado. Em seus desenhos, repetia sempre um tema: um bebê deitado num berço.

alcançando nível adequado à sua idade. Como resultado desse período, pôde ingressar numa escola de campanha, como ouvinte, no primeiro ano inferior. Observou-se certa melhora no seu contato afetivo com as outras crianças, pois realizava com elas alguns jogos. Com seus irmãos, a relação era excelente.

Durante esse período a vi em duas oportunidades e tive notícias dela pelos pais. Os progressos se mantêm e diria que continua progredindo. Lamento não poder oferecer uma série de fotografias, presente dos pais, onde se vê a progressiva melhoria de seu aspecto, desde uma cara inexpressiva, dramática, no dia em que a conheci, até a de uma menina alegre, quase normal.

Seu tratamento continuará por muitos anos e talvez através dele possamos esclarecer a origem do seu sintoma e levá-la a uma melhora nas relações com o mundo. Ainda é uma criança que, apesar de falar bem francês e espanhol, adaptando-se às exigências ambientais, brinca pouco, sendo sua aprendizagem escolar muito precária. A mesma dificuldade que apresentou para o uso das palavras apareceu agora no uso dos números e letras. É capaz de repeti-los e copiá-los, mas sem compreender seu significado.

Passarei a relatar o primeiro período de tratamento. Embora me descrevessem Verônica como uma menina muito estranha, principalmente no informe do pediatra,[11] seu aspecto me impressionou, assim como seus alaridos de raiva e medo. Tinha quatro anos e oito meses. Era magra, alta para sua idade, com olhar inexpressivo. Em seu rosto havia algo dramático e tosco, um estranho contraste entre o olhar inexpressivo e um rito que imprimia em sua boca algo parecido a um sorriso. Suas mãos, de dedos finos, estavam sempre frias.

Quando a mãe a apresentou, deu-me sua mão, fazendo uma pequena reverência de modo automático e entrou na sala de jogos sem evidenciar angústia, como se ignorasse a separação com a mãe, que ficou na sala de espera.[12]

Numa mesa baixa tinha colocado taças, pratos, talheres, cubos, vários bonecos, alguns pedaços de pano, lã para tecer e cola. Não sei se poderei reproduzir a monotonia e a dificuldade que transcorreu nos primeiros meses do tratamento, mas tentarei.

---

[11] Transcreveremos um fragmento do informe do pediatra: "Não foram encontrados na menina indícios de uma afecção de tipo encefalopático congênito, devido a traumatismos obstétricos ou a lesões em sua infância. Também não temos motivos para diagnosticar uma enfermidade hereditário-degenerativa que atinja especialmente o cérebro. Quanto à hipótese de uma embriopatia, faltam-nos elementos na anamnese para sustentá-la; por outro lado, as manifestações que apresenta a menina não são de tipo embriopático.

Os transtornos que sofre são essencialmente de natureza psíquica, comprovando-se falhas no sistema de associação. Propomos basear as futuras medidas psicopedagógicas sobre este terreno, por sorte não desprovido de possibilidades para oferecer à menina ocasião de progredir em seus conhecimentos, seja no domínio de seu vocabulário, como no de atividades manuais e sociais, rodeando-a de pessoas experientes na matéria de pediatria mental".

[12] Reação típica de crianças autistas.

Na primeira sessão, sem olhar nada do que a rodeava, dirigiu-se à torneira, abriu-a, colocando as mãos em contato com a água.[13] Parecia alucinada e ria ou gritava aterrorizada quando se molhava; as mudanças de expressão eram rápidas e imprevistas. Sussurrava algo, dirigindo-se à água, como se fosse habitada por um personagem invisível. As modificações eram súbitas e extremas. Quando parecia mais assustada, atirava água fora da pia, ficando paralisada, principalmente quando esta tocava seus pés e pernas.

Interpretei essas modificações em suas reações quando estava em contato com a água como aspectos extremamente bons ou maus de seu contato comigo como uma repetição do que sentia com sua mãe; que me falava para fazer-me boa ou má e quando não se realizavam seus desejos, ou não se sentia compreendida, atirava água fora e se assustava, ficando paralisada. Pareceu não entender a interpretação, mas abriu a porta e olhou à mãe. Longe dela, deixando-a sozinha, sentia-se má, assustando-se, enquanto que eu, ali com ela, tentando entendê-la e acompanhá-la, era como a água para quem ela sorria. Interpretei que essas ordens que dava à água dirigiam-se a sua mãe e a mim, tentando dispor de nós à sua vontade, separando-nos ou afastando-nos dela. Se não respondíamos a seus desejos ou não a entendíamos, ficava braba e nos atirava fora; mas uma vez fora, tinha medo que a perseguíssemos, causando danos. Por isso ficava paralisada, paralisando-nos dentro dela.

Sua limitada relação com o mundo expressava-se, no consultório, na relação exclusiva com a água. O desconhecimento e rechaço de tudo o que a rodeava e dos conteúdos da sua caixa – que só olhava – mostrava-nos qual era sua posição frente ao mundo exterior.

Interpretei a água como aspectos da mãe e meus, que ela fazia bons ou maus falando. Se não respondiam a seu mando se assustava e a jogava fora. Mas fora a assustava ainda mais; pensava que podiam machucá-la e ficava paralisada, paralisan-

---

13 A água é um dos elementos mais utilizados pelas crianças durante suas sessões, principalmente no início do tratamento psicanalítico.

Além do significado simbólico que adquire segundo a situação global, é interessante assinalar que a idéia da água como princípio primordial deriva das mais antigas teogonias e cosmogonias do Oriente. É frequente encontrar nelas o mito de um caos aquoso primordial, de onde teria nascido o cosmos e a vida. Transcreveremos a seguir um fragmento de antigos papiros egípcios, fragmento que figura na *Histoire ancienne des peuples de orient*, de Maspero, citado por R. Mondolfo, em *El pensamiento antiguo*, I tomo, p. 14, Editorial Losada, 1952.

"Ao princípio era Nun, massa líquida primordial, em cujas infinitas profundidades flutuavam confusos os germes de todas as coisas. Quando começou a brilhar o sol, a terra foi aplanada e as águas separadas em duas massas diferentes: uma engendrou os rios e o Oceano; a outra, suspensa no ar, formou as águas do alto, nas quais astro e deuses, transportados por uma corrente eterna, começaram a navegar."

Estes mitos se transmitem à Grécia e a investigação científica e filosófica se inicia em Jônia, com Tales de Mileto, que afirma que a água é o princípio dos seres. Segundo a explicação dada por Aristóteles – Metafísica I, 3 –, esta concepção derivaria da observação de que a umidade é a nutrição de todas as coisas e que até o calor se engendra na água e vive. Conclui que isto, do qual se engendram todas as coisas, é precisamente o princípio de todas elas.

do aos objetos maus. Sentia não poder desvencilhar-se deles, nem dentro, nem jogando-os fora.

Embora aparentemente não me escutasse, a expressão de terror estampada em seu olhar quando abriu a porta e espiou a mãe, enquanto para mim sorria, fez-me compreender que, neste momento, o medo era dirigido a ela. Completei a interpretação dizendo que a mãe, longe dela e deixando-a sozinha, era como a água que assustava, e eu, acompanhando-a e tentando entendê-la, era como uma água boa, a quem ela sorria. Este jogo, com poucas modificações, repetiu-se durante várias sessões, quando voltava a formular as interpretações, baseando-me nas expressões que adquiria seu rosto quando tocava a água ou a derramava. Chamava a atenção o aumento do medo e da tensão muscular quando a água caía fora da pia. Interpretei esta ação como uma tentativa de tirar de dentro dela, de sua mãe e de mim tudo isso que a assustava e que logo a paralisava. Que estas eram as coisas das quais não podia falar. Também interpretei que quando sussurrava falava à água-mãe; era para fazer-nos amigos ou inimigos à sua vontade, atirando-nos fora ou colocando-nos dentro dela, mas se não respondíamos a seus desejos, se desesperava.

Impressionou-me muito sua reação durante uma dessas sessões. Eu tinha ficado abstraída, sem interpretar durante alguns minutos. Atraiu minha atenção para ela com um jato de água dirigido aos meus olhos. Interpretei que necessitava que eu observasse e entendera sempre o que acontecia em sua mente. Que despertar-me desta maneira significava pedir-me que estivesse sempre alerta para entendê-la e curá-la. Compreendi que o vínculo que havia estabelecido comigo estava suficientemente forte como para que pudesse agredir-me com a água, despertar-me e dispor de mim à sua vontade. Esta modificação no vínculo transferencial era de suma importância, já que a mãe a descrevia como um bebê tranquilo, que nunca pedia nada. A água ficou correndo na pia durante toda a hora, transbordando e caindo no chão, sem que dessa vez causasse ansiedade. Interpretei a necessidade que sentia de dispor de forma incondicional de meu peito e de meu leite para curar-se; ela queria que não se interrompessem nunca, como o cordãozinho que a uniu a sua mãe quando estava em seu ventre. Ela agora podia modificar o que ocorrera ali dentro, refazendo comigo aquelas experiências e reclamava que não fosse cortado o fluxo de minhas palavras – leite –, pois elas iam entrando em sua mente, alimentando-a.

Durante a sessão seguinte, comeu sujeiras do chão e chupou a água que tinha derramado da pia. Interpretei que estar neste quarto era como estar na barriga da mamãe, comendo de mim para alimentar-se, mas estava forçada a comer sujeiras e água ruim – a água que ela expulsava –, como pensava que ocorrera dentro de sua mãe.

Depois de comer as sujeiras e beber a água do chão, teve crises de desespero e medo. Interpretei-lhe que sentia que eu – como sua mãe – a atacava por dentro com a água e as sujeiras, obrigando-a a ficar com elas dentro e impedindo que se curasse. Também interpretei que ela não falava porque sairiam de sua boca lixo e água suja; que necessitava guardar tudo dentro, porque, embora fossem coisas ruins, eram melhores que ficar vazia. Quando queria livrar-se de tudo isso e não podia, gritava, batendo com os pés no chão, como também o fazia quando queria falar para que a entendessem e não conseguia. Utilizei aqui o conhecimento, proporcionado pelos pais, de que sua resposta era espernear e gritar quando não era compreendida. Interpretei também que, colocando dentro dela estes pedaços de sujeira, mostrava que se sentia com pedacinhos de palavras que tirava para fora, como gritos, mas que não chegavam a juntar-se em palavras.

Depois das interpretações, costumava virar-se de costas, o que interpretei como seu esforço por não ver o que eu lhe mostrava, porque eram conteúdos muito penosos. Lembrando que um dos seus sintomas era não olhar de frente e fixar o olhar nas mãos das pessoas, interpretei a parte positiva de dar-me as costas. Disse-lhe que não olhar-me de frente significava que tinha menos medo a ser atacada por mim e não necessitava observar minhas mãos para prevenir o que eu fosse fazer com elas.

Outras vezes, após as interpretações, fugia da sala, fato interpretado como seu temor a mim e também porque temia machucar-me. Escapando, fugia do *insight*, que significava ficar comigo e ver o que existia dentro dela e dentro de mim.[14]

Interpretei também a fuga como uma forma de preservar-me; desaparecia para não atacar-me. A estas fugas seguia-se uma incorporação desesperada de água da torneira, interpretada como um reencontrar-me.

Essas reações levaram-me a pensar que o atraso no caminhar e na linguagem estavam relacionados à dentição. Fatos posteriores ajudaram também a encontrar um vínculo entre a dentição e o caminhar,[15] mas não obtive novos dados dos pais que confirmassem esta hipótese.[16]

Costumava ir ao banheiro urinar e defecar, deixando a porta aberta; eu devia ficar olhando enquanto evacuava, desejando que eu compreendesse o que ela sentia quando saíam a urina e a matéria fecal. Que eu era ela, tendo que observar o que faziam os pais. Este era seu modo de recordar e expressar suas angústias com a cena primária e o sentimento de solidão. Interpretei também que temia ficar vazia e que a minha presença proporcionava a segurança de que teria onde tirar substâncias se as dela terminassem. Nesses momentos eu voltava a ser o terapeuta e ela a menina abandonada.

A separação do pai, imposta por mim para curá-la, parece que foi sentida como uma repetição das proibições maternas de aproximar-se dele. Isso reforçou o vínculo com a mãe-peito, negando o aspecto genital materno. Pensava também que deveria existir uma relação entre a facilidade com que foi conseguido o controle

---

14 KLEIN, Melanie. "The importance of symbol-formation the development of the ego", op. cit.

15 PICHON RIVIÈRE, Arminda Aberastury de. "La dentición, la marcha y el lenguaje en relación con la posición depresiva". *Rev. de Psicoanálisis*, tomo XV, n° 1, 1958.

16 Durante o tratamento, a única informação que pude obter foi que aos nove meses apresentaram-se múltiplos sintomas. Entre eles, o pavor noturno. Mas não deram nenhum dado sobre a dentição.

precoce de esfíncteres e o fato de que ela guardasse as palavras, que tinham adquirido o significado de substâncias que desprende por submetimento e medo. Principalmente se a aprendizagem se iniciou na segunda metade do primeiro ano, as palavras teriam o significado de produtos da união genital e estariam em estreita relação com a cena primária.

Uma regressão que sofreu no terceiro período de análise, quando perdeu durante as sessões a capacidade de andar e a linguagem adquirida no tratamento, confirmou minha hipótese. Nessa regressão manifestou-se um sintoma que os pais reconheceram como a repetição de outro que Verônica padeceu aos nove meses. Era uma espécie de ruído com a garganta, acompanhado de um espasmo, algo como um soluço. A dentição, o caminhar e o som desarticulado apareceram então intimamente relacionados. Durante o primeiro período – depois das sessões em que ia ao banheiro urinar e defecar e das interpretações expostas – sua reação era no sentido de prolongar muito o ato. Sorria, às vezes, com uma expressão de triunfo, interpretado por mim como uma negação maníaca, onipotente, encobridora do temor de estar vazia e abandonada, enquanto os pais copulavam.

Voltou a brincar na pia, repetindo os primeiros jogos. Parecia tão alucinada como a princípio. Interpretei dessa vez principalmente os aspectos dissociados de sua relação comigo, sem marcar a diferença entre a mãe e eu, e sim a dissociação entre a mãe-peito e a mãe-genital. Agreguei que tudo isso estava sentindo comigo – mãe e pai unidos, a mulher com pênis – e que se assustava da possibilidade de que tudo isso acontecesse dentro dela e também fora.

Verteu a água da pia, urinou-se e quis sair da sala. Disse-lhe que eu estava ali como uma pessoa, além de estar na sua mente, assim como a água estava dentro e fora da sua mente ao mesmo tempo. Olhou, então, a caixa de brinquedos que nunca tinha tocado. Interpretei que o conteúdo dessa caixa que não tocava e que agora me apontava com os olhos era como todas as coisas que ela ignorava. Deixando tudo dentro da sua mente – não ver os brinquedos na caixa –, não colocava as coisas para fora. Podia fazê-lo com a água, que era como o peito e o leite que ela conhecia, podendo colocar dentro ou fora dela à vontade. Tinha medo de que todas essas coisas saíssem de sua mente, estivessem fora, escapando de seu domínio, não sendo ela capaz de transformá-las à sua vontade, como fazia com a água. Que essas coisas representavam também a mim e tudo o que de mim ignorava e não se animava a investigar – a mãe genital – e a aceitar que existiam fora de sua mente e de sua vontade. Que ela, na sala de jogos, era ela dentro do ventre da mãe, curiosa, mas com medo de ver outra coisa que não o peito com leite – água que já conhecia. Não ver as outras coisas que a mãe e eu tínhamos – o pipi do pai, cocô, crianças – era como não ver os conteúdos da caixa.

A água que aparece e desaparece de acordo com a sua vontade[17] era o peito, com quem jogava a tê-lo fora e dentro de acordo com a sua necessidade – introjeção,

---

17 FREUD, Sigmund. "Más allá del principio del placer", tomo II. *Una teoría sexual y otros ensayos*, p.285.

projeção. As coisas que não explorava eram perigosas, pois não as conhecia; tinha medo, porque não sabia usá-las – por isso recorria à negação: matava as percepções.

O JOGO COM O DISCO

Na sessão seguinte trouxe-me um disco. Parecia muito exaltada e a mãe contou que foi impossível tirá-lo dela. Quando entrou, colocou um lápis no orifício central do disco, fazendo-o girar com movimentos rápidos e nervosos. Colocava a unha do dedo indicador sobre a parte sulcada e aproximava o ouvido, fazendo como se escutasse. Em continuação, tomou minha mão e com meu dedo indicador atritava como ela mesma tinha feito, obtendo dessa forma um som que atentamente escutava. Fez-me escutar, escutando ela outra vez depois. Em seguida, fez o mesmo movimento com minha unha sobre a parte lisa do disco, que, ao não ter sulcos, permaneceu sem ruídos. Interpretei que mostrava que em seu corpo havia ruídos, palavras que eu devia procurar arrancar, zonas que falavam e que eu devia encontrar. Interpretei que, como esse disco, ela tinha sons encerrados e queria que eu encontrasse a forma de colocá-los para fora. Fez girar então com força o disco, de tal forma que caiu no chão, fazendo-se em pedaços. Recolhendo-os, mostrava-me muito ansiosa as partes cortantes, os fios e as pontas, fincando-os na minha mão, como para fazer ver que doíam. Interpretei que esses pedaços quebrados eram, dentro dela, as palavras que a machucavam, que a faziam sofrer e não podia arrancá-las para fora. Eram como idéias que não podiam localizar-se em palavras, com toda a dor que essa dificuldade de expressão significava. Mostrou-me como sentia que suas palavras eram pedaços quebrados que fincavam, feriam, e que ela sozinha não os podia juntar. Representavam também os dentes, que cortam as palavras; quando gritava, punha para fora esses cacos e a sua dor. Assim como o disco quebrado já não reproduz música, ela não fazia palavras, porque estava em pedaços. Sentia que tudo estava irreparavelmente destruído dentro, cortando-a e fincando; fora dela também tudo estava despedaçado como o disco. Em resposta a minha interpretação, aproximou-se tocando-me o peito, com expressão muito ansiosa. Interpretei que tinha medo que meu peito também estivesse quebrado e que não pudesse curá-lo, fazendo-o falar. Procurou cola na caixa, que me entregou, juntamente com os pedaços do disco. Interpretei que um pouco de confiança tinha recuperado ao sentir que meu peito estava ali, não tinha desaparecido, e que podia então colar com meu leite os pedaços de palavras para fazê-las soar. Aproximou-se de mim, apoiando todo o seu corpo no meu. Interpretei que queria entrar toda ela dentro de mim e não somente suas palavras; queria estar dentro de mim com as palavras inteiras que eu pronunciava. Agreguei que agora animava-se a olhar e a meter-se dentro de mim, porque tinha recobrado a fé no leite bom, fazendo menção à água que usou nas primeiras sessões e ao meu seio. Também interpretei que a fusão comigo era ter meu seio e meu leite, ter minhas palavras, e não sofrer de ciúmes e de raiva contra mim e contra todos os que falavam.

Retornou ao jogo com água, parecendo alucinada. Interpretei que agora eu era como a água: se a entendo e a quero, me sente bem, dentro e fora dela; se não a compreendo e não lhe dou o que necessita, sou má e terrível; sou eu quem lhe rouba as palavras.

Mergulhou as mãos na água, olhando o que fazia com uma expressão extasiada. Interpretei que colocava dentro dela a água, o leite, palavras, banhando-se com elas, possuindo-as.

É importante assinalar que o disco em pedaços foi guardado por ela dentro da caixa, representando para Verônica algo similar ao que para Patrícia representava o grafite e a serragem do lápis guardados nos pacotinhos.

Em muitos momentos, interrompia seu jogo com a água, para aproximar-se e afastar-se de meu corpo. Inspecionava-nos atentamente, a mim e à água como se esperasse que algo em nós modificasse de acordo com o que ocorria com ela. Interpretei que observava se a água, a cola e seu contato com meu corpo tinham conseguido colar os pedaços e que, se fosse assim, estaria certa de que as palavras se tinham colado dentro dela e poderia falar. Também interpretei que esses pedaços quebrados dentro da caixa eram ela quebrada em pedaços dentro da mamãe antes de nascer e que procurava uma forma de colar e arrumar a barriga da mamãe com os pedaços, para sair bem dessa vez. Agarrou o frasco de cola e espalhou-a nas mãos, nos pedaços de discos e nas paredes. Interpretei que agora todo o quarto era minha barriga, com ela dentro, e que tentava arrumar a mim e a ela, simbolizando a barriga da mãe com ela dentro.

Na sessão seguinte, entrou dizendo com voz clara e tom interrogativo: "Senhora?!" Interpretei que perguntava como tinha ficado eu no consultório, enquanto ela não estava comigo – a mãe externa – e que me mostrava como dentro dela – a mãe interna – me havia colado e estava completa, já que podia nomear-me. Que na sua solidão tinha conseguido refazer-me dentro dela. Também que com seu tom interrogativo perguntava, a si mesma e a mim, se essa palavra colada, fora dela, significava que dentro estaria colada e tudo arrumado. Procurou os pedaços do disco dentro da caixa, tentando fazer soar cada pedaço. Depois os colou, um ao lado do outro, sem poder uni-los. Interpretei que tinha medo de que algo continuasse quebrado dentro dela e de mim, como o disco; que somente eu dentro dela – a palavra senhora – estava arrumada, mas que ainda tinha muitos pedaços quebrados, como papai e mamãe quando estão juntos.

Fiz esta interpretação tentando incluir os pais no momento da concepção, mas sua falta de resposta mostrou-me que em sua mente não estava nesse instante o casal de pais, mas ela e a mãe ou eu e ela. Pensava que ver o pai e a mãe unidos, na casa, ao voltar – era a penúltima sessão – tinha que significar algo, já que os separou para vir a Buenos Aires e continuar o tratamento. Mais tarde, compreendi que nela estavam confundidos tempo e espaço e que a idéia da viagem e da união dos pais não estavam inter-relacionados, como também não estavam o passado, o presente e o futuro.

No dia da última sessão, trouxe um ramo de flores e disse: *"C'est pour vous, madame"*. Parecia muito emocionada, mas falou claramente. Chamou-me a atenção que manifestava muito afeto neste olhar, que ao começo do tratamento era tão inexpressivo. Interpretei que, antes de ir, me mostrava que eu estava dentro dela, que podia tirar-me para fora e colocar-me para dentro, como essas palavras que tirava de dentro e saíam por sua boca. Que levar-me dentro permitia-lhe vencer o medo às flores e que as trazia para que eu compreendesse que necessitava levar-me com flores dentro, para enfrentar "*la campagne*" cheia de flores, tão temidas antes. Estas flores – que foram objeto de sua fobia – simbolizavam os campos dos pais, o encontro com eles, com os irmãos, com todos os seus problemas e longe de mim. Durante a sessão, deu-me várias vezes as flores, jogo que interpretei como tentativa de vencer pouco a pouco os medos de aproximar-se delas. Antes de sair, pediu para levar um frasco de plástico – inquebrável e de fechamento hermético – com que tinha brincado muito nas últimas sessões. Significava sua segurança de que não se quebraria nosso vínculo: quando me necessitasse, teria um objeto real que me personalizava e a ajudaria a enfrentar suas dificuldades. Era a expressão de sua necessidade de levar-me dentro e fora.

Quando me despedia, a mãe comentou que era impressionante a vontade com que ensaiou toda a manhã esta pequena frase e o gesto de agarrar as flores e entregar-me.

O que já foi exposto do material de Verônica nos dá uma idéia de como evoluiu seu mundo interno. Agora veremos como essas modificações se refletiram no mundo externo, para o qual nada melhor que trancrever fragmentos da carta que mandou o pai um mês depois de ela estar novamente em casa.

FRAGMENTOS DA CARTA DO PAI

1 – Maneja as coisas com cuidado e habilidade, o relógio de pulso, o acendedor, copos, giz, etc. Procura desarmar sua caixinha de música com a intenção de conhecer o seu conteúdo e em seguida a traz, para que a consertemos.

2 – Fala muito e capta quase tudo; às vezes diz palavras que nos surpreendem. Sabe o que quer e busca os meios de consegui-lo. Faz pequenos serviços, como recolher coisas do chão e colocar no lugar, levar a cesta de papéis quando é solicitada, procurar o pano de chão e secar, se derrama água. Pode procurar um brinquedo definido: sua caixa, sua boneca, sua caixa de música, um livro.

3 – Põe e tira a roupa sozinha e vai para a cama sem companhia quando se sente cansada. Quando lhe preparam o banho, tira a roupa e se lava. Não gosta de ter os sapatos desatados e pede para que alguém os arrume.

4 – Entretém-se desenhando ou recordando. No momento em que escrevo, a ouço dizer: "*On va manger*" e, efetivamente, é a hora. Reconhece as pessoas, inclusive as que há muito tempo não vê. Quando está entretida, por exemplo, com o meu isqueiro ou relógio, peço-o e me entrega facilmente. Gosta de determinadas comidas; se sabe nomeá-las, entra na cozinha e pede. Sintoniza o rádio nos programas de que mais gosta, mas tem pouca paciência e constância para escutar ou para

vencer qualquer dificuldade: desanima com facilidade. Pouco depois de chegar, depois do tratamento, não se evidenciaram esses progressos; mas em seguida começaram a aparecer as modificações.

Assim como parecia ignorar a mãe, agora é muito carinhosa com ela e exige vê-la.

Continua dormindo pouco, não parecendo necessitar mais.

Se analisarmos essas modificações que o pai assinala, o mais importante é o que se refere à atitude com a mãe e ao tratamento que dá aos objetos. Recordaremos que na primeira hora de tratamento separou-se da mãe sem manifestar nenhum afeto e que os pais diziam que parecia não interessar-se por coisa alguma. Em seus jogos, expressou o motivo desta anestesia afetiva. Surgia destas imagens aterradoras, que ela era incapaz de confrontar com a realidade, por negá-la. A imagem dissociada da mãe era consequência da falta de fusão entre os instintos de vida e morte que a levavam a posições extremas e afastadas da realidade. Nesta forma de vínculo, os mecanismos de defesa a que o ego recorre, como a paralisação, a expulsão violenta, a negação, a idealização e a onipotência, fazem com que do objeto real nada seja visível. Os sentidos são negados pelo temor a que se reproduzam as características do objeto interno. Provocavam uma verdadeira ruptura da percepção.

O cuidado pelo objeto indicava um grande progresso na relação com o mundo e um primeiro passo na elaboração da fase depressiva: a diminuição do sadismo para preservar o objeto.

As tendências de reparação que se observam em seus progressos na higiene e no seu interesse em arrumar as coisas também significavam um avanço na elaboração da depressão. A caixa de música que desarmava era a representação de si mesma. O pai tomava ali o papel de terapeuta, assim como, no seu retorno, eu tive que tomar o papel de pai e brincar com a caixa de música.

Sua curiosidade pelo interior dos objetos – corpo da mãe –, antes tão reprimido, agora era expressa mais livremente com a caixa de música. Era prova da diminuição das tendências agressivas, enfatizando assim o primeiro progresso comentado.

Não existindo a posse e exploração sádica do corpo da mãe do mundo exterior, cessa quase que totalmente qualquer relação simbólica com as coisas e objetos que os representem, impedindo, consequentemente, o contato com o mundo exterior.

Como Marta, Verônica submeteu-se, deu suas matérias fecais e urinárias – recordar a aprendizagem precoce e fácil –, mas guardou as palavras, que têm o valor mágico. Também o progresso em sua linguagem fazia pensar que, em parte, a depressão tinha sido dobrada, melhorando a comunicação com o mundo: "Sabe o que quer e busca os meios para consegui-lo". Este período do tratamento durou quatro meses, com seis sessões semanais.

Na segunda fase da análise, brincou, durante muitas sessões, de conduzir o elevador.[18] Interpretei este jogo como uma tentativa de elaborar as separações que

---

18 Este elevador estava muito perto do consultório, onde se realizaram as sessões, na minha casa.

a obrigavam ao tratamento. Tentava elaborar, através da relação entre um andar e outro, a que existe entre espaço e tempo. Assim a passagem do térreo ao primeiro andar representava, para seu inconsciente, a viagem do campo até Buenos Aires para encontrar-me; também em sentido contrário, de Buenos Aires ao campo, onde encontraria os pais e os irmãos. Este jogo teve múltiplas variações. Às vezes pretendia que eu entrasse, ficando ela do lado de fora da grade; outras vezes era ela quem entrava. Além de interpretar o significado de abandono e de clausura, provenientes de suas dificuldades de contato, impedi ativamente que ela ficasse sozinha dentro do elevador, com a grade fechada, porque podia provocar uma situação de perigo. Também não aceitei entrar no elevador.

No seu jogo, subir ao segundo andar representava o progresso realizado no segundo período de análise. Simbolizava os retrocessos, pelas descidas ao térreo; ir até a porta de saída significa interrupções e o retrocesso do tratamento. Expressava na união tempo-espaço a percepção dos períodos de tratamento e o espaço percorrido para reencontrar-me ou reencontrar o pai.

Interpretei que ela queria fazer-me aparecer e desaparecer a sua vontade; além disso, colocava qualquer objeto que me representasse, ao invés de minha pessoa. Neste segundo período, elaborou progressivamente a diferença entre mundo externo e interno, manifestando esforços por estabelecer uma relação entre o tempo e o espaço. Evidenciou-se que confundia o tempo (hoje com ontem) e o espaço (querendo ir para um andar alto oprimia um botão que a levava para baixo). Com relação à linguagem, tinha progredido. Adquiriu novas palavras, utilizava-as corretamente, nomeando as coisas como correspondia. Dizia, por exemplo *Senhora* e me agarrava a mão para que a ajudasse a procurar sua mãe, a quem dizia *mamãe*; já não era como na primeira etapa, quando nos confundia. Agora aceitava a existência de uma mãe real e de uma terapeuta, que era para ela como uma mãe. Numa sessão, fingiu escutar algo que, pelos movimentos que fazia com seu corpo, parecia música. Mas este modo de fingir era muito diferente do primeiro período e suas alucinações. A diferença estava em que agora ela podia evocar uma imagem interna, fazendo-a aparecer ou desaparecer. Isto significava o começo do controle sobre seus objetos internos de um modo mais adequado à realidade.

Como os pais informaram que quando escutava a caixa de música costumava dizer *Senhora*, interpretei que escutar música e aproximar-se de mim para que escutasse era como estar com seu pai escutando com ele a *boîte à musique*. Que parecia ter sofrido muito por não me ter junto com ela na casa dos pais.[19] Que agora, comigo, ao fazer música, era como se o pai, ela e eu estivéssemos unidos para não sentir a tristeza pelas separações, como para não aceitar que seu pai estava longe e que, para me ver e curar-se, tinha que separar-se dele. Com a música nos juntava dentro dela; ver-nos separados a entristecia e assustava; conseguia assim

---

19 Ao terminar o primeiro período de tratamento, quis levar um frasco de plástico, que fechava hermeticamente, utilizado por ela em muitas sessões. A mãe contou-me que não se separava dele.

ter-nos dentro. Interpretei isso também em relação ao pai e à mãe, a quem também separava quando vinha. A música, neste momento da análise, representou o que no primeiro período simbolizava a cola, isto é, a união dentro de si dos fragmentos de palavras. Seguidamente tocava nos pedaços de disco. Quando a unha passava nos sulcos, fingia escutar música, dizendo: *la boîte à musique*.

Quando Verônica, numa sessão, trouxe tesouras para recortar, fiz uma longa retrospectiva sobre o seu processo de simbolização. Primeiro usou a água, que foi substituída pelo disco; depois o contato direto do seu corpo com o meu, posteriormente substituído pela cola; esta depois deu lugar à música, ou seja, uma simbolização de contato psíquico, de pensamento. Agreguei que agora podia separar os pedaços, porque sentia que também era capaz de uni-los. Com o mesmo significado, enquanto dava corda e fazia soar sua caixa de música, mordia desesperadamente qualquer objeto. Se a música parava, deixava de morder. Interpretei que agora podia desgarrar com os dentes, porque contava com a segurança de ter algo que incondicionalmente simbolizava união – a música.

Ao terminar esse período, que durou cinco meses, com seis sessões semanais, a mãe me disse que tinha notado que Verônica era capaz de prever as consequências de seus atos. Como exemplo, contou que, ao início do tratamento, era impossível mantê-la numa fila quando esperavam condução; atualmente, era capaz de integrar-se sem mostrar impaciência. Contou também que cada vez falava mais e melhor, que reconhecia formas e seguia os contornos com os dedos, fato que interpretei como um importante passo para a abstração. Disse-me que começava a reconhecer as cores e que isso aconteceu posteriormente ao reconhecimento das formas. Que, brincando, insistia em denominar objetos e cores, fazendo-os de forma adequada. Assinalou-me também que conhecia todas as pessoas de seu meio ambiente, chamando-as por seus nomes. As crises de raiva eram menos frequentes, adaptando-se mais facilmente às exigências diárias da realidade. Que a reconheciam como afetuosa, coerente em suas reações, capaz de obedecer, mas que seu nível de jogo era ainda muito baixo e sofria frequentes depressões.

Verônica iniciou seu terceiro período de análise depois de um intervalo de seis meses. O intervalo se prolongou mais que o previsto – os quatro meses de férias – em função de dificuldades deles e minhas.

Em sua primeira sessão, relatei-lhe o que os pais me contaram sobre ela. Contrastando com todos os progressos, encontrei-me com uma menina quase muda, que me olhava como se eu fosse uma estranha. Seu aspecto físico era excelente. Tinha crescido muito, estava com aspecto saudável e não se encontravam rastros da criança inexpressiva do começo do tratamento. Seu olhar atual incluía raiva e ressentimento.

Titubeou, antes de entrar no consultório, observou tudo com grande atenção, realizando uma cuidadosa inspeção na sua caixa; interpretei como desconfiança e medo de que durante todo esse tempo as coisas tivessem se modificado nela, em mim e em nossa relação. Penso que esse retrocesso foi consequência da longa separação, assim como da raiva que lhe causara ter de separar-se de novo do pai.

Negava minha existência quando entrava no consultório, para não ver sua enfermidade, que a obrigava a essa separação. Ao sair do consultório, ficava como perdida e hesitava em voltar à sala. Observei que tinha a mesma expressão de quando saía da sala para ir ao quarto contíguo, que ela designava como quarto do pai. Neste período, seu caminhar era cambaleante e as crises de ansiedade eram tão agudas que tínhamos, às vezes, que interromper as sessões antes de terminados os cinquenta minutos.

A mãe parecia muito angustiada. Relatou-me por telefone que não entendia por que a filha durante todo o dia esperava a hora de ir ao consultório, mas quando chegava a minha casa, parecia atemorizada. Contou também que falava muito do pai e queria voltar ao campo.

Transmiti a Verônica essas palavras da mãe e agreguei minha interpretação de que estava em parte braba comigo, porque, para analisar-se, necessitava estar separada do pai. Eu a separava como, quando pequena, pensava que sua mãe não a deixava aproximar-se dele. Que eu e as coisas quebradas do consultório – o disco – a obrigávamos a pensar no que ainda não estava arrumado – os dentes que cortam – e que pensava que por isso era castigada. Que queria fugir de mim e do que comigo via, como quando iniciou seu tratamento.

Praticamente não falava e notei nela tal dificuldade para caminhar, que, por momentos, pensei na possibilidade de algum transtorno neurológico que escapara às investigações prévias.

Falei-lhe sobre seu caminhar cambaleante, agregando que pediria a sua mãe que a levasse ao médico que a atendia desde que estava em Buenos Aires. Sua expressão era de grande sofrimento e concordou com gesto agradecido.

O exame médico confirmou total normalidade do ponto de vista orgânico. Paralelamente a este caminhar cambaleante, Verônica começou a fazer com a garganta um ruído que às vezes parecia falta de ar e outras vezes um tique. Relatou-me a mãe que essa dificuldade em andar aparecia somente comigo, que fora do consultório corria e brincava como sempre; o mesmo quanto à linguagem, fora falava francês e espanhol, adquirindo novas palavras dia a dia; era como se fosse duas meninas diferentes.

Transmiti isso a Verônica, interpretando-lhe que estava tentando mostrar-me alguma coisa que aconteceu quando ela era muito pequena e começava a caminhar; naquela época não podia falar e sofria muito. Nas sessões costumava ter crises de choro. Tentava mantê-la no consultório e para isso acertamos, Verônica, eu e a mãe, que ela não ficaria na sala de espera, mas viria buscá-la quando terminasse a hora.

Depois desse período e da interpretação cotidiana de suas situações de ansiedade, começou a ficar de pé e a experimentar movimentos. As palavras que dizia eram *papai* e *mamãe* (mamãe dirigindo-se a mim).

Num desses dias entrou com seu andar cambaleante, atirou-se ao chão e ficou imóvel, olhando para o teto com os braços junto ao corpo, emitindo a intervalos um pequeno ronco, parecido com soluço, acompanhado de espasmos respiratórios. Eu estava sentada ao lado de Verônica, e quando ela me estendeu seus braços, a recebi nos meus. Senti necessário continuar a experiência.[20] Interpretei que se sentia como um bebê nos braços da mãe, que recordava o que tinha acontecido naquele momento da sua vida, quando o espasmo a deixava sem respiração, que não podia falar nem mover-se e se sentia desesperada. Sua atitude nos meus braços era a de um bebê de, no máximo, três meses.

Trouxe para o consultório uma cadeira de balanço, e tomei-a em meus braços, respondendo da forma como ela se comportava entre eles. Chorou em desespero; parecia alucinada e lutando contra inúmeros agressores. Seu corpo era, às vezes, tão tenso que chegava a ser rígido, passando depois a um total amolecimento, que me fazia pensar que se, nestes momentos, eu a colocasse no chão de pé, cairia. Interpretei outra vez que se sentia como quando era bebê nos braços de sua mãe. Mas agora mostrava quanto medo tinha, como sofria por não poder ficar de pé, nem caminhar, nem falar e como sentia insatisfeitas as suas necessidades, porque não podia fazer-se compreender nem valer-se por si mesma. Essas interpretações foram feitas repetidas vezes e em detalhes correspondentes às suas atitudes e posturas nos meus braços, relacionando sempre com seu vínculo materno do passado. Assinalei-lhe que já não se mostrava como o bebê tranquilo daquela época – como a mãe havia descrito –, mas que expressava toda sua hostilidade e o medo de ser atacada. Agora podia pedir ajuda, porque confiava em mim e sentia-me dentro dela, protegendo-a.

Saiu do consultório, foi à sala contígua e disse *papai*. Interpretei que estávamos com o pai em *la campagne* e neste momento eu era para ela a mãe que lhe permitia estar com o pai. Ao contrário, quando a retinha no consultório, eu era a doutora que a separava do pai. Os conflitos criados pelas viagens para vir ao tratamento, elaborados com o material do elevador, apareciam agora num novo aspecto: a minha maldade ao separá-la do pai e, mais profundamente, a sua própria maldade ao separar-se dos pais. Depois da interpretação, voltou ao consultório, procurou o disco quebrado e quis sair novamente. Interpretei que nesses meses longe de mim eu tinha sido a doutora boa – frasco de plástico inquebrável que levou – e agora, ao retornar ao consultório, eu era a doutora má, que a obrigava a estar com discos quebrados, que lhe deram medo como dentes, que rebentam e espetam. Essa situação se manteve por várias sessões. Viajava de uma sala para a outra e somente como exceção conseguia mantê-la no consultório durante os cinquenta minutos. Interpretei que no meu consultório escapava dos perigos de dentes que rebentam e destroem e na outra sala escapava ao perigo de receber o seu pai dentro dela. À medida que era interpretado este material, fez-se claro que: 1 – representava sua relação com o peito destruído de sua mãe – os discos quebrados –, eu na transferência; 2 – a relação com o pai – pênis-vagina. A modificação de situação originária – a mãe proibindo-lhe aproximar-se do pai – através da transferência, fez-se clara através de sua crescente confiança ao ficar comigo e evocar a recordação do pai.

---

20 Não aconselho a iniciantes seguir esta conduta.

Ao entrar e sair de cada uma dessas duas salas, ficava abstraída, como se não reconhecesse o lugar. Compreendi que não podia unir a memória dos acontecimentos que envolviam o pai com as recordações dos momentos passados comigo. Era como se fossem duas Verônicas que ela não podia unir: a que estava no campo com o pai e a que estava agora comigo para continuar o tratamento – a mãe que a separava do pai. Interpretei este jogo como uma tentativa de elaborar a distância que se criava entre o pai e ela, separação que era vivida como a repetição da separação imposta pela imagem interna da mãe, quando Verônica pretendeu substituí-la e sentiu-o proibido; esta angústia deslocou-se às flores e aos cachorros.[21]

A busca do pai, que se permitia no tratamento, comprovava a modificação daquela situação original. Agora podia pedir a ele seu pênis reparador, como no período da regressão pôde permitir-se expressar, na transferência, necessidades orais e de contato. Compreendi também que, em sua mente, tempo e espaço estavam confundidos. A distância real que a separava do pai, quando vinha ao tratamento, havia-se transformado numa distância entre os momentos passados e os presentes, não podendo uni-los na memória. Essa interpretação a impressionou profundamente e com expressão abstraída, olhando ao vazio disse: "*Image*": Interpretei que me dizia que agora podia, numa imagem, recordar momentos de união com o pai e a mãe, o pai e eu, ela e eu, e conservar-nos juntos em sua cabeça e em seu coração. Que agora sentia que uma mesma Verônica queria e recordava o pai e a mim, a mãe e o pai, o campo e a cidade; que era a mesma que vivia com os pais e a que se tratava comigo no consultório. Essa possibilidade de recuperar, em imagens, momentos perdidos significou um enorme progresso em sua vida mental.

No caso de Patrícia, vimos como durante o tratamento foi surgindo a lembrança de situações traumáticas ocorridas na vida real, corroboradas pela mãe, que nos permitiram compreender a origem dos sintomas.

No caso de Verônica, apesar de não aparecerem recordações, através da intensa regressão transferencial com repetição dos sintomas, podemos reconstruir que sua neurose eclodiu aos nove meses (coincidindo com o aparecimento dos dentes e o começo do caminhar), com fobias múltiplas, o estranho ronco e a dificuldade respiratória. É possível que uma análise futura possibilite o surgimento na memória, como no caso de Patrícia, dos fatos exteriores ocorridos neste período de sua vida.

---

21 Expressava assim dois aspectos, positivo e negativo, de seu genital feminino.

10

Conflitos na elaboração do luto

PRIMEIRA PARTE*

POLA I. DE TOMAS

A morte do pai provoca na criança conflitos intensos, entre os quais aparecem sentimentos de culpa, temor, dor e saudade. A análise demonstrou-nos que quanto menos idade tem a criança, mais grave e maiores consequências têm a perda. O equilíbrio mental prévio às circunstâncias da morte, a atitude dos familiares com relação ao fato e à forma como é comunicado são fatores que entorpecerão ou facilitarão a elaboração do luto, processo por si só difícil e doloroso de realizar.

Jorge foi trazido pela mãe à consulta seis meses depois da morte do pai. Era motivada por uma série de sintomas que desenvolveu pelo falecimento e que aumentavam com o passar do tempo.

Quando Jorge tinha três anos e três meses de idade, o pai sofreu um ataque cardíaco. Aquela manhã como fazia habitualmente, despediu-se do filho com um beijo. Esse foi o último contato com o pai. Horas mais tarde, quando telefonaram para dar a notícia da morte, Jorge estava em casa, mas a mãe pensou que ele não a tinha entendido. Imediatamente, e sem lhe dar explicações, foi levado à casa de tios, onde permaneceu até o final do enterro. Quando voltou, encontrou a mãe de luto, chorando. A mãe tentou justificar a ausência do pai, dizendo-lhe que havia viajado por longo tempo. No transcorrer dos dias, Jorge, não satisfeito com as explicações

---

* Parte do trabalho que, com o mesmo titulo, foi apresentado na Asociación Psicoanalítica Argentina no dia 14 de abril de 1956.

recebidas, começou a perseguir a mãe com perguntas, recebendo toda classe de respostas, menos a verdadeira. A situação chegou a ser insustentável e então a mãe, embora não fosse religiosa, decidiu dizer-lhe que "seu pai fora para o céu e não voltaria mais". Jorge, longe de tranquilizar-se, deu mostras de uma angústia e confusão crescentes, que se manifestaram através de um interrogatório incessante, não só dirigido à mãe, mas a todos os familiares. – "Que é o Céu?" – "Onde fica o Céu?" – "Que faz papai no Céu?" – "No Céu se faz pipi e cocô?" – "Comem?" – "De avião se pode chegar ao Céu?" – "Papai está sempre no Céu?" – "Por que se podem ver os aviões no Céu e eu não posso ver o meu pai?" – "Quando vai voltar o papai?"

Finalmente, a mãe considerou conveniente dizer-lhe que seu pai havia morrido, pronunciando pela primeira vez esta palavra. – "Que é morrer?" – pergunta Jorge. – "Morrer é como dormir, mas sem acordar mais" – responde a mãe. A partir desse momento, teve dificuldades para conciliar o sono, transtorno que foi paulatinamente aumentando e complicando-se. Apareceram temores noturnos e muitas vezes acordava chorando. Um dia perguntou se "a carne era de um animal morto" e a partir deste momento negou-se a comê-la. Pouco a pouco essa atitude de rechaço deslocou-se a outros alimentos, chegando a sofrer de grave anorexia.

A mãe acrescentou, é conveniente comentar, que Jorge nunca demonstrou ciúmes por seu único irmão, Carlos, nascido dois meses após a morte do pai. Além disso, nos últimos tempos, tinha perdido todo o interesse por seus brinquedos.

A relação com a mãe sofreu uma modificação depois da morte do pai. A princípio, assumiu uma atitude algo fria, para passar depois a "agarrar-se na minha saia", segundo suas próprias palavras, e a exercer constante controle sobre todos os atos dela.

Jorge foi uma criança aparentemente desejada pelos progenitores, que pareciam haver tido uma vida matrimonial feliz. Segundo a mãe, a gravidez transcorreu sem transtornos e o parto realizou-se com anestesia. Foi criado pela mãe até um mês. Desde o começo teve dificuldade em prender-se ao seio. Tinha tendência a dormir enquanto mamava, fato que a mãe atribuía ao cansaço que lhe produzia succionar e obter pouco leite. Aceitou bem a alimentação mista e o desmame, realizado aos três meses. Mas o fato de que a partir da idade de um ano fosse alérgico a todos os produtos lácteos, mostra que elaborou só aparentemente bem a perda do seio.

Aos quinze dias foi circuncisado. Relata a mãe que, embora Jorge conhecesse crianças não circuncisadas, nunca fez perguntas sobre a diferença de seu pênis com o dos outros, mas quando da circuncisão do irmão, perguntou "por que tinha o pipi tão vermelho?" A mãe respondeu que se devia ao fato de Carlos urinar-se e que isso lhe produzia irritação. Da origem das crianças, por outro lado, a mãe relata haver dito a verdade. A relação do menino com os pais parecia ter sido boa e a partir da gravidez da mãe tinha-se aproximado mais do pai.

Desde o início da entrevista com a mãe, era evidente a gravidade dos conflitos do menino e o fracasso na elaboração normal do luto, pelo qual se aconselhou, sem perda de tempo, um tratamento psicanalítico. Jorge analisou-se durante um ano e meio, com quatro sessões por semana. Seu tratamento foi interrompido, então, por motivos econômicos. Nessa ocasião, esclareceu-se à mãe, embora a maior parte dos sintomas tivesse desaparecido, ainda não se podia considerar terminada a análise.

Naquela época, Jorge tinha voltado a ser um menino alegre, interessado nos seus jogos e tinha conseguido substituir a figura do pai pela de um tio político, muito carinhoso, em quem podia apoiar-se.

Neste fragmento de seu caso, exporei e analisarei somente uma parte do material relacionado com a morte do pai, sublinhando os fatores internos e externos que dificultaram a elaboração normal do luto.

Na primeira hora de jogo – a primeira de seu tratamento – o menino simbolizou, através da atividade lúdica, seu conflito com a morte do pai.[1] Como é habitual nesses casos, Jorge foi informado do motivo pelo qual se submetia ao tratamento.[2] Sua mãe explicou-lhe que eu "era uma pessoa muito boa que o ajudaria a resolver suas complicações".

Chegou acompanhado pela mãe e insistia que esta entrasse no consultório. Uma vez dentro, a mãe sentou-se ao lado, dedicando-se a ler, e o menino pareceu desinteressar-se dela. Observou atentamente a sala e os brinquedos, dando a impressão de grande desconfiança. Sentou-se perto dos brinquedos, mas sem tocá-los, permanecendo em silêncio por um longo tempo e olhando-me sempre. Então lhe interpretei: "Queres conhecer os brinquedos que eu te dou, para saber se são bons ou maus, se sou boa ou má. Tens medo que sejamos maus; por isso não te animas a brincar comigo".

A esta altura da sessão, ainda era impossível saber as causas internas que determinavam a atitude desconfiada de Jorge, mas era lógico supor que colocaria em dúvida minha "bondade", como me definiu a mãe, já que ela, como vimos, mentiu-lhe em outras oportunidades. Por outro lado, sua atitude também estava determinada pelo temor de que eu repetisse as más condutas de seus pais.[3]

Depois da interpretação, animou-se a revisar os brinquedos, escolhendo em primeiro lugar o avião. Deixou-o de lado, para agarrar dois barquinhos de diferentes tamanhos. Colocou-os a flutuar na água, brincando em silêncio de navegar. A mãe, ao vê-lo absorvido pelo brinquedo, disse-lhe que sairia para esperá-lo lá fora, o que despertou em Jorge uma grande angústia. Começou a chorar, pedindo que não fosse embora. Somente quando teve certeza de que não sairia retornou ao jogo.

"Tens medo – disse-lhe eu – que a tua mamãe te deixe sozinho, que vá embora e não volte mais, como aconteceu com o teu papai; por isso te assustas tanto e choras." Essa interpretação atuou, diminuindo seus temores, como pude comprovar quando Jorge, depois de um tempo, permitiu espontaneamente que a

---

1 Cf. capítulo 7.
2 Cf. capítulo 5.
3 Cf. capítulo 7.

mãe abandonasse o consultório. Apesar disso, a necessidade de reasseguramento sobre o destino da mãe e seu retorno manifestou-se por uma série de perguntas que lhe formulou: "onde o esperaria?", "que faria enquanto isso?", "quanto tempo ficaria na sala de espera?", "voltaria quando ele chamasse?".

Evidentemente, o abandono imprevisto e a insegurança sobre o que pudesse acontecer à mãe, não estando ele presente, o angustiavam, temeroso da repetição do trauma original.[4] Jorge continuou seu jogo, contando-me que em sua casa não tinha barcos, mas sim dois cisnes de plástico que flutuavam na água. Os barcos e os cisnes tinham como elemento comum o flutuar – poder navegar –; era o que Jorge esperava de sua análise.

Disse ele: "O cisne maior quebrou a cabeça, mas eu não tenho culpa; a culpa é de Oscar. Não, também não; quem tem culpa são as paredes". Interpretei considerando este como o momento de máxima urgência dentro da sessão: "Às vezes quiseste quebrar a cabeça-pipi do cisne-papai e agora que o teu papai está morto, te sentes muito mal, pensas que a tua raiva o matou e tens medo de que tua mamãe e eu fiquemos brabas contigo e não te queiramos mais".

Com esta interpretação expressei tanto o medo a perder o carinho da mãe como também o meu, pois Jorge, ao falar dos dois cisnes e dos dois barcos – a casa e o consultório, a mãe e o analista – induziu-me a fazê-lo. A culpa expressa neste jogo provocou no mínimo fortes ansiedades persecutórias, levando-o a projetá-las em Oscar e nas paredes, negando-a assim frente a mim por temor, pois na minha pessoa tinha projetado certos aspectos de seu superego. Eu representava principalmente o pai destruído – cisne com a cabeça quebrada –, convertido na presente situação em seu principal perseguidor, por ter sido objeto da agressão do mesmo. Também representava sua "mãe furiosa" pela perda do pai e, parcialmente, entendeu a intenção dela de sair do consultório – abandonando-o – como vingança. Em última instância, o que tentou projetar sobre Oscar e sobre as paredes foram seus impulsos destrutivos dirigidos ao pai – cisne com a cabeça quebrada –, numa tentativa a mais de negar a morte deste e a culpa que o fato lhe produzia enquanto sentia que ele a havia determinado. No decorrer da análise, pude compreender totalmente a fantasia dos cisnes quando estabeleci a identidade de Oscar, que terminou por ser um primo de Jorge extremamente brigão e agressivo, a quem Jorge imitava. Essas características fizeram de Oscar a figura ideal para serem projetados os impulsos destrutivos. Mas na medida em que Jorge também se identificava introjetivamente com ele, a defesa fracassava, sendo necessário buscar um segundo elemento para projetar, muito mais afastado de si mesmo: as paredes.

A interpretação referente aos seus desejos de morte do pai e a consequente culpa determinou uma modificação no jogo. Jorge agarrou um pedaço de massa de modelar e, tentando amolecê-la, solicitou minha ajuda. Trabalhava calado, amassando o material de forma torpe. Com grande dificuldade, fez três *cobrinhas* de diferentes tamanhos e as colocou sobre a mesa, uma ao lado da outra, na seguinte

---

4 Cf. capítulo 7.

ordem: a melhor e a média nas extremidades e a maior no meio. Finalmente, esticou a menor até convertê-la na mais comprida.

"Sentias" – interpretei-lhe – "que a cobrinha-papai te separava da cobrinha-mamãe e por isso às vezes desejaste que teu papai morresse. Querias ser como teu papai e ter um pipi ainda maior que o dele (cobrinha pequena que passa a ser a maior), mas como isso não acontecia, ficaste muito brabo e quiseste que o pipi do teu papai se quebrasse (cisne com a cabeça quebrada)."

Através desse jogo Jorge expressou a situação triangular e o conflito edípico que tentou solucionar desejando a morte do pai, fantasia que, neste caso, coincidiu com a realidade. Simbolizou, além disso, a ereção do seu pênis com a cena primária (cobrinha que se alonga) e os desejos de voltar a dar vida ao pai destruído, motivo pelo qual escolheu o jogo no qual tinha que contruir (fazer cobras) como antítese do destruir. Mas a torpeza e a dificuldade com que trabalhava evidenciavam o intenso conflito entre seu amor e seu ódio.

Mencionar abertamente em minhas interpretações a morte do pai, não repetindo a atitude da mãe e dos familiares, permitiu a Jorge ter a primeira vivência de retificação do fato, interna e externamente, através da análise. Quando anunciei o fim da hora, manifestou desejos de voltar novamente.

Essa primeira sessão foi seguida por um período em que Jorge realizou, com pequenas variações, um mesmo jogo denominado por ele "fazer provas difíceis". Colocava os móveis do consultório um em cima do outro, subia neles, fazendo toda sorte de piruetas, expondo-se continuamente a uma queda. Eu devia contemplá-lo entusiasmada e aplaudir cada vez que concluía uma prova com êxito.

Além de interpretar a conduta masoquista de Jorge, tomei sempre as medidas necessárias para evitar que não se machucasse seriamente.[5] Apesar disso e das interpretações, fazia coisas tão arriscadas que chegava a cair. Dizia então, contendo as lágrimas: "Não dói nada" – ou – "Não me dói, porque sou muito forte" – ou – "Homem não chora".

Falava frequentemente em ser "grande e forte" (o pai), ao mesmo tempo que me tratava como se eu fosse "pequeninho" (ele mesmo ou o irmão, dependendo das circunstâncias e do papel em que ele me colocava), assumindo uma atitude verdadeiramente paternal para comigo. Coincidiu esta conduta evidenciada durante a análise com uma de sua casa, quando seu brinquedo preferido era calçar os sapatos do pai, dizendo ser ele.

Outras vezes não se limitava a realizar as provas, mas subia até o mais alto dos móveis, tentando tocar no teto com a mão (alcançar o pai no céu). O pai tinha sido um homem forte e amante dos esportes. Aos domingos, costumava ir com Jorge a um clube, onde praticava uma série de esportes (provas) que despertavam a admiração do menino. Através desses jogos, Jorge expressava sua necessidade de identificar-se introjetivamente com o pai esportista, sinônimo de pai vivo e forte, para negar tanto a perda do objeto amado como seu próprio temor à morte. Ao

---

5 Cf. capítulo 5.

mesmo tempo, sua culpa o levava a seguir o destino do pai, expondo-se, ele mesmo, à morte mediante as quedas (pequenos suicídios).[6]

Não chorava para poder ser como o pai (homem não chora) e também porque chorar por ele supunha aceitar sua morte. Quando na realização das provas necessitava de minha ajuda para levantar ou arrastar algum móvel mais pesado, ficava furioso. O fracasso da defesa maníaca imposta pelo juízo de realidade (não tinha a força do pai) enfrentava-o uma vez mais com sua culpa, do que agora se defendia transformando-a em agressão (fúria).

Ter que ocupar o lugar do pai, o que aparentemente o agradava na suposição de realizar seus desejos edípicos, produzia-lhe no fundo uma grande angústia, enquanto era uma imposição de seu superego, pois, considerando sua idade e situação real, não se encontrava em condições de realizá-lo.[7] Esse jogo, considerando o contexto da sessão em que aparecia, foi utilizado por Jorge para simbolizar, além dos aspectos interpretados, seu desejo de conquistar-me através do êxito de suas provas difíceis (potência). Usava este mesmo jogo tanto para expressar fantasias edípicas como para mostrar sua necessidade masoquista de destruir-se. Não era estranho que assim acontecesse, pois, como se demonstrou no transcurso da análise, para Jorge as relações sexuais eram frequentemente ligadas com a morte do homem.

O traumático que foi para Jorge o caráter repentino da morte de seu pai, além do fato em si, foi simbolizado por ele durante várias sessões através de um jogo realizado com a persiana do consultório. Consistia em baixá-la lentamente, enquanto dizia: "Vejo-te pouco, agora te vejo menos, agora já não te vejo"; às vezes agregava: "Onde estás?". Depois de conseguir obscuridade completa, abria-a outra vez.

O núcleo central deste jogo, que demonstrou ser análogo ao do carretel descrito por Freud,[8] era fazer desaparecer e reaparecer ativamente o objeto, o que para o inconsciente do menino representava perdê-lo e recuperá-lo. Mas nesse jogo, ao lado da necessidade de seguir negando a morte através do sentir em si mesmo a capacidade de ressuscitar o objeto (fazer a luz), aparecia o primeiro indício de aceitação da morte (obscuridade). Jorge começava a elaborar mais normalmente a morte ao aceitar a perda, apoiando-se na situação transferencial analista-

---

[6] "...A tendência das crianças a queixar-se e o hábito de cair e machucar-se devem ser considerados como a expressão de diversos medos e sentimento de culpa. A análise de crianças nos convenceu de que estes repetidos acidentes – e às vezes outros mais sérios – são substituições de autodestruições mais graves e podem simbolizar tentativas de suicídio com meios insuficientes. Em muitas crianças, especialmente meninos, uma extrema sensibilidade à dor é substituída muito cedo por uma exagerada indiferença, que, segundo considero, não passa de uma defesa elaborada contra a ansiedade e uma modificação da mesma". Melanie Klein: *El psicoanálisis de niños*, parte I, cap. VI, "Neurosis en los niños", p.114. Ed. Asociación Psicoanalítica Argentina, Buenos Aires, 1948, traduzido por Arminda Aberastury de Pichon Rivière.

[7] Quando morreu seu marido, a mãe levou Jorge, que até então dormia em quarto separado, a compartir com ela a cama matrimonial. Este fato, além de sobre-estimular o menino, reforçou seu mandato imposto pelo superego: ocupar o lugar do pai.

[8] FREUD, Sigmund: "Más allá del principio del placer", tomo II, *Una teoría sexual y otros ensayos*, p. 285.

pai, que desaparecia na obscuridade. Tudo tinha que ser feito pouco a pouco e não rapidamente, como ocorreu na realidade.

Frequentemente aparecia no material de Jorge a vivência de que seus impulsos destrutivos, nascidos da situação edípica, tinham destruído o pai, o que determinou a necessidade de reprimi-los, que pôde ser interpretada quando foi revivida na situação transferencial.

Costumávamos brincar de corrida com carrinhos ou aviões. Entre seus brinquedos tinha um carrinho amarelo, que o representava e que sempre ganhava, mesmo chegando em segundo lugar, e outro, prateado, que me representava. Em nosso jogo, usávamos como pista o divã, relacionado com a cama de seus pais e com a cena primária. Jorge se colocava na cabeceira (largada) e eu devia ficar nos pés do divã (chegada), para evitar que os carros caíssem. Devíamos limitar a pista e os carros da mesma forma como ele tentava limitar certos impulsos seus por temor a perder o controle.

Durante uma das corridas impulsionou com grande violência meu carrinho, que geralmente era o vencedor, fazendo com que se desviasse da rota e caísse ao chão. "Que desastre" – exclamou –, e a partir desse momento só demonstrava entusiasmo se o seu carro e o meu chegassem empatados. Interpretei então: "O carrinho amarelo (Jorge) queria ganhar do carrinho prateado (analista-papai) e como não pôde, quis que o carrinho-papai tivesse um desastre. Quando o teu papai morreu de verdade, te assustaste muito do desastre. Não gostarias que isso acontecesse também comigo; por isso queres que nossos carrinhos empatem; assim não acontece nada".

Às vezes, quando não conseguia empatar os carros, obrigava-me a determinar o ganhador. Deste modo, ao não nomear ele o vencedor, evitava magicamente o desastre (morte do pai rival), ao mesmo tempo que descarregava a responsabilidade dos seus atos sobre mim.

Neste caso, o tratamento será seguido por uma segunda análise de Jorge, que foi determinada pelos seguintes motivos: com o tempo, a mãe, que casou de novo, engravidou pela terceira vez. Quando chegou ao sexto mês, época da morte do pai de Jorge na gravidez anterior, apareceram novamente uma série de sintomas.[9] No material que segue veremos como o menino, durante a primeira análise, associava a morte do pai à cena primária e a suas consequências, a gravidez.

Toda a primeira época do tratamento caracterizou-se pelo aparecimento, através de diferentes jogos, do sentimento de culpa pela morte do pai. A interpretação reiterada da mesma trouxe, além de sua diminuição e alívio da culpa, o aparecimento de uma fantasia angustiante para o menino. Esta tinha permanecido

---

[9] Neste momento tão traumático, a mãe recorreu a Arminda Aberastury, a mesma analista que fez a orientação de tratamento para seu filho quando da primeira vez. Esta lhe disse que, ao estar no mesmo mês da gravidez em que se encontrava quando morreu seu primeiro marido, temia que ao segundo pudesse acontecer o mesmo e que este mesmo medo era o que na criança provocava o aparecimento dos novos sintomas. Isto a ajudou a decidir-se a procurar novo tratamento para o filho, ao mesmo tempo que entrava em um grupo de orientação de mães.

muito tempo reprimida: que sua mãe tinha matado o pai. Mostrarei, em continuação, como um erro meu, não interpretar a tempo esse problema com a mãe, levou Jorge a faltar a cinco sessões seguidas.

Dentro do consultório havia uma caixa de material de jogo diferente das demais. Referindo-se a ela, Jorge me disse um dia: "Eu sei que para este menino escolheste tu a caixa" – considerando o material anterior, que permitia supô-lo, e como Jorge tenha reclamado que eu não lhe comprava giz, relacionei as duas situações e interpretei: "Aqui te acontece como na tua casa. Tens medo que eu dê mais a outras crianças que a ti, como antes tinhas medo que a tua mamãe desse mais a teu papai e agora ao teu irmão..." Interrompeu-me dizendo: "Eu não penso em crianças, penso em meu papai que está morto". Com essa resposta, mostrava-me sua necessidade de negar a gravidez da mãe ("Eu não penso em crianças") por temor que ela tivesse causado a morte do pai. Dentro dessa sessão, o ponto de máxima urgência a interpretar possivelmente fosse o temor de que a terapeuta-mãe escolhesse a caixa-ataúde, ou seja, que matava. É evidente que não ter mostrado, oportunamente, a projeção na analista da figura da mãe que mata fez com que Jorge se defendesse mediante a dissociação da imagem materna, colocando na mãe real todo o bom e em mim todo o mau e perigoso. Com certeza, uma interpretação dessas fantasias e temores, feita a tempo, evitaria que faltasse ao tratamento durante as cinco sessões consecutivas.[10]

Passados esses dias, Jorge retornou e imediatamente explicou que tinha deixado de vir porque, segundo ele, eu sempre dizia que "as mulheres tinham pipi". Manifestou que nessa ocasião tinha decidido voltar, porque sua mãe lhe "prometeu que eu não lhe diria mais essas porcarias". Era claro que, para enfrentar-se com a mãe perigosa projetada em mim no momento, foi obrigado a buscar o apoio (promessa) da mãe boa, representada neste caso pela mãe real. Demonstrou então grande preocupação em averiguar se sua chave estaria ainda no cadeado que fechou sua caixa de brinquedos. Queria saber o que tinha feito eu (mãe com seu pênis) da chave que ele tinha colocado na minha vagina (cadeado); o temor de não encontrá-la estava intimamente relacionado com as fantasias da mãe fálica. "As mulheres com pipi" representavam a analista-mãe que tinha tirado o pênis do pai durante o coito e, em parte também dele, através da circuncisão.

Evidentemente, em Jorge, como em toda criança, a periculosidade das relações sexuais e da gravidez estava em parte representada pela projeção dos sentimentos de raiva e inveja, nascidos frente à cena primária. O fato de que sua mãe estivesse grávida ao morrer o pai, levou-o a reforçar sua velha imagem de mãe má, que destrói e que, na realidade, correspondia à mãe que o amamentou deficientemente. Como agravante da situação, recordemos que a circuncisão coincidiu com a época em que recebeu pouco leite.

---

10 Quando uma criança resiste a vir às sessões, pode-se e se deve pedir ajuda aos pais para trazê-la, mas não se pode contar incondicionalmente com essa ajuda. É necessário que a interpretação resolva a resistência. Cf. *El psicoanálisis de niños*, de Melanie Klein.

Quando, através das interpretações nos termos expostos, as relações sexuais e a gravidez como causa de morte para o homem perderam o seu perigo, apareceu simbolizada por diversos jogos a fantasia edípica de fazer crianças comigo. Brincávamos de fazer juntos moldezinhos de areia (crianças) ou de misturar com aquela as cores primárias, para obter uma nova cor (filho). Anteriormente, já havia aparecido muito material com conteúdo edípico, mas com mais intensidade nessa época e através dos jogos mencionados demonstrou não só suas fantasias sexuais com a analista-mãe, mas também seus desejos de fazer crianças com ela. Isso denotava que Jorge tinha podido retificar seu conceito de que o coito, especialmente aquele que engendrava filhos, era mortal, podendo então aceitar sua própria potência e o desejo de converter-se em homem.

O fato de que a análise fosse interrompida quando se tinha elaborado a morte do pai, mas não totalmente os conflitos em relação com a mãe, explica que, ao se apresentar uma situação similar à traumática original, Jorge apresentasse novos sintomas. Confirmando isso, um dos sintomas que não desapareceram com o primeiro tratamento foi sua alergia a alimentos lácteos, relacionada com seus problemas frente ao seio. A má elaboração do primitivo luto pelo seio foi a base de suas dificuldades para elaborar a perda ulterior do pai,[11] à que se uniram certas circunstâncias externas, principalmente as mentiras da mãe, que fizeram com que perdesse a confiança nela num momento em que necessitava de seu máximo apoio.

SEGUNDA PARTE*

SUSANA L. DE FERRER

Jorge reiniciou sua análise cinco anos depois da interrupção do primeiro tratamento. Sua analista anterior havia viajado ao exterior, razão pela qual me encarreguei de atendê-lo. Nesse meio tempo, entre o término de um tratamento e o início do outro, aconteceram fatos muito importantes na vida do menino. Por ter podido elaborar o luto pela morte do pai na forma descrita pela analista anterior, Jorge reiniciou sua atividade lúdica, voltou a frequentar o colégio e mostrou uma atividade mais desinibida.

Aos cinco anos de idade, Jorge começou a padecer de uma leve asma brônquica e acentuou-se sua alergia, já aparecida depois do primeiro ano de idade, relacionada especialmente com a ingestão de produtos lácteos. Isso foi comentado na primeira exposição, através da qual podemos compreender que, pela interrupção prematura da análise, não foi possível a resolução desses transtornos. Ao mesmo

---

11 KLEIN, Melanie. "El duelo y su relación con los estados maníaco-depresivos". *Rev. de Psicoanálisis*, tomo VII, n° 3, p.145.

* Fragmento do trabalho apresentado na Sociedad de Psicologia Médica, Psicoanálisis y Medicina Psicosomática, no ano de 1958, sob o título "Reelaboración del duelo en un niño de 10 años".

tempo, foi diagnosticada a existência de parasitas intestinais, que traziam sérios incômodos ao menino. A mãe não pensou que essa sintomatologia somática pudesse estar relacionada com os conflitos emocionais do filho, motivo pelo qual procurou um pediatra, que, periodicamente, combatia com medicamentos as somatizações de Jorge. É interessante assinalar que o pai tinha sido uma pessoa alérgica, que apresentara reiteradamente acessos asmáticos e que a identificação com o objeto perdido fazia apresentar esses sintomas. Tendo Jorge nove anos, a mãe casou outra vez. Isso permitiu ao nosso paciente substituir a figura do tio, que se ocupou muito dele depois da morte do pai e de quem se fala no primeiro relato, pela figura de um pai que podia encarregar-se de forma completa dele. Além de pai, ocuparia o lugar de companheiro da mãe, permitindo a Jorge renunciar à exigência superegoica que sentia de cumprir esse papel, para o qual, evidentemente, não estava em condições.

Estando a mãe no sexto mês de sua terceira gravidez, fruto de suas segundas núpcias, eclodiu no menino uma crise de mal asmático impossível de ser controlada. Depois do fracasso reiterado de medicação específica e depois de serem usados hormônios em doses excessivas, Jorge foi encaminhado a mim, sua segunda analista. Quero destacar aqui a diferença que existe entre asma brônquica e o mal asmático; o segundo refere-se a acessos bruscos e muito intensos de dispnéias, que colocam em perigo a vida do paciente. Através deles, Jorge expressava a exigência que inconscientemente sentia de ter que seguir o destino do pai morto.

Já na primeira entrevista com a mãe, foi possível entender que o início da difícil situação atual de Jorge coincidia com a época na qual, na gravidez anterior (seis meses), tinha falecido bruscamente o pai. Compreendemos que era a ansiedade frente à reminiscência de tão traumática situação, como o temor que voltasse a acontecer, o que levou o menino a apresentar a crise. Resolvemos um rápido e intensivo reinício de seu tratamento psicanalítico, com quatro sessões semanais.

Jorge tinha dez anos e cursava o quarto ano do colégio primário. Era uma criança de altura média, com expressão um tanto triste, mas inteligente e de agradável aparência. Já na primeira entrevista conhecia a finalidade do nosso encontro. Apesar disso, foi grande o seu assombro, embora o tivesse prevenido, quando se encontrou comigo e não com a sua anterior terapeuta, da mesma maneira como se encontrava atualmente com um pai que não era o mesmo que aquele que vivia durante a primeira parte da segunda gravidez da mãe. Compreendemos mais tarde, através de seu material, que essa contradição levara-o a inferir dois fatos contraditórios em si. Por um lado que nessa nova gravidez e parto da mãe tudo seria diferente do que foi na oportunidade anterior, ou seja, que nem o pai nem ele deveriam morrer. Ao mesmo tempo, a evidência da ausência da sua primeira analista o fazia identificar seu destino com o do pai morto, o que reativava sua dor.

A primeira hora de jogo, que foi ao mesmo tempo sua primeira sessão de análise, desenvolveu-se num solene silêncio que falava do conteúdo latente da mesma. Tomou posse da caixa de brinquedos que lhe foi destinada segundo a técnica habitual de jogos. Esta continha os brinquedos que se costuma colocar para um menino de dez anos de idade, estando incluído, além disso, uma pistola, uma espingarda, muitos lápis, aquarela e massa de modelar, por apontar a mãe esses elementos entre seus brinquedos preferidos.

Diante da caixa aberta por mim, Jorge mostrou grande desconfiança. Quero esclarecer aqui que habitualmente procedia de maneira diferente, abrindo a caixa e arrumando os brinquedos em cima da mesa do consultório, principalmente quando se tratava da primeira sessão de uma criança sem experiência psicanalítica. Inconscientemente deve ter atuado em mim, ao conhecer a história de Jorge, a convicção da importância dessa atitude.

Jorge permaneceu sentado numa cadeira, com os cotovelos apoiados na mesa, olhando-me. Passado certo tempo, interpretei-lhe que os conteúdos da caixa, ao representarem seus próprios conteúdos internos (pensamentos, fantasias e sentimentos), despertavam nele muito temor pela possibilidade de reencontrar lembranças muito tristes e dolorosas. Sem responder-me, levantou-se e, dirigindo-se à caixa de brinquedos, agarrou da caixa a massa de modelar, sem levar em contra os demais elementos, reclinou-lhe a tampa, como quem não quer saber de nada mais do que está dentro, e começou a trabalhar com agilidade e decisão. Fez a cara de um homem, à qual acrescentou uma barba; paulatinamente foi acrescentando o dorso, os braços, as pernas, configurando aos poucos o corpo, de modo muito rígido, ao utilizar os já pré-formados bastões de massa de modelar, tal como se apresentava no desenho da caixa original.

Foi intensíssimo o impacto contratransferencial que essa atividade lúdica teve sobre mim, ao observar a criação de uma figura que sem dúvida representava o anterior e velho pai (a barba), para se referir não ao seu pai atual e vivo, senão àquele já morto, que vivia dentro dele nessas circunstâncias tão especiais de sua vida. Detive-me na interpretação por sentir que ainda não era o momento útil para formulá-la. Aproximando-se a hora em que devia terminar a sessão, disse-lhe que já estava finalizando. Jorge teve então o impulso de guardar os restos da massa de modelar dentro da caixa. Titubeou, contudo, diante da figura de massa. Com expressão dramática e comovedora, como se me perguntasse se teria que voltar ou não à caixa da qual ele o tinha tirado simbolicamente. Decidiu envolvê-lo num papel, que retirou da caixa, e colocou o boneco assim envolto dentro da mesma. Ao querer fechar com chave, como é habitual, apoderou-se dele uma grande crise de pânico, olhou-me com terror e os seus olhos se encheram de lágrimas. Disse-me: "Vou levá-lo". Antes que eu pudesse formular-lhe a interpretação correspondente, saiu correndo do consultório em direção à sala de espera, onde a mãe o aguardava. Tirou dessa compulsivamente a bolsa, abriu-a e colocou dentro o bonequinho, dizendo-lhe: "Guarda ele para mim" e "Vamos".

Creio que é importante assinalar a forma como a criança expressou sua dor latente durante essa primeira sessão, que adquiriu uma dramaticidade notória. Creio que poderia ter interpretado, já nesse primeiro momento da análise, a necessidade da criança de dar outra vez vida a seu pai morto e de negar-se a colocá-lo num frio caixão de madeira, onde, em realidade, sabia que já estava alojado e não poder deixá-lo sozinho, pretendendo que sua mãe cuidasse dele, que devia colocá-lo na sua bolsa, assim como tinha colocado as suas crianças no seu ventre, preservando-as de acontecimentos dramáticos e dolorosos. Na sessão seguinte, à qual chegou com toda pontualidade, trouxe o boneco, sempre enrolado em papel, mas, ao retirá-lo do seu bolso, desprendeu-se a cabeça. Olhou-me muito assustado. Disse-lhe então que parecia-me que ele tinha resolvido ver comigo o que acontecia com o seu pai morto, agora quando as circunstâncias se assemelhavam tanto à oportunidade em que tinha acontecido aquela desgraça. É bom recordar que na primeira sessão de sua primeira análise tinha simbolizado a morte do pai e o acúmulo de sentimentos que isso havia despertado nele através de um cisne com a cabeça quebrada. Aqui comigo tinha usado uma expressão muito similar para traduzir a mesma situação e os afetos concomitantes. Deixou desarmado o boneco e tirou o papel, lápis e caneta e começou a desenhar (figura I).

Nesta figura mostrava, no lado direito, três hortas fechadas (A, B e C) e em aumento gradativo. No lado esquerdo aparecem três árvores (D, E e F), que se sucedem em tamanho decrescente. No fundo, aparece uma casa de frente, na qual se encontram os moinhos de água, um totalmente localizado na terra e o outro com a metade na terra e a metade no céu. Ao lado dessa casa, vemos outra menor, onde está atado um cachorro que dá as costas para a horta. O céu é uma estreita franja azul celeste que se distingue no horizonte. As hortas fechadas de tamanho crescente representam as três gravidezes da mãe e também a atual gravidez, já que Jorge podia observar muito bem o paulatino crescimento do ventre dela. Reaviva-se nele a ansiedade da gravidez anterior, o que se manifesta através do céu muito estreito, que simboliza sua dificuldade respiratória; ela está representada pelo cachorro, que dá as costas à horta A (a gravidez menor ou atual de sua mãe), mas não podia deixar de ver as três árvores sem folhas (D, E e F), que representavam a mãe, ele e seu irmão, assim como tinha ficado depois da morte do pai. No fundo, a casa com dois moinhos de água representava a mãe com seus dois esposos, enquanto que ele, excluído, representando-se por um cachorrinho, via-se atado a uma casa muito pequena, isolado dos demais. Observa-se que dos dois moinhos de água, um tem sua roda própria, ocupando todo o fundo verde, símbolo da vida, enquanto que o outro carece de roda (outra vez a decapitação evidenciada através da cabeça quebrada do cisne e do boneco quebrado de massa de modelar) e está situado metade na terra e metade no céu, onde primitivamente se fez crer a Jorge que se encontrava seu pai morto.

A insistência de Jorge em localizar o trauma na cabeça levou-nos a revisar os dados obtidos antes de iniciar o primeiro tratamento, como também os relatados antes de iniciar o segundo. A mãe tinha contado, em ambas as oportunidades, que o pai falecera bruscamente de uma síncope cardíaca. Foi possível comprovar que isso constituiu um modo de expressão para traduzir uma morte brusca, enquanto que na realidade tinha ocorrido uma hemorragia cerebral fulminante.[12]

---

12 É mais uma confirmação de que as crianças estão atentas a tudo quanto acontece a sua volta. A mãe tinha falado de um ataque cardíaco, mas no material a criança mostra que a lesão tinha sido na cabeça, o que foi posteriormente confirmado pelo médico.

▲ Figura 1

A resposta às interpretações formuladas durante essa sessão foi um desenho realizado na entrevista seguinte (figura 2). Nesta figura se representa um campo. No centro, uma figura masculina, que representa um ceifeiro com uma foice na mão direita; à direita do ceifeiro, uma parte de um monte de palha (A) cortada e atada; à esquerda, um monte de palha aparentemente não concluído e sem atar (B). O céu é muito mais amplo que na figura anterior.

Interpretamos a figura do pai dividido em duas partes: a direita com a foice, simbolizando a morte (pai morto), e a esquerda, muito mais débil que a primeira, representando seu pai atual. Ambas as figuras tinham se reforçado nele e podia ocupar-se delas colocando-as como estavam entre suas duas análises, representadas pelos dois montes de palha (A, interrompido, mas concluído e atado, e B, recém-iniciado). O céu se mostrava já muito mais amplo que no primeiro desenho, fato que coincidia com a realidade da diminuição de seus acessos de asma. Inclusive já fora suspensa toda medicação.

Sua análise prosseguiu com a elaboração da morte de seu pai real e na medida em que fazia consciente a ansiedade que nele despertava a gravidez da mãe e o reviver da situação dramática, a sintomatologia asmática desaparecia totalmente.

Dez dias antes da data anunciada para o parto da mãe, ou seja, quase três meses depois de iniciar o tratamento comigo, Jorge fez o seguinte desenho (figura 3): um edifício de seis andares que está em chamas (A); à direita, outro edifício de seis andares apenas insinuado (B) e do outro lado uma loja de sombrinhas, que têm duas vitrines e uma imagem feminina no centro (C). Um sol bastante luminoso ilumina esta parte do desenho. Na rua (D) vê-se uma ambulância (E) e um caminhão de bombeiros (F), que vão em socorro do edifício que está em chamas. Através deste desenho pode-se compreender que o edifício de seis andares representa os seis meses de gravidez da mãe, momento em que se produz a fixação da situação traumática, a morte do pai. O edifício estava em chamas, anunciando-nos a proximidade do parto, que, em realidade, aconteceu no dia seguinte, dez dias antes do esperado. Frente a esta circunstância alarmante, Jorge faz com que a ambulância da cruz vermelha e o caminhão de bombeiros aparecessem em socorro. A escada deste coincidia também com a escada que Jorge tentava obter no seu tratamento anterior, quando, colocando cadeiras sobre a mesa, tentando tocar o teto, expressando seu desejo de chegar até o céu, onde acreditava estar seu pai. Na parte do desenho onde arde o edifício, o céu é novamente estreito, manifestando sua ansiedade respiratória; não é assim na outra metade ocupada pela casa das sombrinhas (o tratamento analítico). Frequentemente os chapéus ou uma casa de chapéus, como também o cabeleireiro ou a cabeleireira simbolizam, nos sonhos e jogos, o psicanalista, já que este também se ocupa da cabeça. As vitrines, assim como os montes de palha da figura 2, representam seus dois tratamentos psicanalíticos; o da direita cortado e o da esquerda relacionado à sua situação atual, a iminência do parto. Ambos realizados por analistas mulheres, como coloca manifestamente a figura feminina no centro, olhando ao passado (seu tratamento anterior). O céu nesta parte do desenho, ainda que sombrio, tem um grande sol, que representa o

▲ Figura 2

▲ Figura 3

calor transferencial que nestes momentos sente em relação a mim, que, ao analisar suas ansiedades de morte, o estou ajudando a obter um espaço de ar mais amplo, ou seja, uma maior capacidade respiratória, assim como ocorreu no seu tratamento anterior.

Um dia depois da realização desse desenho, a mãe deu à luz. Nasceu uma menina que foi bem recebida por Jorge, que não respondeu com nenhum sintoma orgânico a este transcendental acontecimento. Como comentou a analista anterior, Jorge continuava, entretanto, suscetível ao leite, reagindo com alergia, de tal forma que sua ingestão era-lhe totalmente proibida. Reforçada pela lactância da irmã, esta situação começou a mobilizar-se quando, pouco tempo depois do nascimento desta, fez o desenho da figura 4: vemos uma sucessão de montanhas verdes em seus vales e com picos áridos e nus; o céu sombrio e novamente bastante estreito alberga um sol triste e apagado. Através das associações de Jorge, enquanto desenhava, contando-me como chorava e mamava a sua irmã, da forma como o fazia, do modo como a mãe a segurava e as suposições que ele fazia em relação a sua própria lactância (segundo ele, não teria podido succionar o peito, mas que teria tomado leite com a colher e a taça), pude compreender que as montanhas representavam os peitos da mãe, os mesmos que agora eram oferecidos a sua irmã. Ele revivia sua própria lactância como uma vivência muito frustrante, representada através dos cumes áridos. Jorge tinha mamado somente três meses e o tinha feito mal, já que não podia satisfazer sua fome por ter a mãe muito pouco leite. Além disso, a cor desses cumes demonstrava que em sua fantasia inconsciente os peitos estavam cheios de cocô e por isso eram tão tóxicos para ele. Isso explicava sua persistente alergia ao leite. O sol, ainda que pálido e sombrio, demonstrava esperança de que a análise modificasse essa vivência íntima.

Interpretada a situação nos termos mencionados, modificou a atividade lúdica, sendo o desenho substituído por brinquedos com água e outros elementos líquidos e pegajosos.

A análise de Jorge continuou de forma muito satisfatória e viu-se que lentamente os significados de seus jogos, que tendiam a representar o leite materno, expressavam também a ansiedade frente a suas próprias modificações corporais, como a masturbação, seu pênis e suas fantasias genitais. A fantasia de que poderia fluir leite de seu próprio corpo e de seu pênis, dessa maneira substituindo a vivência frustrante de sua mais remota infância em relação à lactância, parecia tranquilizá-lo.

Ao completar um ano de tratamento, livre de asma e alergia, tendo aumentado mais de seis quilos com uma dieta sem restrição, Jorge começou a desenhar da forma como ilustram as figuras 5, 6, 7 e 8. Nelas aparecem claramente elementos que representam as características genitais. Na figura 5, os paus (A), o peixe (típico símbolo fálico, B), cruzado com riscos, que também aparecem no círculo (C) e em todo desenho. Na figura 6, há serpentes (A e B), símbolos do pênis, com sua língua para fora, ou seja, com a glande descoberta, como também um caracol (C), com suas duas casinhas, simbolizando os dois testículos, e o corpo emergindo com um

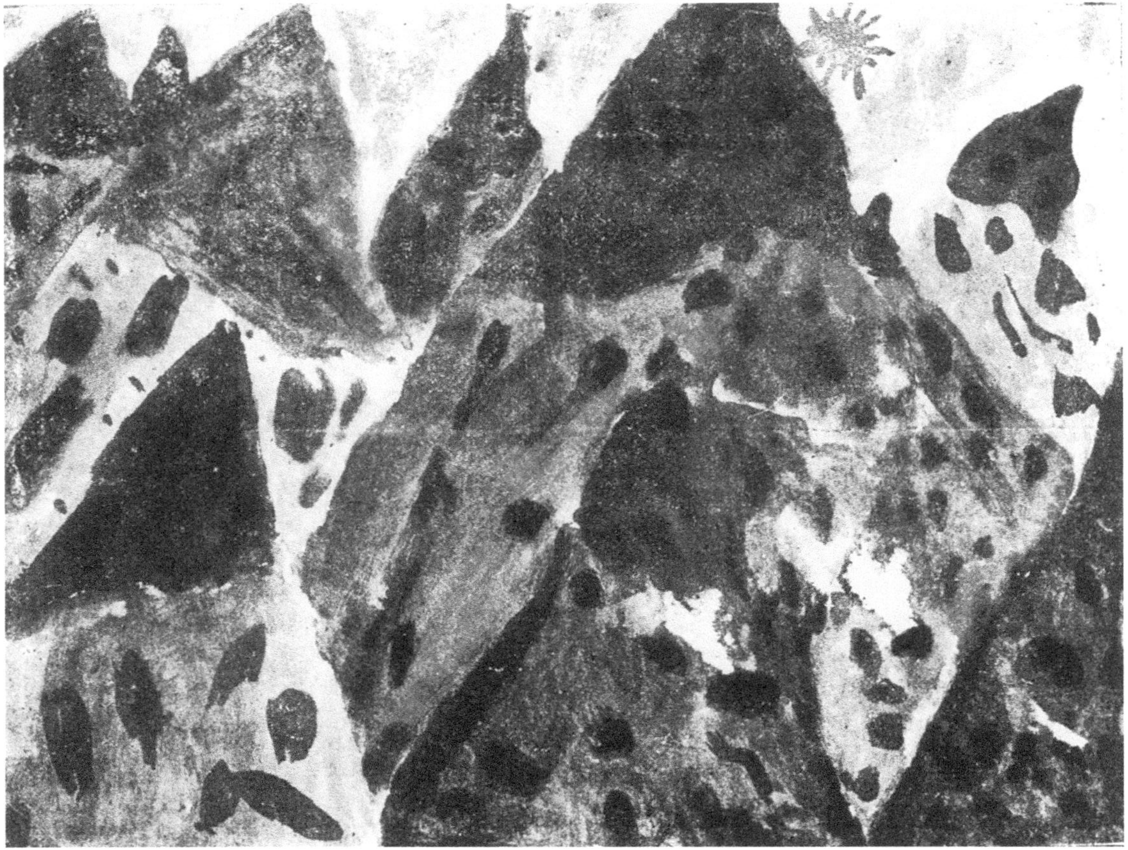

▲ Figura 4

▲ Figura 5

pênis capaz de modificar seu tamanho. Também o pássaro (D) tem idêntico significado. Aparecem riscos entrecruzados em diferentes partes do desenho, representando a fantasia dos incipientes pelos que constituem sua barba e seu pêlo pubiano. Nessas figuras pode-se ver claramente a preocupação de Jorge pelo aparecimento dos caracteres sexuais secundários: modificação da voz, crescimento do pênis, aparecimento do esperma, a barba, o pelo das axilas, o pelo pubiano. Jorge tinha onze anos.

Na figura 7, repetem-se (nos setores A e B) os pontos e os riscos, com igual simbolismo, mas acrescenta-se o uso de aquarelas, elemento líquido que representava seu tão desejado e ao mesmo tempo temido leite. No setor (C) expressa a ambivalência frente à permissibilidade dessas modificações através das palavras *mal* e *bem*, expressando a dúvida de que se está certo ou errado que ele tivesse essas modificações. Ao mesmo tempo perguntava-nos se lhe era permitido elaborar sua dor de não poder ter recebido bastante leite através do fato de tê-lo agora no seu próprio organismo.

A figura 8 mostra, como as anteriores, elementos que poderiam muito bem representar uma condensação dos peitos da mãe (A e B) com a imagem do seu próprio pênis emergindo dos pelos pubianos (C); é uma magnífica ilustração dos vestígios da fase genital prévia.

As dúvidas com respeito à permissibilidade do ser homem culminaram, em sua expressão gráfica, com a figura 9. Nesta representa um soldado (A) com seu uniforme e *enfeites* (B), tendo este também uma espada (C), que está pendurada na sua cintura. Esta figura está cruzada na parte inferior do corpo com o cabo de uma pistola (D), cuja ponta não chegou a entrar na margem do papel (pênis circuncisado). A criança designou o personagem desenhado, verbalmente, com o nome de Napoleão Bonaparte, apesar de indicar, com uma longa flecha (E), o nome de Napoleão Malaparte, mostrando através deste lapso que censurava esta parte do desenho como a má parte; e a parte esquerda, com manifesto conteúdo fálico (espada, pistola e flecha).

No dorso desta folha (figura 10), desenhou rostos sem barba (A), com barba (B), pássaros grandes (C) e pássaros pequenos (D), formas que expressavam sua ansiedade frente às fantasias de modificação no esquema corporal. Este material foi explicitamente interpretado, sendo a figura 11 o resultado do efeito das interpretações e sua concomitante elaboração dos conflitos. Nela vemos uma casa (A) muito diferente da casa do cachorro da figura 1, que ali o representava; um céu amplo, signo da liberdade respiratória; janelas transparentes, fechadas, mas bem colocadas; e o mais significativo: uma chaminé que soltava fumaça demonstrava seu maior equilíbrio e capacidade de comunicação com o mundo externo, tanto através da comunicação verbal, como da respiratória. Novamente o sol representava sua situação transferencial comigo. Das duas árvores (B e C), representava o pai morto a árvore B, com suas formas quase que totalmente encobertas e seu pai atual a árvore C; também as duas árvores representavam os dois tratamentos psicanalíticos. O primeiro (B), já passado e encoberto, e o segundo (C), atual e presente. Seguiram-se

▲ Figura 6

▲ Figura 7

▲ Figura 8

▲ Figura 9

▲ Figura 10

▲ Figura 11

sessões onde se manifestava o alívio das ansiedades de Jorge; assim podemos ver na figura 12 o céu amplo, um sol luminoso, colocado entre as nuvens brancas com paisagens de montanhas e água, no qual cada elemento ocupa o lugar que lhe corresponde.

Acalmada a sintomatologia orgânica e encaminhada a criança para uma escolaridade satisfatória, bom contato com os amigos, etc., a mãe acreditou novamente na conveniência da interrupção do tratamento, depois de um ano e meio de análise, assim como tinha acontecido, também prematuramente, no tratamento anterior. Ao saber disso, Jorge foi acometido de uma grande ansiedade. Numa ilustração, expressou seu conflito e a forma como pensava enfrentá-lo ao considerar-se incapaz de modificar o rumo da decisão implacável da mãe (figura 13).

O veleiro representava-o com suas velas, ou seja, seus dois tratamentos psicanalíticos; o mastro é o seu pênis erguido, signo de sua potência e equilíbrio, e a âncora demonstrava, entretanto, que a interrupção brusca o levava a ficar amarrado a mim, porque seu vínculo transferencial não foi suficientemente resolvido como para permitir uma boa separação. A mãe repetia, na interrupção de ambos os tratamentos, a forma brusca da morte do pai. Como Jorge não podia obter o seguimento de suas sessões, combinou manter contato periódico comigo e exigiu-me que mantivesse a sua caixa de jogo em igual estado como ele a deixava ao separar-se de mim.

Um ano depois de interromper o tratamento e sem que reaparecessem os sintomas que motivaram sua iniciação, Jorge telefonou-me pedindo uma entrevista. Durante a mesma, desenhou e coloriu a figura 14. Estava em dúvida com respeito ao colégio, se devia ou não fazer um exame para ingressar no secundário. No fundo do desenho, como tantas vezes, aparecem seus dois tratamentos psicanalíticos; entre ambos, um sol apagado pela proibição de continuar nas suas relações comigo. Ele, representado pela figura humana do desenho, com aspecto muito afeminado, com duas mãos grandes, uma das quais amarrada, como em atitude de parar. Estava frente a uma água intransponível e com aspecto de poucas esperanças. Segundo foi possível compreender através das associações, expressava a incomodidade produzida pela interrupção de sua análise e a dor que lhe provocava sentir que de alguma maneira se aproximava do colégio secundário, deixando de ser um menino e devendo aceitar sua maior separação da mãe para poder encarregar-se dos seus atributos masculinos próprios da adolescência. Nessas associações que fazia, enquanto desenhava, ao falar-me de seus estudos, da mudança de colégio, sua análise comigo, a qual considerava verde ainda, como indica o montinho (A) com a árvore (B), apenas insinuando sua raiz, compreendemos que tanto ele como eu coniderávamos o tratamento prematuramente interrompido, certamente provocado por situações inconscientes da mãe que não podemos compreender. É importante notar que ambos os tratamentos do menino foram suspendidos depois de um ano e meio de terem sido iniciados.

De qualquer modo, penso que Jorge conseguiu, através de seu segundo tratamento psicanalítico, a passagem a uma etapa muito mais madura do seu desenvol-

▲ Figura 12

▲ Figura 13

▲ Figura 14

vimento e que no momento da segunda interrupção primavam as ansiedades depressivas sobre as ansiedades paranoides, como podemos ver no último desenho (figura 14).

Tive a intenção de fazer a exposição deste caso clínico da forma mais ilustrada possível, passando da reelaboração da perda à resolução de sua sintomatologia orgânica angustiante (a alergia e a asma) e à aceitação da puberdade, obtendo, por conseguinte, uma relação muito mais integrada com o mundo externo e interno. Os progressos escolares se mantiveram estáveis e as crises asmáticas não se repetiram. Isso foi comprovado pelo material transmitido pela mãe em um grupo de orientação do qual se encontrava. Tornou-se evidente também quão difícil lhe era aceitar os êxitos do filho. Com frequência, por exemplo, iniciava as sessões dizendo que seu filho estava igual e se as outras integrantes do grupo ou a terapeuta a interrogavam sobre os sintomas, costumava responder: "Bem; igual não, mas ontem espirrou". Se a pressionavam para que explicasse por que negava a melhoria, repetia às vezes: "Asma não voltou a ter, está melhor, mas quando tosse uma vez me parece que lhe voltam todos os sintomas". Um dos conflitos que conscientizou, foi sua dificuldade em aceitar a virilidade, o crescimento do filho, e penso que não pode ser a causa da suspensão do tratamento as alegadas dificuldades econômicas, num momento em que as tendências genitais de seu filho se solidificavam.

11
Fragmentos de casos clínicos

MARTA

Os pais de Marta, menina de quatro anos, consultaram uma analista[1] por causa da enurese e dos transtornos de caráter que apresentava sua filha. Relataram que era muito desobediente, que não tolerava frustrações e não podia suportar as pessoas desconhecidas, escondendo-se delas e manifestando sua agressão. Tinha tendência a comportar-se como um bebê, exigindo que sua mãe a carregasse no colo de um lugar a outro. Tinha, além disso, excessivo pudor em mostrar seus pés e seus genitais. Por todos esses motivos, decidiu-se submetê-la a um tratamento. Durante os primeiros meses, não quis separar-se de sua mãe e a analista teve que interpretar enquanto a menina permanecia sentada no colo da mãe, dando as costas à terapeuta. Como não falava nem brincava, as interpretações se baseavam nos movimentos e na modificação de posição. Marta reagia enroscando-se ou imobilizando-se progressivamente até terminar numa atitude fetal. O sintoma principal, sua rejeição do mundo, fez-se evidente numa rejeição ao terapeuta e suas interpretações. Defendia-se diminuindo de tamanho no colo de sua mãe, adotando a posição de feto.

Com um mês de tratamento, a mãe entrou no consultório e anunciou à terapeuta que tinha feito um trato com a filha e que a menina tinha prometido entrar sozinha nas próximas sessões. Imediatamente depois desses comentários da mãe, Marta aproximou-se dela, apoiando seus braços e a cabeça, e largando depois o corpo; como para cair no chão. Interpretou-se esse movimento como a fantasia de nascimento e desprendimento; como a separação da mãe. Entrar sozinha no consul-

---

[1] Mercedes G. de Garbarino.

tório equivalia a perdê-la, como ao nascer. Enquanto escutava a voz da terapeuta, voltou ao colo da mãe. Foi interpretado então que a voz era algo do mundo exterior, que a colocava na realidade que tanto temia; não podia suportar separar-se da mãe e voltava por isso a introduzir-se nela. Aceitar a voz humana teria sido aceitar a evidência de um mundo exterior. Essa mesma situação se repetiu com algumas variações. Por exemplo, deu alguns passos pelo consultório, procurando tocar as coisas com os pés e tentando, por momentos, um contato com a terapeuta, indo em direção a ela. Interpretou-se seu desejo de comunicar-se. Outra vez subiu no colo da mãe e acocorou-se como no princípio.

Durante mais um mês, apesar das interpretações e do propósito consciente de entrar sem a mãe no consultório, Marta não pôde fazê-lo. Frente a esse fato, a terapeuta decidiu adotar a técnica de forçá-la a entrar sozinha, sabendo que provocaria uma carga de ansiedade equivalente ao do nascimento, cortando deste modo o cordão que a unia à mãe.[2] Esta medida foi comunicada à mãe e à filha, advertindo-as de que se procederia assim na próxima sessão. Descreveremos agora a reação de Marta frente ao anúncio e logo como atuou durante a separação. Quando a terapeuta explicitou a decisão, a menina reagiu com grande angústia. Repetiu então os movimentos realizados quando a mãe comunicou que Marta tinha aceitado entrar sem ela. A analista compreendeu que, durante esses dois meses anteriores, ela, a paciente e mãe tinham evitado enfrentar a angústia do nascimento. Atuando, por outro lado, ativamente, separando Marta da mãe e levando-a sozinha ao consultório (mundo), cortavam bruscamente o cordão, repetindo a manobra do obstetra, que agiu assim quando ajudou Marta a nascer. Tinha nascido, em realidade, dupla circular de cordão ao redor do pescoço e por baixo dos braços, pelo qual foi necessário cortar o cordão antes de a menina sair totalmente ao exterior. Este corte, colocando-a no mundo antes de estar biologicamente preparada para isso, contribuiu para as dificuldades de adaptação à vida pós-natal.

Relataremos agora como dramatizou seu nascimento. Quando a terapeuta anunciou a nova medida técnica, Marta acocorou-se novamente no colo da mãe. Depois de algum tempo, lentamente foi estendendo a perna e levou-a até o chão; em seguida fez o mesmo com a outra; deixou cair lentamente o corpo, ficando só sua cabeça presa entre as pernas da mãe, succionando e chupando-lhe as roupas. Enquanto Marta realizava com muita lentidão esses movimentos, a terapeuta interpretou, passo a passo, seu novo nascimento e também que agora seu primeiro contato era efetuado com os pés, procurando assim aproximar-se da terapeuta e que esta forma (vinculação pelos pés e não pela boca) lhe permitia seguir unida à mãe. Baseou essa interpretação na atitude que Marta vinha tendo com a mãe durante todo esse primeiro período, quando permanecia acocorada no colo. Nessas oportunidades chupava e mordia os dedos ou as roupas de sua mãe: um botão (o umbigo) ou a ponta do cinto (o cordão umbilical). Mantendo pela boca o vínculo com ela, podia-se explorar o mundo exterior através de outras zonas. No momento em que

---

2 Cf. capítulo 8.

terminou a interpretação e a voz da terapeuta desapareceu, Marta levantou e foi outra vez para o colo da mãe. Ao ser interpretada novamente, reaparecendo assim a voz, a paciente reiniciou o movimento descrito. Interpretou-lhe a analista que, estimulada assim pelo anúncio da separação, mostrava à terapeuta que necessitava de uma ajuda mais concreta para consegui-lo e que a voz devia realizar o trabalho de um obstetra e também assegurar-lhe o alimento incondicional (voz-leite) que necessitava receber para desprender-se da mãe. O fato de permanecer pendurada na mãe pela cabeça, posição que voltou a assumir com maior nitidez nas sessões posteriores, foi interpretado em dois sentidos: ficar unida a ela e repetir o que sentiu quando, apesar de empurrar, não conseguia sair do útero, sentindo-se desse modo retida pelo cordão. Na sessão seguinte, Marta pendurou-se no encosto do sofá, sustentando-se com seus braços e balançando-se, sem chegar a desprender-se; simbolizava, outra vez, o que viveu quando o cordão a oprimia, impedindo-a de separar-se da mãe (sofá).

Na segunda sessão, depois do corte simbólico, permaneceu junto à porta, gritando e chorando, enquanto chupava e mordia os dedos, babando como um bebê. A mucosidade nasal caía-lhe pelo rosto até as roupas, sem que ela tentasse impedir, de tal forma que, ao terminar a sessão, estava envolta numa mistura de saliva, mucosidade e lágrimas. Parecia querer assim recuperar todas as substâncias que a tinham envolvido dentro da mãe. Interpretou-se que a terapeuta, cortando o cordão umbilical, a tinha retirado do ventre da mãe e que, em desesperada tentativa de negar essa separação, aferrava-se à porta do consultório, como se esta fosse sua mãe.

Na sessão seguinte, tendo já diminuído a ansiedade, Marta tentou virar-se e olhar a terapeuta; não pôde fazê-lo completamente. Olhou-a só com o canto dos olhos, indo depois para a porta com a intenção de abri-la. A terapeuta falou-lhe de dificuldade de olhar para ela e para tudo o que a rodeava, porque se sentia como recém-nascida que teme o desconhecido. No consultório havia um pequeno umbral de mármore junto à porta, sendo o resto do chão de madeira. Marta colocou um pé sobre o pequeno mármore, mantendo-o ali por um longo tempo; depois colocou o outro. Alternava o contato de cada um deles com o mármore até chegar a colocar um diante do outro, única forma para conseguir que os dois pisassem ao mesmo tempo. Fazendo esses movimentos, embora ainda agarrada à porta (mãe), enfrentava-se com o consultório (mundo externo). Com um dos pés roçou o chão de madeira, voltando a colocá-lo sobre o mármore. Depois de várias tentativas, apoiou totalmente o pé na madeira. Interpretou-lhe a analista que estava tateando o mundo exterior e a sua terapeuta e que necessitava fazê-lo aos poucos, porque tinha muito medo. O frio do mundo exterior estava simbolizado pela frieza do mármore. Na realidade, este mundo exterior foi pouco acolhedor para Marta, pelas características do parto, como comentamos, e porque os primeiros contatos com sua mãe foram deficitários. Depois de interpretar-lhe, levantou-se, apoiou a cabeça contra a porta e olhou para cima, recorrendo lentamente, com os olhos, a parte alta das paredes e o teto.

Tentaremos expressar o que era para Marta a fantasia inconsciente de enfermidade e como havia condicionado seu sintoma: o retraimento do mundo. Por causa do trauma de nascimento e de suas primeiras experiências negativas com o mundo, tudo quanto significasse mudança provocava nela medo ao rechaço e ao desconhecido.

A mãe lembrou nessa época que nunca havia tomado Marta nos seus braços. Além disso, estava acostumada a deixá-la chorar, sendo que numa oportunidade, quando tinha oito dias, permitiu que sua filha chorasse uma noite inteira, sem acudir para acalmá-la. Lembrou também que a amamentação prolongou-se até os dezoito meses, quando nasceu o irmão: Marta foi então desmamada e retirada do quarto dos pais. Nesse período começou a caminhar e tinha tendências para cair. Sofria, além disso, perdas de consciência, para as quais nunca se encontrou uma causa orgânica.

Durante o tratamento repetiram-se com a terapeuta todas essas dificuldades. Como, ao expor este material, estava interessada em mostrar especialmente a forma como Marta simbolizou o trauma de nascimento, limitei-me a relatar fragmentos das sessões onde estes conteúdos eram mais evidentes. Quero, entretanto, destacar que no material posterior se viu que a situação de chupar o botão (umbigo) e o cinto (cordão umbilical) de sua mãe correspondia à tentativa de manter com ela um vínculo oral e com a terapeuta um vínculo genital, dissociando a imagem materna em uma mãe real (peito) e em uma mãe genital, a terapeuta. O pé simbolizava o genital masculino fantasiado, mediante o qual tentava unir-se à mãe genital (terapeuta). Esta interpretação nos permitiu compreender um dos seus sintomas: o excessivo pudor frente a seus genitais e a seus pés.

DANIEL

Daniel, de quatro anos e dez meses, foi trazido para tratamento[3] por apresentar transtornos de conduta e pavores noturnos. Tinha a tendência a somatizar e a um ano e meio, durante um episódio febril, teve convulsões acompanhadas de ausências. Na entrevista inicial, vieram ambos os pais. Disseram que foi um filho desejado, mas que a mãe esteve muito ansiosa durante a gestação e temeu não poder ter um filho sadio. Nasceu com fórceps, depois de um parto com anestesia prolongada e complicações causadas por uma circular de cordão. Colocaram-no ao peito 48 horas após o nascimento. O menino estava ávido por mamar, mas como a mãe tinha muito pouco leite, tiveram que completar a alimentação com mamadeira.

A dentição foi aos sete meses e meio e aos onze começou a caminhar, mostrando em princípio tendência a cair.

Com um ano e oito meses tinha conseguido o controle esfincteriano diurno, mas recém aos dois anos e cinco meses conseguiu o noturno da matéria fecal.

---

3 Com Jorge Rovatti.

Quando tinha um ano, os pais fizeram uma viagem de um mês ao estrangeiro. Não a comunicaram a Daniel, por considerá-lo muito pequeno. Nessa época, articulou sua primeira palavra, que foi seu próprio nome.

Com um ano e meio inscreveram-no num jardim-de-infância, mas não pôde comparecer porque adoeceu. Quando tinha três anos, sofreu uma queda que lhe produziu a ruptura de dois dentes, coincidentemente a uma nova gravidez da mãe. Surgiram nessa época dois episódios de sonambulismo, que se somaram aos seus pavores noturnos.

Depois da primeira entrevista com os pais, decidiu-se pelo tratamento psicanalítico, à razão de quatro sessões semanais.

Neste caso também nos limitaremos a expor parte do material de uma sessão em que apareceu, como tema central, o trauma de nascimento.

Previamente seus jogos tinham se concentrado em torno de suas fantasias relativas à cena primária e à gravidez. Depois da interpretação de toda essa situação, Daniel dirigiu-se para um armário de consultório que habitualmente se mantinha fechado e expressou seus desejos de abri-lo. O terapeuta, compreendendo as necessidades da criança de incluí-lo no seu jogo como elemento de simbolização, aceitou abrir o armário. Daniel entrou no armário e pediu que fechasse a porta e que depois a abrisse.

Ao fazê-lo, encontrou-o sentado de cócoras, com os olhos fechados, e os braços cruzados sobre o peito, em posição fetal. Interpretou-lhe então, baseando-se em material anterior, que frente a todos os perigos e medos que sentia necessitava voltar ao interior do terapeuta-mãe-armário, como quando tinha estado dentro da mãe antes de nascer, mas podendo agora ordenar que a porta se abrisse e fechasse de acordo com seus desejos. Tentava assim elaborar a situação traumática da circular de cordão e do fórceps.

Daniel encontrou um novelo de linha dentro do armário e pediu para usá-lo. Interpretou-se que necessitava voltar a estabelecer com o terapeuta o vínculo que o havia unido à sua mãe mediante o cordão umbilical (novelo de linha). Pediu então que o analista fechasse novamente a porta do armário, mas quando este começou a fazê-lo Daniel teve uma crise de ansiedade e disse: "E se depois não podes abrir?" – acrescentando: "Quando terminar a hora, posso sair?"

Agarrou logo uma frigideria de lata (placenta) e retorceu o cabo (cordão) de tal modo que lhe deu um aspecto semelhante ao cordão umbilical depois do nascimento.

Seguiu retorcendo o cabo e disse: "Quando tudo esteja retorcido é a hora e que não se veja nada de luz". Interpretou-se que o momento em que estava por sair da barriga da mãe o cordão se retorceu (circular do cordão) e não o deixou nascer (não ver a luz). Daniel agarrou o novelo de linha e disse: "Era este; me atas?" E o terapeuta intepretou que necessitava agora recuperar esse cordãozinho, mas sem repetir a situação traumática originada (circular de cordão) e a retenção consequente, retificando-a assim através de sua análise.

Na sessão seguinte, Daniel voltou a simbolizar o cordão umbilical, mas através de novo elemento. Utilizou um chiclete; esticou e retorceu tentando imitar um cabo da frigideira. Depois comeu-o. Por meio desse ato, expressou a necessidade de separar-se da mãe cortando o cordão com os dentes (comê-lo) e ao mesmo tempo mostrou sua necessidade de introjetá-la para poder separar-se dela na realidade.

DIEGO

Diego é um menino de nove anos, de aspecto agradável; filho do meio de um casal jovem, aparentemente bem sucedido, nasceu no oitavo mês de gravidez e o parto foi rápido. Os pais não lembravam quanto tempo depois prendeu-se ao peito, mas disseram que a lactância materna durou até os sete meses, com ajuda da mamadeira. No começo resistiu à alimentação sólida, aceitando-a depois sem maiores problemas.

Começou a caminhar aos 17 meses, mostrando dificuldade na coordenação dos movimentos e recém aos três anos seu caminhar foi normal. Também falou muito tarde, pronunciando as primeiras palavras aos quatro anos. Quando tinha seis, sendo seu rendimento escolar muito baixo, consultaram-me para ver se confirmava o diagnóstico de oligofrenia que lhe tinham feito. Depois de uma cuidadosa exploração da criança, descartei essa possibilidade e aconselhei o tratamento psicanalítico, que se iniciou imediatamente. Durou um ano e meio, com cinco sessões semanais, vendo-se forçado a uma interrupção quando o terapeuta se ausentou do país.[4] Os progressos nesta primeira análise foram notáveis, não acontecendo o mesmo nas duas seguintes, que se interromperam por diferentes motivos e durante os quais se mantiveram os progressos do primeiro tratamento.

Pouco antes de iniciar esta última análise, da qual exporei alguns fragmentos onde se simbolizava o trauma de nascimento, os pais me consultaram novamente. Tinham anunciado a Diego que viajariam ao estrangeiro por dois meses e desde este momento começou a retroceder, tanto na sua aprendizagem escolar como na adaptação ao meio ambiente. Os fragmentos que transcreveremos correspondem às duas primeiras sessões do quarto tratamento, que se iniciou imediatamente depois da entrevista que tiveram comigo, na qual compreenderam que Diego tinha ligado a viagem de seu primeiro terapeuta – que foi seu abandono definitivo – com a que eles iam realizar nesse momento. Recordei-lhes também que, quando se interrompeu a primeira análise, disseram ao menino que o terapeuta voltaria, aceitando os tratamentos que seguiram de forma transitória e que, quando a ausência foi declarada definitiva, ninguém a esclareceu ao menino. Isto explica seu temor atual a que o lapso de dois meses anunciado se transformasse também em ausência definitiva.

O terapeuta[5] me esclareceu que na primeira sessão Diego mostrara uma grande rejeição a estabelecer uma boa relação transferencial; a desconfiança habitual ao começar qualquer tratamento viu-se reforçada nela pelas sucessivas perdas e fracassos. Foi-lhe mostrado tudo isso com o máximo de detalhes, assim como sua

---

4 Emílio Rodrigué.
5 Eduardo Salas.

angústia ante a próxima viagem dos pais. Na segunda sessão, Diego expressou que aceitava separar-se dos pais e reproduziu o trauma do nascimento. Disse que no estacionamento do qual já tinha falado no começo da sessão, quando estava andando de bicicleta e esta começou a descer vertiginosamente, não conseguindo freá-la, as rodas giravam muito ligeiro e teve que desviar de algumas plantas que encontrou no caminho, dando voltas para finalmente cair sobre o asfalto. Enquanto relatava esse acontecimento, mexeu primeiro a cabeça e depois o corpo, fazendo-o girar com movimentos rotativos sobre si mesmo. Lembramos que Diego nasceu no oitavo mês de gravidez e que o trabalho de parto foi muito rápido; o obstetra – segundo a mãe – dissera: "Quase que a criança cai no chão."

O material associativo da sessão e o conhecimento da história do paciente justificaram amplamente a interpretação do terapeuta: Diego expressava seu nascimento rápido, vivido com uma queda brusca, que terminou num baque. A rotação dentro do canal do parto simbolizou-a na sua descrição das voltas que dava com a bicicleta, enquanto que a dificuldade para passar entre as plantas simbolizava a passagem entre os pelos pubianos da mãe. A vertigem produzida no feto ao dar a volta dentro do canal do parto, expressou-a quando disse como giravam as rodas da bicicleta. Foi interpretado também, de acordo com o material inicial, que a criança atribuía em parte sua debilidade mental à forma como tinha nascido. O terapeuta completou essa interpretação dizendo que temia a repetição dessas situações na sua nova experiência analítica e a criança, com uma expressão inteligente e de alívio, respondeu que sim.

Pegou depois um autinho, cuja marca disse desconhecer, comentou que não tinha bancos, mas que deveria tê-los e concluiu que o carro não estava terminado. Com isso simbolizou seu sentimento de que faltavam coisas, que não estava terminado, pois dentro do ventre da mãe alguma coisa tinha ficado por ser feita. O terapeuta interpretou isso, acrescentando que necessitava refazer essa experiência com ele (terapeuta) para completar-se, completando também os tratamentos que tinham ficado sem terminar. Simbolizou essa situação em sessões posteriores de maneira clara, sentando-se no colo da mãe ou dando cabeçadas no ventre do terapeuta.

Como resposta a essa interpretação, agarra com sua mão direita um apontador e na esquerda um lápis com a ponta quebrada. Apesar de ter na sua mão o apontador, pede um ao terapeuta, sendo que o terapeuta interpreta-lhe que o menino percebe que estão nas mãos do terapeuta as possibilidades de se curar – o apontador mas que sozinho ele não pode fazê-lo e pede ajuda. Diego utiliza o apontador com tão pouca habilidade que não consegue realizar o que se propõe. O terapeuta lhe diz que Diego se sente inibido para utilizar suas capacidades. Nesse momento um imperceptível movimento no braço do analista faz com que Diego se distancie muito; assustado e com expressão de sofrimento diz: "Cortei o dedo". Fantasia que não se justificava de maneira alguma nesse momento da sessão. Esse menino foi circuncisado no décimo quinto dia após o seu nascimento. O terapeuta interpretou que pensava que este trauma tinha influído no seu sofrimento – faltava-lhe algo no pipi-lápis. Nas sessões posteriores repetiu o jogo do apontador; foi interpretada a necessidade de refazer a situação originaria para recuperar o prepúcio perdido, e a reação de medo que demonstrou ao terapeuta devia-se ao temor a que todos esses acontecimentos dolorosos tinham provocado sua enfermidade. Associou o desprendimento do prepúcio com o desprendimento de seu primeiro analista e com o medo a que se repetissem, nesse novo tratamento, todas as perdas já mencionadas.

SÍLVIA E GRACIELA

A mãe das gêmeas Sílvia e Graciela, de cinco anos, entrou num grupo de orientação,[6] porque suas filhas ainda chupavam o dedo polegar. Queria que lhe aconselhassem a maneira adequada de corrigir este hábito, único sintoma que a preocupava. Foi-lhe explicado que no grupo de orientação não se davam conselhos, mas sim que se tratava de compreender o porquê dos transtornos. Enquanto ela nos falasse dos sintomas, veríamos paulatinamente como eles tinham surgido e como evoluiriam na medida em que os compreendêssemos.

Em seguida, esclareceu-se que o verdadeiro motivo da entrada ao grupo era a necessidade de elaborar o "terrível impacto" que significou para ela ter tido gêmeas sem qualquer advertência prévia de parte do obstetra. Ao iniciar, negava toda a angústia que o acontecimento lhe provocou, assim como negava o grande esforço que fez para criá-las, adaptar-se à situação de ter duas filhas, satisfazê-las com igualdade, dar-lhe o seio até os nove meses e realizar ao mesmo tempo todo o trabalho a casa. Lembrou em seguida que no quarto mês de gravidez o médico lhe tinha perguntado se havia na família caso de gêmeos. Mesmo tendo respondido afirmativamente, o médico não a avisou sobre a possibilidade de tê-los.

Interpretou-se-lhe que já aí negara o conhecimento do que levava no seu ventre, pois a pergunta do médico era em si um alerta sobre essa possibilidade. Recusou a interpretação, respondendo que quando no mês seguinte perguntara ao médico se poderiam ser gêmeos e este lhe dissera que não, sentiu-se muito decepcionada. Dois dias antes do parto ainda lhe tinham dito que teria um filho homem e que seria muito grande. Nasceram duas meninas, primeiro Sílvia e dez minutos depois Graciela. Permaneceram em incubadora durante cinco dias, período em que a mãe permaneceu no hospital. Depois criou-as, dando-lhes o seio até o início do sexto mês, ajudando com mamadeira. O desmame efetuou-se aos nove meses. Não lhes deu bico e começaram ambas o hábito de chupar o polegar desde o primeiro mês de vida.

Notou-se no grupo sua decepção por não ter tido um menino, e a rejeição inicial a suas filhas, sentimento que tinha reprimido, completamente. O tema com o qual trabalhei mais nas interpretações foi a proibição que sentia em aceitar que tudo o que fazia, considerando-se sempre culpada do rechaço inicial, dos cinco primeiros dias de falta de contato e da restrição na sucção. Não podia reconhecer sua bondade e carinho, negando tudo o que dava às suas filhas. Por tudo que contava delas,

---

6 Com Arminda Aberastury como terapeuta.

via-se que Sílvia era empreendedora, mandona, e Graciela, por sua vez, que nasceu em segundo lugar, era retraída e tinha tendência a desvalorizar-se. Pudemos compreender que a mãe apoiava as características de Sílvia, repetindo a diferença inicial privilegiada, criada no dia do nascimento. Quando modificou sua conduta, começaram a surgir notáveis modificações, pois os papéis, antes tão nitidamente diferenciados, iam mudando. Melhorou também o hábito de chupar o polegar, limitando-se ao momento de dormir.

Em uma sessão, depois dessa melhora, a mãe contou que havia acontecido algo estranho no jardim-de-infância, que ela relacionava com a forma como nasceram suas filhas. Durante a festa de fim de ano – festa de nascimento – foram escolhidas para representar o papel de bonecas, para o que foram vestidas como tais e colocadas dentro de uma caixa. Em determinado momento da representação, Pinóquio lhes dava corda e em seguida uma fada, ao som de uma música, tocava-lhes a cabeça com uma varinha, para que elas saíssem caminhando, isto é, fazia-as nascer. Enquanto Pinóquio lhes dava corda, Sílvia esperava pacientemente quieta na sua caixa e Graciela aparecia continuamente para ver "que acontecia lá fora". Quando a fada as tocou com sua varinha, Sílvia saiu imediatamente de sua caixa, mas Graciela permaneceu indecisa e não se animou a sair, fazendo-o só depois de alguns instantes. Com essa forma de atuar, repetiram o que ocorrera no nascimento.

Esses fatos pareceram mais interessantes ainda quando na semana seguinte a mãe contou que, depois da representação, as gêmeas amanheceram com febre e um eczema, que foi intenso em Graciela, a nascida em segundo lugar, e muito leve em Sílvia. Este sintoma era similar ao que tinham sofrido no quinto mês, quando se iniciou o desmame e receberam a primeira mamadeira; naquela oportunidade também foi mais intenso em Graciela.

O que estava reprimido na mãe e que lhe provocava uma culpa tão intensa foi seu rechaço inicial, motivado principalmente pela decepção ao não nascer um menino. Este conflito favoreceu em Sílvia as características que ela considerava masculinas; além de apoiá-las, tinha-lhe preferência. Ao fazer consciente a culpa, sua conduta se tornou mais livre e permitiu que suas filhas não dependessem tanto dela, notando-se, além dessa independência, o desaparecimento do hábito de chupar o polegar durante o dia, recorrendo a ele, às vezes, antes de dormir.

Os papéis que ambas desempenhavam, que antes eram tão rígidos, fizeram-se mais maleáveis e deixaram de ser duas meninas que formavam uma só, para ser cada uma delas uma menina, mas possuindo algumas características em comum. Foi nessa etapa da evolução, depois de um ano de tratamento da mãe, durante a representação no jardim-de-infância, que ocorreu o fato anteriormente relatado. Com essa representação, as crianças reproduziram as duas separações que tiveram da mãe: o nascimento e o desmame. Graças às modificações ocorridas na mãe, puderam repetir as experiências de nascimento e de desmame, porque as condições mais favoráveis para continuar progredindo no processo evolutivo era nascer e começar o desmame outra vez. Necessitavam reviver essas situações traumáticas para modificá-las e conseguir assim estabelecer uma nova relação com sua mãe.

12

Surgimento de ansiedades anal-sadomasoquistas enquistadas por fracassos na lactância

ELIZABETH G. DE GARMA*

Com certa frequência, crianças que chegaram a apresentar um quadro psíquico de aparente ou relativa normalidade, com bom relacionamento, fracassam rotundamente, em dado momento, frente a uma exigência na vida um pouco maior do que o comum. Por exemplo: na entrada ao colégio ou quando se enfrentam com um ambiente novo. Nesses momentos de fracasso, parece derrubar-se completamente parte da personalidade dessas crianças e desmoronar a adaptação psíquica que aparentemente tinham conseguido.

Chamamos boa adaptação psíquica o fato de ter superado os estágios pré-genitais sem restos neuróticos, além de ter vivido e elaborado uma posição edípica positiva. Outras crianças chegam a fazer uma adaptação parcial à realidade, que lhes permite desenvolver-se relativamente bem, ainda que tenham algumas características neuróticas fortes. Quando chega o momento do fracasso, perdem toda a possibilidade de continuar com a relativa adaptação que haviam conseguido.

Na análise dessas crianças, descobrimos que a estrutura psíquica não era tão sólida como parecia ser, mas que existiam sérias ansiedades pré-genitais anucleadas, das quais tinham procurado escapar por meio de uma progressão à genitalidade. Dito núcleo reprimido de ansiedades anal-sadomasoquistas é percebido pela criança como um centro de destrutividade sumamente potente, que deve ser isolado e reprimido a todo custo, já que de outro modo destruiria a ela e seus objetos. Mas inconscientemente a criança fantasia que contém no seu interior um núcleo de excrementos sujos e repulsivos. Geralmente a fuga à genitalidade é favorecida pelo

---

* Este trabalho foi apresentado na Asociación Psicoanalítica Argentina no dia 29 de abril de 1958.

meio ambiente propício, que aplaude o menino varonil ou a mulherzinha feminina com manifestações edípicas claras. Mas quando ocorrem repressões ou transtornos nas primeiras manifestações das tendências edípicas, reativa-se ou condicionam uma fixação muito maior nas fantasias e ansiedades anal-sadomasoquistas, dificultando um estabelecimento posterior adequado da organização genital.

Relatarei material de dois casos, nos quais a análise das ansiedades pré-genitais, sobretudo anais, permitiu o desenvolvimento da organização genital sã. De forma breve também exporei o caso de outra criança cujo ambiente não permitiu sequer a fuga progressiva à genitalidade e que permaneceu fixada nas etapas anteriores.

O curso da análise desses três casos foi idêntico quanto à técnica e à resposta a dita técnica, por estarem as três crianças no período de lactância e por terem utilizado, as três, os mesmos mecanismos de isolar e reprimir o núcleo de sua instintividade, percebido como destrutivo e perigoso. Entretanto, no terceiro caso, o paciente não pôde fazer a fuga progressiva à genitalidade e chegar a uma posição genital fictícia, como o fizeram os dois primeiros.

São casos nos quais houve enquistamento do complexo pré-genital dentro da analidade. Seu conteúdo era fantasiado inconscientemente como uma massa destrutiva e suja no interior do corpo. Nesses casos, este enquistamento passa despercebido, até que se chega a uma situação na vida que traz consigo um fracasso na posição genital fictícia e, portanto, a criança é obrigada a fazer uma regressão.

Como durante a análise se fazem conscientes esses conteúdos, produz-se uma sensação análoga àquela que se provoca quando se abre um abscesso purulento cuja eliminação angustia num primeiro momento, mas que alivia rapidamente o indivíduo.

Esses casos são muito demonstrativos do que descreve Melanie Klein sobre a modificação brusca do jogo como consequência da interpretação correta, justamente pelo surgimento brusco dos conteúdos terroríficos enquistados que obrigam a criança a encontrar uma nova atividade para expressar-se. Também ao serem analisados esses conteúdos, em cada caso houve uma nova modificação brusca do jogo, não regressiva como quando surgiram os conteúdos terroríficos, senão em um nível libidinoso progressivo genital, já sobre uma base sólida e sadia.

Expressar esquematicamente o transcurso da análise desses casos consistiu primeiramente em destapar o complexo análogo mediante interpretações dirigidas contra os conteúdos e as defesas que haviam levado ao seu isolamento e enquistamento. Em segundo lugar, satisfazer em certo grau e parcialmente as fantasias que surgem mediante a expressão progressiva delas em jogos, desenhos ou expressões verbais, paralelamente à análise sistemática e completa delas na transferência.

Para essa satisfação é necessário que a analista faça sentir à criança que não só tolera senão que participa e está identificada com ela na expressão de suas fantasias. Às vezes tive que suspender a interpretação quando a criança, por sua ansiedade e sentimento de culpa, a sentiu, por mais cuidadosamente que se formularam, como uma proibição ou uma rejeição de sua necessidade de sujar, produzir maus odores, fazer explosões, etc. Isso foi algo que, num dado momento, ocorreu nesses casos.

Concluídas essas duas etapas, ocorreu o progresso da organização anal para a organização genital, mas dessa vez sobre bases mais firmes. Ao entrar na organização genital, as crianças procuraram esclarecimentos sobre temas sexuais, aproximando-se de seus pais para isso. Em nenhum caso fiz esclarecimentos, já que considero isso contraindicado. Limitei-me a analisar os comentários sobre os assuntos sexuais que as crianças me apresentaram.

É interessante notar que, embora os pais dessas crianças houvessem dado explicações sexuais muito antes, somente ao chegar a essa altura da análise se interessaram por esses conhecimentos e as aceitaram sem deformações anal-sadomasoquistas.

É importante sublinhar a enorme importância de interpretar sempre em relação com a transferência, já que a análise fracassaria se um material tão angustiante escapasse prematuramente da transferência aos objetos reais.

CASO I

Ernesto, de nove anos, era um menino que tinha chegado a fazer uma adaptação bastante boa à realidade. Sua escolaridade foi satisfatória, sendo brilhante nos seus estudos musicais. Foi quando teve que esforçar-se para um curso especial, no qual fracassou em sua adaptação e apresentou um quadro neurótico com marcados aspectos paranoides. A mãe dizia que ele estava "sempre na lua". Tinha uma conduta desatinada no colégio com seus colegas, o que provocava risadas e burlas constantes. Isso o deprimia e o fazia sofrer intensamente, levando-o a fugir da realidade e fechando-se dentro de seu mundo interior. Com frequência, viam-no ensimesmado, fazendo algum pequeno movimento ou caminhando de um lado a outro compulsivamente, falando sozinho em voz alta e de modo imcompreensível. Devido a esses transtornos, seu rendimento intelectual tornou-se sumamente irregular. Conseguia reprimir e encobrir suas angústias brigando com os colegas ou através de brincadeiras. Ao começar a análise, surgiram de novo suas ansiedades de maneira clara, como, por exemplo, provocava o pai constantemente frente à mãe, conseguindo que esta o apoiasse, causando assim discussões constantes entre os dois. Também rivalizava com o irmão para conseguir a atenção da mãe.

Quando pequeno, havia sofrido uma leve criptorquidia, que desapareceu espontaneamente aos oito anos, embora tivesse muita importância na elaboração da sua ansiedade de castração e na repressão genital encoberta.

Também sofria ataques periódicos de asma. Além disso, era sumamente exigente em relação aos alimentos, manifestando desconfiança extrema às comidas novas; comia verduras, massas, arroz e doces, rejeitando, com nojo, queijo, manteiga, leite e carne.

Quando fez dois anos, em plena fase anal, nasceu um irmãozinho. Como era de saúde delicada, requeria, desde o princípio, atenção e cuidados constantes dos pais. Foi um fator desencadeante da neurose de Ernesto. Além disso, sentia então a perda não só da mãe, mas também do pai. Entraram em jogo fortes sentimentos de culpa por suas fantasias sádico-anais, provenientes dos ciúmes pela gravidez da mãe e pelo nascimento do irmão. Seguindo os pensamentos da Dra. Arminda Aberastury de Pichón Rivière, a segunda gravidez da mãe ocorreu na época mais angustiante para Ernesto, já que correspondia à sua primeira estruturação genital. O estado delicado do irmão menor confirmava a Ernesto a efetividade de seus impulsos e fantasias sádico-anais e o alcance de sua capacidade de destruição interior. Isso intervinha na origem de seu terror ao que ele imaginava dos conteúdos do seu corpo e, por projeção, dos conteúdos da mãe. Esses foram os motivos principais de sua atitude paranoide em relação à comida e ao centro das fantasias, que o dominavam cada vez mais, levando-o a isolar-se do mundo e convertendo-o em objeto de burla de seus colegas. Também estavam ligados à gênese de sua asma, tema de que não me ocuparei neste trabalho.

Todos esses aspectos de sua personalidade puderam ser analisados através de jogos com equipamento de química, usados por ele durante mais ou menos trinta sessões.

Nas duas ou três primeiras sessões de análise, Ernesto me explicou seus conflitos no colégio, queixando-se amargamente da injustiça que sofria e pedindo-me ajuda para modificá-lo. "Parece engraçado para eles o que eu digo ou faço e riem-se", dizia, "mas sempre sou eu o que paga o pato. Sempre põem de castigo a mim".

Essa atitude paranóide repetiu-se na construção de uma casa,[1] a qual, devido a suas dúvidas e modificações constantes, demorou duas sessões para completar. A casa era de um andar, com muitas divisões interiores. Sua maior preocupação estava nas portas de entrada. Também teve muitas dúvidas sobre se deveria fazer a fachada simétrica ou incluir um vestíbulo falso, onde faria uma armadilha para ladrões. Finalmente, decidiu ficar com o último, acrescentando outros detalhes de segurança, como a construção de uma sacada em cima da porta dos fundos, "para poder vigiar quem saía".

Suas dúvidas intensas, que o inibiam no prosseguimento da construção, sua compulsão à simetria, suas tendências a derramar, sujar ou apagar, bem como ansiedades provocadas por essas tendências, eram indícios claros de uma neurose obsessiva incipiente, que constituía uma defesa contra suas enormes ansiedades depressivas e principalmente paranoides.

A interpretação das ansiedades que produziam suas preocupações pelo funcionamento do interior de seu corpo, como as coisas entravam e saíam dele, se eram boas ou perigosas, a suposta criminalidade de seu interior, tudo isso o motivou para que se dedicasse plenamente ao tratamento. Disse que um amigo tinha um

---

[1] ABERASTURY, Arminda. *El juego de construir casas. Su interpretación y valor diagnóstico*. Ed. Paidós, Buenos Aires, 1961.

equipamento de química, que com isso se podiam fazer experiências interessantes e perguntou se ele podia fazer experiências químicas nas suas sessões.

Ao ver o equipamento de química que lhe proporcionei, separou em seguida dois elementos: cloreto de potássio e salicilato de potássio, e me entregou, para que os guardasse em lugar mais seguro, já que, segundo ele, eram explosivos muito perigosos; representavam a sua parte criminal incontrolável.

Começou logo a fazer suas experiências de misturar, sem discriminação, diferentes substâncias químicas, algumas vezes fervendo a mistura, mas sempre obtendo o mesmo resultado: um líquido preto, que segundo ele era uma grande invenção sua, um explosivo potentíssimo, muito mais forte do que a bomba atômica ou de hidrogênio ou qualquer outro explosivo atual.

Pulava de alegria quando considerava acabado seu experimento e ao finalizar a sessão tínhamos que guardar o tubo de ensaio com muito cuidado, para que não explodisse na sua ausência. A primeira coisa que fazia ao voltar na sessão seguinte era verificar se seu explosivo estava igual. Tinha medo de que durante sua ausência evaporasse algo do líquido.

Pode-se ver como, através dessa série de experiências, procurava, transferencialmente, ter certeza de que podia dominar sua destrutividade interior e que ele não era culpado de ter destruído o interior da mãe e do seu irmão tão delicado.

Nessa época eu representava sua mãe, seu irmão e, também, um superego capaz e protetor, do qual se valia para ir fortalecendo seu ego para o uso adequado da agressividade. Assim, eu devia guardar os explosivos muito perigosos, segurar o tubo de ensaio sobre a chama, acender os fósforos, etc. Pouco a pouco, à média que diminuíam suas ansiedades, que surgiam das fantasias sádico-anais de destruição com explosivos, pôde chegar a fazê-lo sozinho com toda a tranquilidade.

O alívio e a alegria que sentia ao fantasiar que o explosivo inventado era muito superior a qualquer outro representam o alívio que significava o fantasiar de que ele podia dominar com suas forças superiores as ansiedades que lhe produzia a idéia de coito entre os pais. Estava completamente reprimido na época do jogo, mas percebia inconscientemente o coito como ataque, como uma explosão e destruição mútua. Os pais eram simbolizados não somente pela bomba atômica e de hidrogênio, mas também pela fusão dos dois elementos, tão perigosos que me deu para guardá-los. Isto é, o coito dos pais estava simbolizado de uma forma totalmente anal. Nessa altura, o que mais o interessava era inventar líquidos que desprendessem gases. Misturava elementos com um pouco de água em um tubo de ensaio, agitava e escutava o ruído da fervura numa mescla de angústia e de imenso prazer. Eu também devia escutar e confirmar que ele tinha fabricado um "gás potente". Era uma arma com o significado de pênis em sua regressão anal.

Esse aspecto de seu jogo de experiências representava a repetição de sua vivência auditiva precoce do coito dos pais e de suas fantasias edípicas reprimidas. Também representava os próprios gases intestinais. Quando ele podia controlar sentia-se onipotente; do contrário, sentia que o dominavam. Surgia então nele um terror aos conteúdos do interior do corpo. O ruído dos gases eram os sons que provinham do quarto dos pais e que ele escutava angustiado (foi ao redor dos dois anos, quando, segundo sua mãe, dormia mal e começaram as manifestações de seus sintomas).

O "gás potente" lhe causava tanto prazer por estar ligado à fantasia onipotente de vencer o pai e ocupar o seu lugar na relação com a mãe. Isto é, que a posição de franco terror frente às fantasias de expulsão e destruição mútua no coito haviam dado lugar à fantasia onipotente de superar a sua angústia, tendo ele mais potência e êxito do que o pai, primeiro com explosivos superiores e depois com o gás tão potente.

Seu conceito sádico da genitalidade carregado de qualidades regressivas, somado à criptorquidia que sofreu até os oito anos, reforçada pela impaciência e irritabilidade de seu pai real (era ulceroso), intensificaram o complexo de castração do menino e o levaram a buscar uma identificação com a mãe. Por exemplo, inconscientemente imitava seus gestos, fantasiava conseguir a mesma profissão dela e sua conduta com o pai era de uma provocação masoquista, para conseguir a atenção constante dele, ainda que em forma de gritos e reprimendas.

Mas sua identificação feminina aumentou-lhe a ansiedade de castração, causando uma regressão ao nível anal-sádico, onde já estava fortemente fixado. Além disso, por sua situação de fracasso e devido às enormes ansiedades, estava impossibilitado de aceitar as tendências genitais e suas fantasias edípicas, tanto negativas quanto positivas, levando-o a um retraimento narcisístico, que originou a atitude de rejeição aos colegas e sua tendência a isolar-se e fechar-se em si mesmo. Eram tendências presentes já antes dos três anos, quando ia ao jardim-de-infância. Naquela época se negava a brincar com os outros meninos e passava o dia num canto sozinho, desenhando. Também se tornou evidente, desde muito cedo, em Ernesto uma intensa mobilidade difusa, que Melanie Klein[2] considera precursora ou substituta do tique, onde também intervêm concepções regressivas anal-sádicas do coito. Por exemplo: se tinha que esperar alguns minutos para sua sessão, caminhava de um lado para outro, dava saltinhos, atirava seu gorro para o ar e em suas sessões constantemente se movimentava, batia o pé, a mão, etc. Esta mobilidade difusa diminuiu com a análise do jogo de química.

À medida que analisávamos suas fantasias relacionadas com a cena primária, diminuiu sua angústia do pênis terrorífico e destruidor do pai, podendo identificar-se já com ele; diminuiu assim sua angústia de castração. Isso permitiu o aparecimento de uma fantasia através das experiências químicas, que consistiu na invenção de uma "cola fantástica" (unir representando o coito), que insistiu em levar para casa a fim de prová-la. Foi uma tentativa mágica (onipotente construtora) de reparar ou construir, baseada na aceitação da união genital dos pais.

A "cola fantástica" unia os dois pais. Começava a libertar-se de sua fixação anal. Prosseguindo com suas fantasias nesse nível, pediu-me o cloreto de potássio e o sulfato de potássio, que, no primeiro momento, tive que guardar tão cuidadosa-

---

2 KLEIN, Melanie. "A contribution to the psychogenesis of tics" (1925). *Contributions to psycho-analysis*, p. 134, The Hogarth Press, London, 1951.

mente e com eles fabricou *petardos*. Com evidente prazer os explodia. Dizendo que "faziam ruído, mas que em realidade não eram perigosos". Expressava assim que o coito não era tão perigoso como acreditava antes, nem tampouco o era o irmãozinho que foi produto dele.

O que permitiu surgir as fantasias edípicas de Ernesto foi a interpretação sistemática das fantasias anais sádicas e masoquistas, assim como dos terrores paranoides correspondentes. A análise de todas essas fantasias constituiu o ponto central das interpretações e efetuou a liberação dos sintomas incômodos da criança. Desapareceram os conflitos no colégio, melhoraram suas relações no lar, como também a asma e aceitou comidas novas.

As fantasias dramatizadas no jogo de química eram predominantemente anais ou anal-digestivas, intervindo muito menos as oral-digestivas. Isto se confirmava não só pelo fato de que sempre resultava negro o líquido inventado, como também era importante o olor que podia ter. Além disso, o que derramava do seu jogo sujava a mesa, o chão, as paredes, suas mãos, pernas e, às vezes, suas roupas. Essa situação o angustiava e tinha que lavar-se caprichosamente antes de ir para casa. É importante considerar que sempre, durante as sessões desse jogo, pedia para ir ao banheiro defecar.

Ernesto vertia um pouco de água num tubo de ensaio e acrescentava com grande expectativa uma substância química atrás da outra. "Cuidado", advertia, "quando coloco isso, quem sabe o que vai acontecer". Continuava acrescentando com certa ansiedade e, agitando, escutava o gás. O tubo de ensaio era ele mesmo, que se sentia cheio de sujeira, explosivos e gases. A expectativa ansiosa era a que o dominava constantemente ao ingerir alimentos e ao defecar, como quando introjetava e projetava psiquicamente objetos, palavras, pensamentos, etc. Como sublinha Melanie Klein, "a ansiedade paranoide de que os objetos destruídos sadicamente sejam em si uma fonte de veneno e perigo dentro do corpo do sujeito faz com que ele desconfie profundamente dos objetos, apesar de seguir incorporando-os".[3]

Ao acrescentar novos elementos químicos à sua mistura, num tubo de ensaio, e ao escutar o "ruído do gás", fantasiava a trajetória que os alimentos ou o ar ingeridos faziam por seus tubos digestivo e respiratório. Perguntava-se onde se colocariam e o que fariam, acreditando que os ruídos eram devidos às lutas e à destruição dentro dele.

Sua desconfiança e seu terror do que ocorria em seu interior eram temores pela segurança do seu ego, o qual estava em perigo cada vez que introjetava objetos suspeitos para ele e temia sua incapacidade de albergar objetos íntegros e bons. Ao prosseguir com seu jogo de química junto a essas interpretações das ansiedades paranoides, pôde abandonar suas fantasias terroríficas. Surgiu então a curiosidade pelos conteúdos reais do corpo, assessorando-se acerca das funções de todos os órgãos.

---

3 KLEIN, Melanie. "Psychoanalysis of maniac depressive states". *Contributions to psychoanalysis*, p.284, The Hogarth Press, London, 1951.

Isto é, seu corpo já não continha uma série de objetos desconhecidos e perigosos, mas continha órgãos bons que o faziam funcionar bem. Foi ao finalizar esta parte de sua análise que Ernesto concluiu seu jogo com o equipamento de química, com o invento da *cola fantástica* e a fabricação da explosão prazenteira dos *petardos*.

A análise continuou com um jogo de batalhas, o que significava já um progresso claro em relação à posição genital. Ernesto repartia igualmente, entre ele e eu, soldadinhos, armamentos e cubos para construir as defesas que devíamos colocar ao longo de fronteiras. Depois devíamos bombardear-nos e ir conquistando o terreno. Foi o jogo mediante o qual pôde elaborar suas tendências e desejos edípicos positivos e suas ansiedades de castração. Essa ansiedade surgiu com clareza porque já tinha superado parcialmente a repressão de sua genitalidade. Nas primeiras sessões com esse jogo, Ernesto demorava tanto, projetando e construindo as fortificações, que não sobrava tempo para a batalha em si; ou seja, a intensidade de suas angústias de castração lhe faziam titubear e aumentar as defesas antes de arriscar-se na luta edípica com seu pai. Fantasiava ter defesas tão fortes, que não perderia um só soldado.

Essa defesa excessiva ocultava seu sentimento de culpa e temor ao castigo do pai e do irmão, por desejar ter a mãe exclusivamente para ele. Nessa época da análise, tornou-se muito ciumento comigo, enfurecendo-se se via entrar ou sair de minha casa outra criança ou repreendendo o chofer se o trazia minutos tarde à sessão.

Com o jogo das batalhas, compreendi que meus terrenos representavam a mãe e os três fortes que eu devia construir (um grande, central, e dois pequenos, laterais) simbolizavam seu pai, seu irmão e ele próprio, compartilhando a mãe. A interpretação de seu conflito frente à mãe, com seus temores de destruir e ser destruído genitalmente, diminuiu sua ansiedade, de modo que no jogo e na fantasia pôde já empreender a luta contra seu pai e seu irmão pela posse da mãe. Tornou-se então mais agressivo em seus bombardeios e mais audaz em seus avanços para dentro do meu terreno, ainda que no começo o angustiasse bombardear-me; posteriormente, começou a atacar meus fortes com mais eficiência e mais pontaria. Depois pôde fazer conquistas totais, sem que isso lhe provocasse ansiedade nem procurasse simbolicamente a repreensão pelos desejos genitais. Ao conquistar todos os meus terrenos, satisfazia as fantasias de conservação da mãe, já que passavam a ser *protetorados* seus. Dessa forma cumpria suas fantasias de substituir o pai frente à mãe com um mínimo de culpabilidade, pois ele o tinha vencido heroicamente, defendendo-se com valentia dos ataques daquele dentro do terreno materno; esperava como recompensa que seus novos protetorados, ou seja, a mãe, se convertessem em aliados e o protegessem. Ao conquistar todos os terrenos, finalmente integrava a mãe, já que não precisava dividi-la com o pai e o irmão (os três fortes com batalhões que eu devia perder como defesas). Essas idéias de reparação e integração fizeram com que tolerasse mais suas fantasias genitais e que surgisse claramente à sua consciência a curiosidade sexual reprimida até então.

Assim, nos dias subsequentes, foi exigindo de seus pais o esclarecimento sexual completo, tema jamais tocado antes. Comentava, nas suas sessões, o resultado das conversas com eles.

CASO 2

O mesmo processo de regressão a uma fixação anal-sadomasoquista enquistada, por abandono da posição genital, decorrente de um fracasso, deu lugar ao sintoma de não falar no colégio. Era uma menina de seis anos, que se permitia expressões de genitalidade edípica positiva, por sentir que seus pais viam isso com simpatia. Mas tinha uma fixação reprimida a aspectos pré-genitais da sexualidade. Suas fantasias inconscientes eram como fezes e, substitutivamente, com palavras feias, sendo que outras eram fantasias fálicas carregadas de grande inveja do pênis. Todas elas a deixavam com grande sentimento de culpa, por senti-las muito sujas e proibidas por seus pais. Como no anterior, também neste caso chegou-se à normalidade através da insistente interpretação dos conflitos anal-sadomasoquistas.

Mônica foi trazida à análise porque desde que tinha ingressado no colégio, cinco meses antes, tinha se negado a falar ali. Não tinha nenhuma dificuldade de aprendizagem, mas sua inibição a levaria a um fracasso escolar, certo já de que não abria a boca nem para cumprimentar a professora e as colegas, muito menos para ler e responder perguntas.

Fora do colégio, aparentemente seguia no nível genital. Era uma menina de conduta normal, inteligente e muito conversadora. Em todas as partes, inclusive no colégio, a queriam; a mimavam, chamando-a de Princesinha, por sua graça e beleza. Mas, ao transcorrer o ano escolar, a menina se angustiava cada vez mais por causa de sua inibição, que não podia superar, apesar das atenções carinhosas e da preocupação de seus pais e professores.

Quase todo o tempo de sua curta análise (durou aproximadamente trinta sessões) foi empregado em desenhar e pintar. Selecionei material gráfico, que nos permite ver quais eram as ansiedades que a levaram ao sintoma escolar.

A primeira sessão estava algo coibida, mas desenhou "uma menina que vai ao colégio" (figura 1). É seu problema atual. Ir ao colégio foi o fator desencadeante de sua neurose, não somente porque era sua primeira atividade séria e de responsabilidade, onde devia fazer-se valer por seus próprios méritos, mas porque o colégio e as professoras eram objetos propícios para projetar seus objetos terroríficos e perseguidores reprimidos até então. O começo de sua vida escolar significou-lhe um esforço que debilitou momentaneamente seu ego, fazendo fracassar a repressão, eclodindo assim as necessidades reprimidas.

A menina do desenho está bastante completa, com certa insistência na roupa, detalhe que surgirá mais adiante e ao qual dava muita importância. Ela era muito bonita e vaidosa e a admiração que provocava lhe servia para compensar o terror que tinha de ser suja e feia por dentro. O colégio, no desenho, parece mais

▲ Figura 1

uma cara grotesca, com uma boca severa e cheia de dentes. Ainda que não tivesse motivo real para ver-se assim, Mônica percebe o colégio e a professora como algo hostil, frente ao qual deve defender-se e não manifestar nada que lhe possam criticar.

Na sessão seguinte repete o mesmo tema algo modificado (figura 2). O colégio já não era uma cara hostil, ainda que possa ser considerado perigoso e agressivo, já que está pintado com traços fortes e vermelhos. Tinha perdido sua hostilidade porque Mônica encontrou a solução do conflito: se "não tem boca", nada sujo ou feio poderá escapar do seu interior e a verão graciosa e bonita como sempre. A falta de mãos nesta questão nos indica, por seu simbolismo comum nos desenhos de crianças, que um de seus comportamentos, que considera feios, é a masturbação juntamente com as fantasias relacionadas.

Como resposta às interpretações desses dois desenhos, faz um terceiro, onde mostra qual foi a representação genital que influiu na regressão às fantasias e tendências anal-sadomasoquistas e também que outros fatores interviram nessa regressão e na manifestação do mudismo ao começar o colégio.

No desenho intitulado "mamãe, Mônica e papai", as figuras femininas estão representadas por um círculo (a cabeça) e uma linha vertical que o sustenta (o corpo), enquanto que o pai está bastante completo (inclusive vestido) e provido de um grande pênis. Evidentemente, opera nela uma grande inveja do pênis e vive com muita culpa seu desejo de possuir um como o do seu primo, com quem tem jogos sexuais. Sente que as mulheres da casa, ela e a mãe, são pobres e incompletas quando comparadas com o pai, apesar de toda a admiração dedicada pelos pais e pelos demais por seus encantos femininos.

Possivelmente, a ênfase que puseram os pais na feminilidade de Mônica, o prazer que experimentavam ao vê-la tão mulherzinha, inibiu a manifestação normal, na época adequada, de suas tendências viris. Então reprimiu esses desejos e tendências, considerando-os maus e feios, mas o conflito continuou operando em seu inconsciente.

Além disso, na época anterior ao começo das aulas, a menina estava lutando para superar o complexo de Édipo. Também reprimia seus desejos edípicos positivos de ter o pênis bom do pai dentro dela. Tudo isso favoreceu uma regressão libidinosa, que a levou a acentuar a onipotência das fezes, o que está intimamente ligado aos mecanismos paranoides. Disse Melanie Klein:[4] "Até onde pude ver, a vida sexual da menina e seu ego são influenciados mais intensa e permanentemente no desenvolvimento que a do menino por esse sentimento de onipotência das funções do intestino e da bexiga".

No desencadeamento do mudismo teve importância um jogo sexual chamado "Juanita cagada". Consistia em colocar-se na cama, debaixo dos cobertores, com seu primo e gritar "Juanita cagada"; isso lhe dava enorme prazer. Este jogo foi iniciado poucos meses antes do começo do ano escolar e me informei dele pelo primo, que se analisava comigo na época. Aumentou a inveja do pênis em Mônica intensificando seus sentimentos de culpa. Esse brinquedo, considerando que o

---

4 KLEIN, Melanie. *El psicoanálisis de niños*, p.217.

▲ Figura 2

primo tinha o pênis que ela invejava e ela era a cagada, ajudou a reprimir ainda mais seus impulsos fálicos, facilitando a repressão e intensificando a fixação anal, com todas as fantasias sadomasoquistas e os mecanismos paranoides desse nível do desenvolvimento libidinoso.

Essas fantasias e terrores começaram a manifestar-se nos desenhos (figuras 3 e 4) "meu quarto" e "chuva sobre a terra". No primeiro pintou uma cadeira, um rádio e depois a cama, que apagou (tapou), justificando que "saiu uma porcaria", "era tudo uma porcaria". Quer dizer que ela sentia todo o seu interior como uma porcaria, devido à intensa culpa pelos jogos sexuais anais com seu primo, sua compulsão a espiar a vida íntima de seus pais e sua masturbação com fantasias sado-anais e uretrais relacionadas com o coito dos pais. Tudo isso encontrou expressão nos desenhos, como veremos a seguir. Se Mônica tinha chegado a uma posição genital, essa era em realidade fictícia, ainda que lhe dava a aparência de normalidade. Todo o genital era sentido em termos fálicos e anais, causando-lhe muita culpa. Por exemplo, pela análise do desenho, "a chuva sobre a terra" (figura 4), compreendemos que a representava, numa identificação masculina, fálica, frente à sua mãe, mas vivendo o coito como um ataque com jatos de urina e fezes.

Viu-se na análise que o terror aos conteúdos maus de seu próprio corpo era o que mais influía no fracasso parcial de uma das primeiras sublimações: o falar. Outro fator era o deslocamento à professora da imagem materna má, mais terrorífica agora devido à regressão. Mônica a sentia tão má como sentia maus e proibidos sua inveja e desejos de ter um pênis. Sua ida ao colégio, que era um ambiente puramente feminino, separava-a do primo, com quem satisfazia seu desejo de possuir um pênis através dos jogos sexuais com ele, pois fantasiava que ela o possuía. Ir ao colégio significava separar-se do pênis que fantasiava como seu e no qual se apoiava e, portanto, o fracasso de sua fantasia fálica satisfatória.

Segundo Melanie Klein, o falar e o prazer no movimento sempre possuem cargas libidinosas de natureza genital simbólica. Isso se dá através da identificação, bem cedo, do pênis ou da vagina com o pé, a mão, a língua, a cabeça e o corpo. Daí que a atividade desses membros adquiriam significado de coito.[5] A contribuição que faz o componente feminino à sublimação provavelmente sempre esteja ligada à receptividade e à compreensão, que são partes importantes de toda a atividade. Entretanto, a parte executiva, que é a que constitui realmente toda a atividade, encontra a sua origem na sublimação da potência masculina.[6] Para Mônica, a língua simbolizava seu pênis, cuja atividade considerava proibida e suja. Esse deslocamento intensificou mais ainda a rejeição que ela supunha de parte de seus pais ao seu desejo de ter um pênis como o do primo.

O conflito de Mônica com o componente masculino de sua genitalidade repercutiu regressivamente e o que era uma forma precoce de sublimação, a pala-

---

5 KLEIN, Melanie. "Infant analysis". *Contributions to psycho-analysis*, p.104,

6 KLEIN, Melanie. "The role on the school in the libidinal development". Obra citada, traduzida na Revista de Psicoanálisis, vol. V, nº 2, p.480.

▲ Figura 3

▲ Figura 4

vra, inibiu-se parcialmente. A parte ativa, isto é, o falar, ficou inibida na situação angustiante, que para ela representava a necessidade de expressar seu pensamento à professora, imagem materna má e perseguidora.

Os desenhos seguintes constituíram uma série feita sobre papel preto. O primeiro deles representa as fantasias dos pais em coito, sua excitação e masturbação com grande sentimento de culpa, considerando-os sumamente sujos e que deve ocultar, tapar. Com essa pintura, Mônica associa: "É um circo – não um quadro. Tem que estar todo tapado. Fui ao circo de noite". É durante a noite (papel preto) que surgem com mais intensidade seus impulsos e suas fantasias genitais, que considera sujos. Também é de noite que supõe que os pais fazem as mesmas *porcarias*.

A seguir, também em papel preto, desenhou pauzinhos, apagou-os e disse: "São árvores caídas, um policial as derrubou". Nessas fantasias, evidencia uma identificação masculina e sente-se castrada pela falta de pênis (as árvores caídas). O policial simboliza os pais e seus substitutos, como a babá e mesmo eu, que ela supõe proibindo sua fantasia de ter pênis. A interpretação de seus impulsos masculinos, que regressivamente eram porcarias tão grandes, deu lugar a que fizesse uma série de quadros, representando lugares e situações reais que para ela eram fontes de curiosidade e de excitação sexual, como o cachorro vagabundo (aludindo às práticas excrementícias e genitais dos cachorros nas ruas), a praça, o cisne, o zoológico.

Em seguida, pinta um elefante. Associa rindo: "Tem a tromba na *bunda*". Aqui temos sua curiosidade com respeito ao pênis grande do pai, visto já desde sua posição feminina frente a ele e que também deve reprimir no colégio. Mas em seguida apaga o elefante e diz: "Tenho que tapar para que fique mais lindo".

Outro fator importante de sua conduta anterior era que na escola devia ocultar seus lindos vestidos com um avental branco, o que para ela significava reprimir mais ainda sua feminilidade. Seus vestidos bonitos representavam a manifestação de sua posição edipiana feminina, o que ela sentia como permitida na sua casa e que devia reprimir no colégio. Isto é, ela devia tapar e apagar toda a sua excitação e fantasias sexuais, sobretudo no colégio, para não ficar linda e bonita como sua mãe, ainda que esta também faça suas porcarias com "a tromba de elefante do pai".

Ao interpretar-lhe todo esse material, mudou bruscamente de atividade, deixando a pintura e recorrendo à massa de modelar; essa é uma conduta típica das crianças quando a interpretação é correta.

O jogo com a massa de modelar ocupou-lhe dez sessões; começou dizendo que faria comida. Fez compridos rolos e cortou-os em pedacinhos, que segundo ela pareciam "cocozinhos", o que lhe dá sumo prazer. Depois dá nome aos "cocozinhos": "Machina e Matada". Repete esses nomes com muita insistência, rindo-se e exigindo que eu também os repita. A escolha desses dois nomes deve-se a que condensavam uma série de pensamentos proibidos por ela, mas que agora podia expressar. Ela sentiu-se "cochina"* por seus jogos e impulsos sexuais e também era ela a "Joanita cagada" que brincava na cama com seu primo, "bem tapada". Eu havia

---

Cochina (espanhol): cochina, porca, suja.

aceitado suas fantasias acerca da vida íntima de sua mãe; a mãe ia para a cama com o pai e brincava com o pênis dele. Então a mãe também era "cochina e cagada", e o poder de expressar esse pensamento tão horrível para ela proporcionou-lhe o alívio manifestado na alegria e na risada quando repetia essas palavras.

Satisfeitas e analisadas essas fantasias, nas sessões seguintes junta os pedacinhos da massa de modelar e os converte num regador, que enche de água. Passa longos momentos regando o consultório, para "limpar e fazer crescer as plantas". Temos que guardar cuidadosamente o regador de uma sessão a outra. É um jogo que satisfaz fantasias fálico-uretrais de forma positiva. Já não são os jatos de urina destrutivos como os jatos do desenho "chuva na terra" e sim consequências de uma genitalidade sublimada.

Volta ao desenho, novamente em papel branco. E pinta seu *primo* em forma de cachorro com algo assim como um falo que lhe sai por entre as patas dianteiras; sua cara já tinha boca. Significa que já tolera a sexualidade livre do primo como a dos cachorros na rua e sua sublimação ao falar.

Depois produz duas pinturas seguidas: um piano, que faz como se o tocasse e "Matada" (figura 5), que representa a ela e que também tem boca. Isto é, agora não teme confiar-me os seus impulsos de masturbação (tocar o piano), ainda que se considerasse suja por isso. Continua me dizendo: "Agora pinto uma cegonha, ... não ... um cachorro ..., não...," titubeia e se ruboriza. Depois do aparecimento da analidade, podem surgir, e me confia agora, seus conhecimentos e fantasias genitais. Este animal também tinha boca, isto é, ela também se permite expressar agora sua curiosidade sobre a origem das crianças, ainda que lhe dê vergonha. Ruboriza-se também porque ainda que ela esteja perfeitamente consciente da origem real das crianças e da intimidade genital, às vezes duvida se não lhe convém a mentira da cegonha e assim negar a genitalidade, que lhe tem causado tantos conflitos. Devemos recordar também que a menina já tinha entrado no período de lactância e a idéia da cegonha é mais aceitável nessa etapa.

Depois, na figura 6, pinta uma menina, mas diz que lhe saiu mal; é uma cara com um jato sujo saindo da boca. Está confirmando que este era o terror que não lhe permitia falar, isto é, o terror de abrir a boca e que saíssem jatos de "porcarias". Isto nos recorda o conto de Grimm, das duas irmãs: a "boa" e a "má". A boa encontra-se com uma anciã pobre e a trata muito bem, ajudando-a com paciência, muito carinhosamente. A anciã era uma fada disfarçada e compensa a menina boa, fazendo com que cada vez que fale caiam pérolas e jóias de sua boca. Ao contrário, a irmã má trata mal a anciã e como castigo a fada faz com que cada vez que fale lhe saiam da boca sapos, víboras e porcarias.

Sua última pintura, intitulada "Cascuela"*, resume: "Na escola pensariam que sou um cocô". Correspondia ao terror do que pensassem e dissessem dela, um terror a ser vista como um cocô (seu interior) e não como uma princesinha (seu aspec-

---

* Cascuela: caca (cocô, fezes) + *escuela* (escola). (Nota da tradução.)

▲ Figura 5

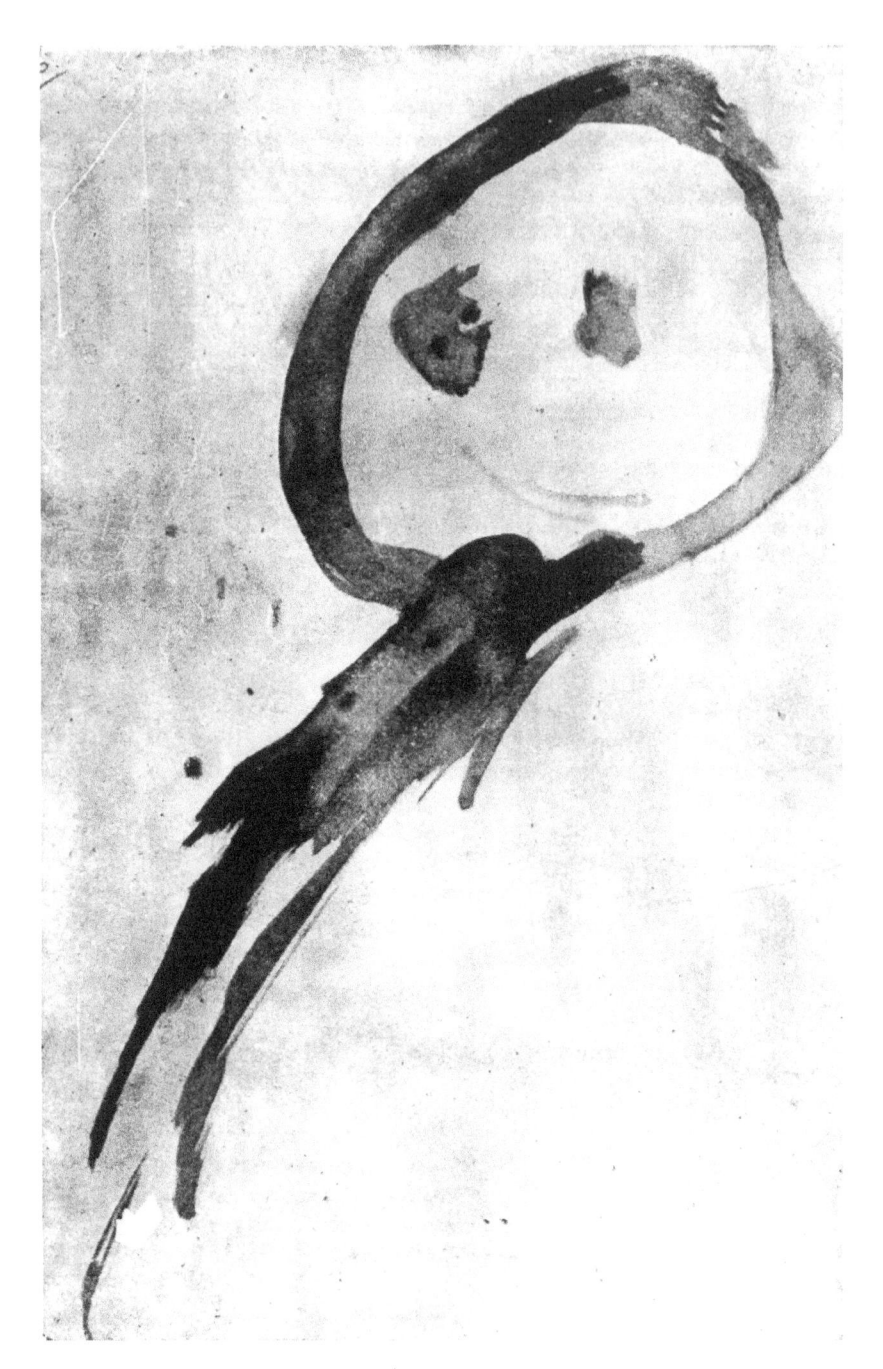

▲ Figura 6

to exterior genital fictício), o que a levou a escolher o sintoma de não abrir a boca no colégio.

CASO 3

Jaime foi criado quase que exclusivamente pela avó materna, já que sua mãe trabalhava fora de casa e seu pai viajava continuamente, tendo pouco contato pessoal com o menino. A avó foi severa com ele no controle dos esfíncteres e no asseio pessoal. Não fomentava o contato com outras crianças. Como, por outro lado, sua amamentação tinha sido muito boa, aos quatro anos apresentava um quadro de menino submisso, solitário, com transtornos intestinais e com o ideal de uma mãe que o amamentasse.

Nessa época, seu pai sofreu uma lesão no ânus e a mãe lhe fazia os curativos. Jaime projetou sua própria situação interior no pai, ficando convencido de que as matérias fecais, ao saírem, o haviam lesionado. Fez então o desenho de uma grande explosão, causando vítimas e muito sangue, com um carro de bombeiros que acudia para apagar o incêndio. Essas fantasias persistiam, muito intensas, quando começou sua análise, aos dez anos.

Quando Jaime tinha cinco anos, sua mãe engravidou. Nesse período, faleceu a avó materna e, pouco depois de dar à luz, a mãe teve uma crise psicótica, devendo ser internada.

Com essas situações tão dramáticas, as débeis fantasias edipianas de Jaime foram abandonadas, por serem demasiado perigosas. O menino procurou refugiar-se não na genitalidade, como nos casos anteriores, mas em fantasias de onipotência analsadomasoquista, e a consolar-se com doces e comidas de fácil digestão, como purê de batatas, representantes de uma mãe ideal nutritiva. Como para a criança a mãe também era muito má, devido às suas ausências de casa em função do trabalho, depois por repetir as internações e, além disso, pelo ambiente terrível que se criava em casa por sua psicose, o conflito de Jaime com ela manifestou-se através de obesidade e constipação intestinal persistente. Apesar desses sintomas psicossomáticos, o menino pôde manter-se bem relacionado com seus colegas e com uma escolaridade também muito boa até a idade de dez anos. Aproximava-se a puberdade e os colegas falavam de temas sexuais, o que Jaime tentava reprimir totalmente. Sentia-se, além disso, diminuído perante eles por não poder competir em atletismo devido a sua obesidade. Portanto, separou-se dos companheiros e tornou-se solitário novamente. Ao mesmo tempo, sua mãe sofria outra crise, que a levou a uma nova internação, tendo o menino presenciado cenas muito violentas e penosas entre os pais. Tudo isso contribuiu para que se produzisse um precipício* psíquico chegando a apresentar quadro de autismo. Sofreu grave depressão, perdendo todo o interesse pelo colégio. Passava os dias dormindo ou deitado na cama, fantasiando com super-homens e aventuras no espaço.

---

* No original: *derrumbe*. (Nota da tradução.)

Começou sua análise apresentando essas fantasias por meio de desenhos, como, por exemplo, conquistas de outros planetas por homens do espaço (figura 7). Suas idéias fantásticas foram interpretadas como tentativa mágica e onipotente de fazer um progresso libidinoso em direção às conquistas edípicas, para fugir de um complexo regressivo terrorífico. Na fantasia procedia como não podia proceder na realidade, já que em nenhum momento havia conseguido manifestar tendências edípicas, positivas ou negativas, devido ao fato de sua genitalidade estar não apenas muito debilmente desenvolvida, como também reprimida.

Ao interpretar-lhe suas fantasias onipotentes como defesa de suas angústias conscientes e de suas angústias mais terroríficas e inconscientes, em seus desenhos e pinturas surgiram conteúdos completamente diferentes; eram expressões gráficas do que ele supunha ter em seu interior. Não só sentia que tinha destruição dentro de si, devido a ataques externos (figura 8), senão que se sentia perseguido por seu superego (a polícia); era evidente a forte depressão (figuras 9 e 10), justamente por sentir-se destruído interiormente.

A figura 8 representa uma bomba atômica explodindo no meio de uma cidade. Para seu inconsciente, são os traumatismos recebidos do exterior que, juntamente com suas ansiedades relacionadas com a fixação anal-sadomasoquista, tiveram a capacidade de destruir e desagregar-lhe o ego (os edifícios que se destroem no centro da cidade). É para evitar essa explosão que Jaime recorreu à solução de enquistar e reprimir esse conjunto de ansiedades. Recordemos também as fantasias que teve aos cinco anos de idade quando supôs que as fezes haviam lesionado o ânus de seu pai; em seu desenho, a explosão e o incêndio aparecem como conteúdo manifesto de suas fantasias sobre a passagem pelo ânus da matéria fecal. Essa angústia que se fez consciente durante a análise tinha muita importância em sua constipação intestinal. Chegou a entender que tinha terror da idéia de permitir a passagem de sua matéria fecal, pois esta explodiria e destruiria seu ânus, causando também a destruição de seus objetos e do ambiente. Reter suas fezes era a tradução orgânica de sua necessidade psíquica de enquistar suas ansiedades sadomasoquistas, para evitar o aniquilamento próprio e do mundo que o rodeava.

Desenha um homem em que cravaram um punhal e que sangra, não só na ferida do peito como em todos os orifícios do rosto. Além de outros aspectos que não analiso aqui, vê-se também a angústia de Jaime de estar destruído em seu interior: não somente sangra na ferida do punhal como também do olho, do nariz e da boca. Ocorre nele algo como se a bomba atômica do seu desenho explodisse em todas as direções e lugares.

A figura 9 mostra um assaltante que leva seu nome, Jaime (ele com sua avidez que satisfaz oralmente e que lhe cria culpabilidade), perseguido pela polícia (seu superego). Expressa com cicatrizes na cara do assaltante a capacidade destrutiva e a destruição que ele supõe exista no seu interior. O ácido que fere representa seu suco gástrico, que o fere e corrói por dentro, mas que considera também capaz de ferir seu mundo exterior (representado pelo rosto do assaltante). Comete um lapso ao escrever *chillo* em lugar de *cuchillo*. Deve-se à fantasia de sentir o cilindro de

▲ Figura 7

▲ Figura 8

▲ Figura 9

▲ Figura 10

matéria fecal, endurecido devido à constipação, como um falo agressivo e cortante, simbolizado por uma faca em seu ânus. Omite a sílaba "cu" por reprimir as fantasias relacionadas com el "cutillo en mi culo".* Esta fantasia está mais reprimida ainda, devido ao temor ante seu prazer masoquista feminino, obtido através da constipação. Cada vez que perdia sua mãe, e na sua transferência a mim, fazia sua identificação masoquista com o objeto perdido e intensificava a prisão de ventre, passando até dez dias sem defecar. As cores que escolheu para sua pintura indicavam uma vez mais sua fixação anal, já que são as cores das fezes. Na análise, atreveu-se a liberar esses conteúdos terroríficos que antes sentia que podia dominar melhor, enquistando-os e reprimindo-os.

A figura 10 representa um jovem derrubado por uma avalanche de rochas e pedras e também a chegada da morte. É ele destruído por sua matéria fecal retida; representa as ansiedades terroríficas pré-genitais enquistadas e reprimidas que já não pode dominar, que se desencadeiam como uma avalanche dentro dele e pelo qual a morte o persegue. No desenho veem-se claramente as massas de fezes apertando-o e fazendo-o sangrar.

Quando já tinha conscientizado essas fantasias, mediante uma análise sistemática de todos os conteúdos pré-genitais e sadomasoquistas enquistados e quando estava completamente seguro de que ao fazer consciente e permitir a saída dos conteúdos que o aterrorizavam não se destruía, nem destruía a mim, como representante transferencial do seu mundo e dos seus objetos externos, modificou bruscamente sua atitude e seu jogo. Sua conduta de menino cansado e passivo transformou-se e, como Ernesto, o menino do primeiro caso, pediu-me um equipamento de química.

Em linhas gerais, a análise de Jaime seguiu então mais ou menos o curso da de Ernesto. Sua preocupação maior era a de fazer misturas para produzir "gases potentes". Logo escutava os ruidinhos que produziam ao escaparem dos tubos de ensaio. Depois esclareceu como funcionava o corpo e quais eram seus conteúdos interiores reais. Paralelamente, pôde começar a analisar suas relações com os objetos exteriores, sobretudo com sua mãe, através da análise transferencial na relação comigo. Depois começaram a surgir curiosidades e temas genitais jamais abordados antes, ainda que seu pai houvesse querido fazer esclarecimento em várias oportunidades anteriores.

Posteriormente, frente a uma situação angustiante relacionada com a possível saída da mãe do sanatório, reagiu, interessando-se e aprendendo jogos de mágica e ilusionismo, o que era uma tentativa onipotente de manipular e dominar suas ansiedades de forma muito mais sublimada. Vemos neste jogo o aparecimento de seu componente feminino, seguindo seus mecanismos de identificação com a mãe frente a um conflito com ela, já que se ocupa maternalmente de seu irmão e das crianças do bairro, fazendo sessões de mágica para entretê-las.

---

* Em espanhol *cuchillo* (faca) faz jogo de palavras com *culo* (ânus). (Nota da tradução.)

Muitas crianças aparentemente normais e com uma adaptação ambiental bastante boa conseguem somente uma posição genital fictícia, devido a ansiedades anal-sadomasoquistas contra as quais se defenderam mediante enquistamentos. Este complexo enquistado passa inadvertido até que situações exteriores que exijam das crianças um esforço maior provocam o fracasso de sua organização genital fictícia. Desmorona-se a adaptação ambiental, como consequência de uma intensificação regressiva de suas ansiedades enquistadas.

São casos diferentes das neuroses correntes que se vão desenvolvendo gradualmente. A técnica desse tratamento é a interpretação sistemática e ativa dirigida contra o enquistamento de suas ansiedades sado-anais. Com isso, as crianças, depois de elaborarem psicanaliticamente e, além disso, satisfazer essas tendências que em análise de adultos constituiriam uma espécie de *acting out* dentro das sessões analíticas, liberam-se de suas ansiedades e progridem sadiamente para sua organização genital.

IV

PROFILAXIA DA NEUROSE INFANTIL

Minha idéia de realizar grupos de orientação de mães surgiu da convicção de que unicamente poderia melhorar-se o vínculo com o filho fazendo-as compreender, mediante a interpretação, quais eram os conflitos que dificultavam a relação. A compreensão e a satisfação das necessidades do bebê no primeiro ano de vida é a melhor profilaxia da enfermidade mental.

13

Grupos de orientação de mães

Desde que iniciei meu trabalho com as crianças preocupou-me a busca de um método que fosse eficaz para a orientação psicanalítica do lactante. Consultaram-me mães com o desejo consciente de pedir orientações e realizavam esforços para fazê-lo, mas seus conflitos ou limitações afetivas não permitiam que dessem aos seus filhos todo o carinho que genuinamente possuíam.

As primeiras tentativas de ajudá-las, orientando a educação da criança com conselhos, fracassaram relativamente; enquanto durava minha influência sobre elas, se me viam com frequência, modificavam suas condutas; mas nada que aceitassem num plano consciente chegava a ser genuíno nelas. Compreendi que se sua situação interna não se modificasse previamente, pela compreensão e interpretação do conflito, todo conselho era eficaz apenas transitoriamente.

Dois fatos me pareceram evidentes: necessitavam ver-me com frequência e não era o conselho que modificava as mães, senão o apoio que de mim recebiam; mas descobri o perigo dessa relação quando comprovei que me idealizavam e viviam numa extrema dependência comigo, suportando mal as frustrações. Surgiram assim inesperados ressentimentos e a tendência era sentirem-se perseguidas pela terapeuta.

Era necessário elaborar uma técnica que possibilitasse consultas regulares e frequentes, mas que fosse possível interpretar usando a transferência, tanto positiva quanto negativa, e analisar os confitos com o filho em vez de dar conselhos, sugerindo só excepcionalmente alguma indicação para a vida diária. A terapia de grupo ofereceu-me essas condições ideais.

Comecei com o primeiro grupo de mães em 1958, grupo que com algumas modificações funciona até hoje; o segundo em 1959 e o terceiro em 1960. O material que exporei se referirá aos três grupos. Com o primeiro, compreendi que antes de tudo era necessário trabalhar sistematicamente com a interpretação do sentimento de culpa se quisesse liberar o amor reprimido de uma mãe ao seu filho. O fato de que uma das integrantes do grupo se vira obrigada a fazer um aborto, quando recém se iniciara o grupo, levou-a a enfrentar-se subitamente com um conflito entre o amor e o ódio, dar a vida e tirá-la, o que neste caso era manifesto, mas foi aparecendo no conteúdo latente de muitos dos conflitos diários. Os outros grupos me foram mais úteis para aperfeiçoar a técnica a manejar as situações práticas, orientando-as de maneira a evitar, na medida do possível, o conselho. Se o dava, seguia de uma observação detalhada das reações da mãe e do filho no intervalo de uma sessão para outra, para interpretá-las de imediato. Compreendi que algumas atitudes básicas das integrantes do grupo iam fazendo cada vez mais desnecessário o meu conselho.

Na primeira sessão, dou o que considero a regra fundamental. Digo-lhes que é um grupo dirigido, que nos ocuparemos da relação de cada uma delas com seus filhos e que tratem de propor os problemas e conflitos com o máximo de detalhes, enquanto eu orientarei o grupo mediante a interpretação ou orientação que julgue necessária. Costumamos dizer que o conselho dos pais tem um limite que é sua própria neurose. Um conselho poderia ser útil se o pai ou a mãe estivessem em condições internas de aceitá-lo e cumpri-lo, mas não acontece sempre assim. Por exemplo, se um pai necessita castigar seu filho, e deixa de fazê-lo por conselho do terapeuta, se não solucionou ou compreendeu sua conduta, voltará a fazê-lo posteriormente, aumentando sua culpa, não somente quanto ao filho, mas também frente ao terapeuta. Esse sentimento de culpa o levará, por sua vez, a atuar pior, buscando mais castigo. Comprovei que se a mãe cumpria a indicação, mas seus atos não correspondiam aos seus afetos, o menino percebia o inautêntico de sua conduta. Ainda que seus afetos se mantenham mascarados por uma conduta ou uma verbalização que indiquem o contrário eles captam o autêntico estado subjacente; em minha experiência isso é assim tanto para o ódio como para o amor. Comprovei, além disso, que os filhos percebem todas as situações que os adultos consciente ou inconscientemente tentam ocultar-lhes. Através da análise de crianças, tinha comprovado em muitos casos, mas a experiência com os grupos de mães levou-me muito além de minhas primeiras conclusões.

Relatarei como Ana,[1] menina de 18 meses, percebeu uma situação que seus pais pensavam ocultar-lhe. Como não falava ainda, expressou com gestos e com o auxílio de um quadro, que representava seu conflito. Sua mãe integrava o terceiro dos grupos mencionados, e tinha ingressado nele quando já estava formado. Era uma jovem profissional, inteligente, ainda que muito descuidada com seu aspecto. Disse que sua primeira filha, Ana, tinha se desenvolvido bem e não lhe dava nenhum trabalho. Esperava que tampouco lhe desse seu segundo filho, que iria nascer dentro de pouco tempo. Comentou que vinha ao grupo para ver como era, porque lhe haviam falado que ali se fazia isso, mas não porque tivesse algum problema.

---

1 Trata-se da mesma menina que tem sua primeira hora de jogo relatada no capítulo 7.

Interpretei sua reação inicial como de desconfiança e temor. Viu-se por sua resposta até que ponto se sentia rejeitada pelo grupo e por mim, a quem via fria e distante. Disse que o grupo já estava formado e que ela seria uma estranha. Interpretei que revivia comigo e com o grupo situações onde se sentia muito rejeitada pelos seus pais e familiares. Negou energicamente ter tido qualquer conflito em sua infância e pareceu-me estar desgostosa.

Seus relatos sobre si mesma, às vezes dramáticos, às vezes simpaticamente humorísticos, tinham sempre uma tônica impessoal; quase diria que quando falava sobre si mesma falava de uma terceira pessoa. Relatou que não tinha empregada no momento, e que além da filha tinha de cuidar de quatro sobrinhos, cujos pais estavam no estrangeiro; que fazia tudo na casa, atendia o marido, sua profissão, e que fazia tudo com prazer e sem muitos esforços. Muitas vezes impressionou-me uma marcada desproporção entre a expressão triste e cansada de seu rosto e o tom jocoso e o sorriso que acompanhava o seu relato. Parecia entender-se muito bem com o marido; tinham feito juntos a faculdade e sempre foram muito companheiros. Acrescentou que nos últimos tempos, por carinho ao marido, cuidava do sogro, homem de idade e doente que necessitava de uma especial atenção. Ao cabo de várias sessões, anunciou que lhe haviam diagnosticado gêmeos. Às objeções e aos lamentos de suas companheiras, respondeu que ela sempre se ajeitava muito bem e que não haveria problema. Disse logo que queria consultar por sua filha Ana, que a preocupava por se mostrar ciumenta de todos. Pensava que a forma como ela cuidava dos sobrinhos, esforçando-se para que não se notasse diferença nem entre eles nem com sua filha, era dura para Ana, mas não queria modificar a situação porque era necessário "ser justa e boa com os que estavam sem mãe".

Interpretei que Ana era ela mesma, triste e queixosa por não receber a atenção especial que esperava nesse momento. Queria que a cuidassem muito e não como uma integrante de um grupo, de um modo impessoal; que não estava certa de que pudessem querê-la e cuidá-la, como não se sentiu cuidada e querida pela mãe. Acrescentei que temia que o grupo não permitisse que eu fizesse diferenças com ela ou exigisse que fosse justa e boa por igual. Uma das integrantes disse que sabia que devia cuidá-la e tratá-la de um modo especial, e que o merecia. Interpretei que ela assumia a voz do grupo e que este permitia que eu fizesse diferenças pois "era necessário e justo fazê-lo com os que estão sem mãe", repetindo assim suas próprias palavras.

Depois dessa sessão, seu marido avisou-me por telefone que havia se adiantado o parto quando faltava poucos dias para entrar no sétimo mês; tinham nascido gêmeos. Um deles morreu ao nascer e o outro sobrevivia com dificuldade. Informou-me o que haviam feito os médicos no hospital: puseram-no em uma incubadora e recomendaram que fizessem tudo para que pudesse sobreviver. Falava-me porque necessitava saber se devia ocultar ou não os fatos a sua filha Ana. Já haviam passado 24 horas do parto; Ana estava em casa com a babá e com o pai, que esteve com ela pela noite e várias horas durante o dia. Perguntei-lhe se não tinha notado algo de diferente na menina, se seus jogos tinham modificado, se tinha algum indício de que sofria o impacto dessa situação tão dramática. Disse-me que não tinha observado nada, que tinha seguido a rotina e que ele e a babá se haviam esforçado para mostrar-se especialmente alegres e animados. Pedi-lhe que me descrevesse os jogos que havia observado nesses dias e lembrou então logo algo novo na conduta de sua filha.

Na casa havia um quadro que representava a Virgem com o Menino nos braços – ao que até então Ana não havia prestado atenção – e de dois dias para cá, quando o via, levava o pai pela mão até o quadro e o apontava com a mãozinha; com uma expressão interrogativa, lhe perguntava: "Mamãe?". O pai compreendeu, enquanto relatava isso, que sua filha lhe estava interrogando sobre o destino da mãe e do menino. Disse ignorar por que não valorizou antes essa atitude da menina, que era tão evidente nesses dias e que agora entendia. Em função disso decidiu levá-la ao hospital e tratar de relatar-lhe a verdade. Quando me pediu conselho sobre como fazê-lo, disse-lhe que se deixasse levar pelo que sentia e que atuasse por si mesmo.

Telefonei à mãe de Ana e esta me pediu que fosse vê-la. Encontrei-a tranquila, comendo, e disse-me o quanto era bom o seu esposo. A única referência que fez sobre os acontecimentos era a de que não conseguia chorar e que ignorava a causa disso.

Poucos dias depois, retornou ao grupo. Contou que já estava em casa e que o bebê tinha ficado na incubadoura aos cuidados do pessoal do hospital. Ela não o via, mas por outro lado tirava o leite todos os dias e o mandava à clínica para que as enfermeiras o alimentassem. Parecia tranquila; sua expressão continuava sendo alegremente resignada e falou de seu bebê como se nada tivesse acontecido com o que faleceu e como se o sobrevivente fosse uma criança nascida a termo e normal. Interpretei-lhe que continuava ignorando as dificuldades e perigos que a rodeavam: que falava de seu filho como se fosse uma criança nascida normalmente e que era sua forma de não enfrentar a realidade para eludir o sofrimento. Essa interpretação lhe despertou muita angústia e grande hostilidade comigo, e disse que não tinha sentido seguir no grupo. Interpretei-lhe que se sentia triste pela perda e pela situação do filho, e que eu, ao mostrar-lhe essa realidade, transformava-me em uma acusadora e por isso ia abandonar o grupo. Pensava que eu, como sua mãe, a censuraríamos, mas que essa idéia encobria a censura que ela fazia a mim – a mãe – e ao grupo, ter lhe feito perder um filho e ter outro em situações tão difíceis. Que ela tinha chegado ao grupo com uma boa gravidez e sem preocupações, que tinha uma filha criada sem dificuldades e que a entrada no grupo foi acompanhada de uma série de calamidades; que eu tinha provocado todos esses desastres, ou que pelo menos tinha sido incapaz de evitá-los.

Relatou então que as enfermeiras não lhe permitiam aproximar-se do filho, pois podia infectá-lo, ao que uma companheira perguntou, como se aproximavam as enfermeiras. Disse que elas tinham equipamentos especiais de assepsia para não causarem dano à criança. Mostrei-lhe que ela, como profissional, também podia tê-lo pedido, e não o fez por sentir-se sem direito de aproximar-se do filho. Interpretei essa atitude como um desejo de conservar o filho e não como rejeição. Acrescentei que ter preferido tirar o leite e que a enfermeira o desse significava que queria o melhor dela mesma sem o perigo de contaminá-lo, e que também queria deixar o grupo para não contaminar-nos com a sua pena.

Não se animava a expressar até que ponto temia que fora seu ventre que tinha matado a primeira criança e enfermado a segunda, mas que o sentia, já que nem com equipamento especial de assepsia se atrevia a tocá-lo.

Essa nova interpretação a impressionou bastante e escaparam-lhe algumas lágrimas que secou com fastio. Sua grande ansiedade e a falta de confiança que me inspiravam as normas que, segundo me disse, reagiam no hospital e talvez, no meu desejo de ajudá-la melhor, fizeram-me indicar-lhe uma pediatra que tinha trabalhado na Suíça numa sala de crianças prematuras.[2] Sabia, por minha experiência com lactentes, que o contato com o corpo da mãe é fundamental para o desenvolvimento do recém-nascido, e que no caso de uma criança prematura essa necessidade devia realizar-se ainda mais estritamente. Também sabia que Marcos recebia grandes doses de medicamentos e o leite da mãe a horários indicados, mas carecia totalmente de um dedicado cuidado maternal ou de uma enfermeira que a substituísse.

A mãe de Marcos seguiu minhas indicações e nesse mesmo dia pediu a consulta. Mas uma vez mais tive de aceitar que se os conflitos não estavam elaborados, o conselho ou a intervenção externa são inoperantes. Essa mãe conscientemente queria cuidar de seu filho e por isso foi à consulta, mas estava totalmente incapacitada de cumprir as indicações dadas. A única vantagem para ela foi que assumiu o conflito que tinha em seu interior entre o amor e o ódio pelo filho, entre o desejo consciente de dar-lhe a vida e o inconsciente de negá-la. Foi esse o conflito determinante do parto prematuro, da morte de um dos gêmeos e do destino ulterior do sobrevivente.

Depois de relatar a consulta e a luta de sentimentos, disse que era muito penoso ver "este bracinho tão magro que nem parecia de uma criança"; dessa vez os afetos se traduziam na sua voz e seu rosto correspondia ao relato. Descreveu seu filho com tantos detalhes angustiantes que as outras componentes do grupo não puderam reprimir um certo horror diante das imagens apresentadas. Ao sentir a rejeição do grupo pelo seu filho – que interessou tanto por esse seu sentimento –, surgiu nela o genuíno amor que estava escondido e, pela primeira vez, disse: "Mas tem uma linda carinha".

De sessão a sessão, podia-se notar um grande progresso na relação com o filho, não obstante as recaídas em conduta de desafeto e rejeição; primavam sempre pequenas conquistas em seu carinho para com ele. Foi-se animando, por exemplo, a tê-lo em seus braços, a brigar com as enfermeiras para que o deixassem longo tempo, mesmo que ainda não se sentisse capaz de dar-lhe o peito – não obstante ter muito leite –, e o seguia enviando todas as manhãs, para que o dessem as enfermeiras.

---

2 Susana L. de Ferrer.

Entusiasmada com minhas interpretações e pela intervenção das demais integrantes do grupo, se propôs a dar o peito e também nesse novo contato com o filho foram observados os mesmos altos e baixos de permissibilidade e proibição. Por exemplo, se em uma sessão dizia que devia reconhecer que tínhamos razão e que o bebê gozava do contato do seio, se punha mais rosado e bonito, na sessão seguinte dizia ser tão aborrecido e escravizante ter que dar tantas horas de peito, decidindo de repente que não o daria mais.

O conflito se agravou quando autorizaram levá-lo para casa. Então, mesmo que conscientemente parecesse contente, pois preparou um quarto especial, isolado e confortável, no qual pudesse estar junto com ele, sua conduta foi de grande rejeição e desapego. Estava descontente, fugia ao contato com a criança, seguia negando todo o esforço e a pena que sentia. Sua rejeição incrementou-se quando, tendo despedido a enfermeira que a acompanhava durante os primeiros dias, teve de encarregar-se totalmente da criança e também de Ana. Disse que a menina estava insuportável, e não sabia o que fazer. Soube que na última sessão do grupo combinou com as outras mães – de modo que eu não a ouvisse – que tomaria uma enfermeira à noite, para ter um pouco de liberdade e sair. Eram seus próprios conflitos que a faziam ver-me como uma pessoa que a culpava por não ocupar-se bem de seu filho.

Nessa ocasião tinha dito que sua filha maior tivera medo de noite e que dormira muito mal. Seguindo a técnica habitual nesses casos, pedi que me relatasse como havia sido o pavor noturno e perguntei se durante o dia anterior acontecera algo que pudesse tê-la assustado – essa pergunta me permitia avaliar a gravidade do sintoma. Recordou com estranheza que durante o dia Ana se assustara muito quando vira que ela esmagava, com o pé, uma barata e ficara aterrorizada olhando "essa coisa branca que saía de dentro"; de noite, durante o pavor, sua cara expressava o mesmo medo. Interpretei que Ana estava assustada pela morte do irmão, e que esse temor à morte da barata era um deslocamento da morte dele, pensando que ele poderia ter sido morto da mesma forma. Embora não incluísse na interpretação o temor pela morte de Marcos, senti que esse temor fazia parte da fantasia da menina, e que seguramente temia que não sobrevivesse.

Nessa noite Marcos morreu asfixiado. Dessa vez foi a mãe quem me telefonou dizendo que nessa noite, ao retirar-se a enfermeira, o bebê dormira depois de tomar a mamadeira. Despertou em minutos, parecendo estar incômodo. A mãe sentiu-se muito cansada e lembrou que lhe haviam dito que os bebês de barriga para baixo costumam aliviar-se e colocou-o nessa posição no berço. Possivelmente uma posição inadequada, que, somando-se à pouca vitalidade do bebê para defender-se, fizeram com que morresse asfixiado.

Enquanto escutava o relato, lembrei imediatamente o alarido de Ana quando viu a barata ser esmagada pela mãe e o terror durante a noite. Ficou claro que o transtorno do sono estava motivado pela morte de seu outro irmão, pelo medo por Marcos e por si mesma. Esta menina percebia que, não obstante os esforços de sua mãe para comportar-se afetuosamente com o filho, algo havia como uma força alheia a ela que a impedia, e temia sofrer o mesmo destino do irmão.

Já nos referimos ao material inicial do grupo, quando uma mãe expôs a angústia de desejar o filho, de tê-lo concebido, e ter que abortá-lo. Num plano mais encoberto, mas não menos dramático, esse episódio mostrou ser o resultado de um problema similar.

Muitas são as conclusões que podem surgir de tal episódio, mas falaremos primeiro da menina e como repercutiu nela.

Relatei como em sua forma de comunicação pré-verbal encontrou um modo de perguntar ao pai o que acontecera com a mãe e o bebê, enquanto os adultos pensavam que Ana ignorasse que sua mãe estava no hospital; indo mais além, interrogava como estavam ambos, mãe e filho. Sua conduta mostrou, entretanto, que sabia muito bem por que a mãe não estava em casa, e que estava preocupada. Também foi evidente que percebeu que o ato de sua mãe – aparentemente banal de matar uma barata – encerrava uma violência e uma capacidade de matar que vinculou com as possibilidades de morte de seus irmãos e com a sua própria.

Quando a mãe me relatou o episódio, enfatizou a expressão de terror de Ana ao olhar o líquido branco e leitoso da barata esmagada, detalhe que seguramente não foi alheio ao seu pavor – o peito da mãe achatado e morto, atacando-a e matando-a.

Houve muitos elementos que me fizeram supor o temor de Ana pelo seu irmão e pensou que morreria esmagado.

Além disso, em outras ocasiões, a criança foi posta nessa posição, e como dormia no mesmo quarto, devia ver-lhe o esforço para não afogar-se e temeu por ele.

O pai sofria de asma, e mais de uma vez foi testemunha de suas crises, quando – como vira em muitos casos – Ana temia que ele se afogasse. Soube também que o pai discutira com a mãe, em presença de Ana, por deixar o bebê em situações perigosas; por exemplo, na borda do catre ou da mesa, enquanto ia preparar a mamadeira. Além disso, de ser testemunha dessas discussões, Ana percebia a situação de perigo das atitudes de sua mãe para com seus filhos.

Depois da morte do irmão, seus pais pediram que fizesse uma hora de jogo, para que elaborasse a perda, e para saber se sua angústia justificava fazê-la analisar. Essa hora de jogo revelou que sua maior preocupação era preservar um bebê, colocando-o na mão do terapeuta, simbolizando a sua teoria que o bebê se salvaria se o colocassem outra vez no ventre da mãe, no qual se supõe ausência de perigo. Depois mostrou que se o deixa cair – o parto prematuro – há grave perigo e participação ativa daquele que o deixa cair. Durante essa primeira hora, a temática foi salvar o bebê, pois tinha que devolvê-lo à mãe. Representou um parto prematuro com o deixar cair e o aborto com o não ligar. Em toda a sessão o tema foi sempre o medo da morte.

Passaremos agora a analisar o que aconteceu com o casal e o grupo depois da morte de Marcos. Até este momento a mãe costumava dizer em suas sessões de grupo que ia abandonar o tratamento e sempre surgia como razão fundamental o fato de sentir-se incômoda comigo, por minha frialdade e falta de afeto, mas o mesmo não acontecia com suas companheiras de grupo que para seu inconsciente eram as suas irmãs que não tivera e às quais dava vida.

O grupo era constituído por uma mulher divorciada que voltara a se casar e cujo marido tinha conflitos com os filhos de seu primeiro casamento; por uma mulher com uma filha de oito meses, nascida de um matrimônio feliz e ansiosa para fazer tudo bem com a criança – propósito que conseguia; por uma mãe de um bebê recém-nascido que tinha dificuldades de entendimento com o filho, pelo que se identificou com a nossa paciente; por uma mulher com duas filhas, uma de quatro anos e outra de onze meses, da qual não se animava a tirar o bico; e por uma mulher jovem com uma filha epiléptica e um bebê de três meses.

Minha paciente sentia que eu a rejeitava; além disso, estava sempre distante das outras. Cada vez que na interpretação incluía sua mãe, incomodava-se muito e rejeitava minha interpretação. Enfrentava com a morte dos filhos a acusação do marido por tê-los colocado em situação de perigo. Chorou pela primeira vez e teve um típico sentimento de desamparo frente a sua mãe real. Pediu amparo a mim e ao grupo e relatou a pobreza afetiva em que transcorreu sua infância. Pediu um terapeuta para ela porque temia não saber elaborar sozinha algo tão doloroso e achava impossível esperar os oito dias que separavam as sessões. Pela primeira vez contou ser filha única, que sua mãe era uma mulher muito fria e que nunca a apoiara. Tinham-lhe contado que depois de seu nascimento ficara grávida novamente e abortara, por considerar que com ela tinha o bastante. Este tinha sido outro motivo do fracasso de sua segunda gravidez; era-lhe muito difícil superar a mãe. Em todo esse episódio, tinha realmente uma mãe cruel, que dentro dela lhe destroçava um filho, tal como Ana percebia que podia acontecer com ela própria.

Podemos enriquecer ainda mais a compreensão do caso conhecendo a situação familiar do pai. Era um dos três sobreviventes de dez irmãos, e no seu inconsciente a imagem da mãe era a de uma assassina – os irmãos mortos – ou de alguém que mata ou afoga – a asma bronquial. A morte de seu filho afogado reativou a situação infantil em que viu morrer seus irmãos e o temor a seguir o destino deles, em consequência dos sufocos, e manifestou esta situação em sua esposa, acusando-a pela morte de seus filhos.

A análise de todo esse episódio deu a essa mulher uma ânsia de viver que não recordava ter sentido nunca. Fluíram dela sentimentos de amor por sua filha e de felicidade por tê-la consigo. O dar-lhe de imediato um tratamento, assim como planejar o melhor modo de confortá-la pela morte de seus irmãos, foi o primeiro resultado desse sentimento liberado. Ela e o marido iniciaram uma análise individual e compreenderam que estavam sufocados por seus conflitos; apesar disso, continuou vindo ao grupo.

Veremos agora como evoluiu este depois do episódio que acabamos de relatar. Partiremos da situação inicial: o parto prematuro, com a morte de um dos gêmeos, a negação da dor pela morte ou enfermidade de um bebê prematuro, que se lhe apresentaram. Neste mesmo grupo estava uma mãe de uma menina epiléptica, à qual nos referimos muitas vezes; essa mulher entrou no grupo depois de ter colocado em tratamento individual sua filha e conhecendo a gravidade da doença de que esta padecia, entretanto, costumava apresentar como dificuldades habituais numa criança o que na realidade eram sintomas graves. Interpretei-lhe muitas vezes que sabia que eram sintomas, mas que lhe custava aceitar até que ponto estava enferma sua filha e que por isso relatava sintomas como se fossem caprichos passageiros e que reagia como se sua filha fosse uma criança mal criada, mas não enferma. Rejeitava completamente essa interpretação e costumava me perguntar, com expressão muito infantil, se "realmente era muito enferma sua filha".

Quando a mãe de Ana falou de seu bebê de sete meses e da incubadoura, como de um bebê nascido a termo, forte, são e sem problemas, foi ela que interpretou que agora compreendia o que se passava com sua filha. Em outra pessoa poderia ver claramente que era um bebê em perigo e a mãe o pintava como um bebê normal, e com sua filha tinha custado muito aceitá-lo. Nessa mesma sessão, em que o tema do filho *tarado* ou que pode *tarar-se* foi o centro da ansiedade, recordou muito assombrada as características da primeira gravidez seguida de aborto, que se relatará mais adiante.

Recordou também que no terceiro mês da gravidez – da qual nasceu sua filha – teve perdas. O médico aconselhou interrompê-la, porque se a levasse a cabo correria o perigo de nascer "um filho tarado". Quando pequena, brincava de bonecas e seu jogo preferido era ter filhas "taradas", que ela cuidava e curava. Ao prognosticar-lhe, o médico, o provável destino de sua filha, recordou a situação infantil e prometeu que nunca seria como na sua infância, e que sua filha seria sã. Veremos como submetê-la às suas fantasias infantis contribuiu inconscientemente para enfermá-la e como começava a repetir a mesma conduta, com sua segunda filha, que tinha três meses.

Suas associações a levaram inesperadamente ao relato das moléstias que sofria a segunda filha. Resultou que um dos problemas que queria trazer ao grupo era o de não saber defender a menor das agressões da maior. Essas agressões incontroladas, em que brincava com um pau ou com o que tinha na mão e batia era um dos chamados "caprichos" a que a mãe se referia. Seguindo a regra do grupo, pedi-lhe que relatasse uma situação concreta, se era possível recente, assim veríamos como atuavam ela e suas filhas. Disse que a maior brincava com um pai e que se aproximava do berço do bebê, ameaçando matá-la, e que ela lhe disse muitas vezes que não a batesse, mas seguiu fazendo-o. O que mais a assustava era que a maior podia fazer mal à pequena na cabeça e deixá-la com sequelas.

Interpretei-lhe que sua angústia era tão grande porque sentia que, apesar de a menina executar o golpe, era ela quem o dava; por isso não freava a ação. Reagiu com muita rejeição.

Alguém do grupo lhe disse: "E se não é assim, por que não lhe tiraste o pau?" Insisti na minha interpretação e acrescentei que estava atuando como quando era pequena: tendo filhas "taradas", às quais em seguida devolvia a saúde. Sua dificuldade de controlar a agressão de sua filha maior era sua própria dificuldade de aceitar que essa agressão incontrolável era parte da enfermidade da menina e não um capricho e, em segundo lugar, não preservava a menor, para padecer novamente o mesmo destino de sua infância – a boneca tarada que curava.

Relacionei sua atitude com a que teve na outra ocasião com a menor. Relatara no grupo que esta tinha muitas dificuldades intestinais e que era terrivelmente constipada, e se não lhe dava laxantes e supositórios não movia o ventre. Como este tinha sido um dos sintomas da maior quando consultou pela primeira vez, temeu que a menor se enfermasse da mesma forma. Quando descreveu o distúrbio intestinal de sua filha, disseram-lhe no grupo que não podia saber se era realmente constipada ou não, porque tinha dito que todas as manhãs lhe colocava um supositório antes de saber se moveria ou não o ventre. Tivemos aqui uma evidência a mais de como se pode inventar os sintomas de uma criança. Seu conflito infantil, tão alheio a sua consciência, obrigava-a a repetir a mesma situação e foi preciso que se conscientizasse de seus desejos para que pudesse modificar sua conduta. Compreendeu que suas filhas eram para ela as bonecas que devia curar e que por outro lado sua função era preservá-las e que não chegassem a *tarar-se*.

Outra das vantagens do grupo é o fato de que muitas das integrantes colaboram na função terapêutica; por exemplo, a que lhe perguntou por que não lhe tirara o pau ajudou-a a elaborar a interpretação, que no primeiro momento tinha recusado. Outra integrante do grupo, representante de uma boa relação com o filho, também favoreceu o desejo de alcançar sua maternidade, identificando-se com ela. O que sentiu com ela própria e com a mãe de Ana permitiu-lhe esclarecer o mecanismo pelo qual até agora não havia aceitado a gravidade da doença de sua filha, sem o que não podia o grupo resultar operante para ela, do mesmo modo como numa análise individual; enquanto não se aceita a enfermidade não se busca a curar. O que ela não podia ver em si mesma pareceu evidente na sua companheira de grupo; por outro lado, esta demorou muitos meses para tomar consciência de sua situação.

Nesse mesmo grupo havia uma mulher com um bebê recém-nascido. Como estava rodeada por pessoas analisadas e ela mesma estava em análise, conheci em linhas gerais qual era a conduta em relação ao filho, e pudemos ver que também nesse caso o conhecimento não ajudava em nada; pelo contrário, transformava-se num superego acusador que a levava a agir de forma cada vez pior com seu filho. Por exemplo, dava-lhe de mamar olhando televisão, sem nenhum contato afetivo com ele. O bebê chorava continuamente e manifestava inquietação, não obstante ter a mãe muito leite e dar-lhe o peito a intervalos regulares. Relatou que lhe ficava muito pesado dar o peito a cada três horas, mas como sabia que era bom para seu filho, mas ela se aborrecia, tinha encontrado uma diversão, pois enquanto o bebê mamava, ela via televisão.

Por sua falta de contato, não percebia que, além de estar psicologicamente ausente, os ruídos geralmente estridentes e a música das audições que via eram estímulos tão maus que contaminavam e arruinavam o bom que lhe dava com o leite.

O grupo identificou essa rejeição com a da mãe de Marcos. Através dela e da mãe de Ana pôde aceitar as interpretações e fazer consciente a rejeição afetiva para com sua filha, compreender a contínua negação a que recorria para não aceitar a enfermidade. Aceitá-la significava também conhecer e aceitar sua participação, assim como a mãe de Ana se sentiu diante da morte dos filhos.

Outro grupo viu-se obrigado a elaborar desde o começo o conflito entre dar e tirar a vida através do aborto de uma das integrantes do grupo. Foi o que mais rapidamente se integrou como grupo, podendo-se valorizar o progresso ao analisar, um ano depois, uma situação similar. Na primeira ocasião, projetaram a culpa em mim e me acusaram de ter matado ou deixado matar o menino, quando a finalidade pela qual ingressaram no grupo era precisamente a de receber minha ajuda para preservar os filhos. Na segunda ocasião, quando se repetiu a mesma situação de aborto em outra das integrantes do grupo, vimos os intentos de todas para que fosse evitado. Quando compreenderam que era inevitável, compartilharam a culpa entre todas, incluindo-me e fazendo-me participar da dor e da pena que isso lhes causava.

Nesse grupo, a elaboração do aborto levou outra integrante a perguntar por que depois do parto há uma depressão tão intensa, referindo-se ao nascimento de um bebê como um desprendimento e perda que sempre resulta penosa.

Interpretei que ela representava o sentimento do grupo: "Ser mãe significava perder a situação de amparo e o papel de filha", e aqui comigo sentiam o mesmo temor à perda. Ao serem mães, sentiram-se separadas de mim; a mesma mulher que tinha dito por que havia tanta depressão logo após o nascimento de um bebê comentou que sua mãe recriminava-a por toda a espécie de atividade que não fosse cuidar do seu filho e de sua casa, reaparecendo a imagem de uma mãe tradicionalmente burguesa, que mascarava a imagem da mãe-peito, o oposto da mãe-assassina – mãe genital –, que apoiou as relações ilegais da integrante do grupo e a perda do filho na primeira ocasião.

Uma das integrantes, que chegou no grupo grávida e que tinha tido muitas dificuldades de elaborar a relação com sua mãe, disse que havia querido aproximar-se de mim numa conferência, mas que tinha tanta gente ao meu redor, que temeu não conseguir chegar. Impôs-se um esforço para fazê-lo, mas teve medo de rolar as escadas e abortar ela também.

Mostrava assim seu conflito comigo; sentia que eu não lhe permitia ser mãe e pensava que era incompatível ser filha e chegar a ser mãe, ou ser querida pela sua mãe.

O grupo chegou à conclusão de que o maior problema era o da perda e o que mais custava a aceitar era que o filho se desprendia da mãe; não era tanto o aborto que as assustava, senão que eram mulheres grandes que se sentiam desamparadas como crianças sem mães.

Outra integrante começou a falar de modo muito frívolo do assunto empregadas, que era muito difícil consegui-las e que pedia e dava endereços de agências de empregadas. Interpretei que tinha transferido o temor à perda da terapeuta-mãe à situação das empregadas, por serem tão facilmente substituídas. Sentiam-se escravizadas e atadas a mim para cuidarem de seus filhos, como se sentiam escravizadas e atadas à mãe, submetimento que lhes trazia dificuldades no relacionamento com seus filhos.

Considero que no grupo de mães é necessário enfocar imediatamente os conflitos básicos que surgem na mulher quando torna consciente a possibilidade de dar a vida ou de tirá-la, tendo de defender-se da tendência que a arrasta a matar o filho para não perder a mãe. Esses problemas podem apresentar-se abertamente, como no caso do aborto ou dos sentimentos que morreram, mas que com frequência aparecem mascarados sob a forma de um transtorno passageiro ou de uma dificuldade no manejo das crianças. Diria que isso é especialmente evidente nos conflitos que provoca na mãe o desmame, a perda definitiva do bico, os transtornos do sonho, e a aprendizagem do controle dos esfíncteres. A primeira e a última são experiências de desprendimento e o sonho uma situação que costuma equiparar-se à morte.

Darei um exemplo de algumas dessas situações para logo referir-me à posição da mãe frente à sexualidade da criança, as dificuldades que tem para aceitar essa expressão de vida, dificuldade que é consequência das limitações que ela mesma impõe no seu amor ao filho.

Já me referi a uma das integrantes do grupo que tinha uma filha de poucos meses e cuja maternidade lhe era satisfatória e alegre. Quando a filha completou 15 meses, apresentou no grupo sua dificuldade para lhe tirar o bico; disse que conscientemente compreendia que fazia tempo que deveria tê-lo feito e que sua filha quase não o pedia e a sentia disposta a abandoná-lo, mas que ela, a mãe, sentia-se surpresa ao comprovar que lhe custava tanto fazê-lo que nem o tinha manifestado no grupo. O grupo respondeu acusando-a e exigindo que cumprisse o que acreditava necessário, já que era ela que manejava bem seu filho e não lhe permitiriam que se enganasse – idealização que encobria a perseguição –, e a aconselharam, recordando outros casos, a forma como devia atuar.

Quando chegou à sessão seguinte, disse que toda a semana sua filha estivera sofrendo de uma diarréia gomosa e que os medicamentos que lhe dera o pediatra – porque não se atreveu a chamar-me – tinham sido totalmente ineficazes.

Para relatar o episódio, usarei as palavras da mãe, transcrevendo uma carta que me mandou quando conseguiu solucionar o problema, e logo farei os comentários. Pelo conteúdo da carta e pela atitude de trazê-la tornou-se evidente que não era apenas um presente, como ela me disse, mas também o próprio bico que deixava em minhas mãos.

"Quando decidi tirar o bico de Lucy, tinha já 15 meses e lhe dava somente para dormir. Disse-lhe que tinha deixado de ser um bebê, que teria que acostumar-se a dormir sem ele e que eu ajudaria muito, já que compreendia que lhe iria ser doloroso e que estava certa de poder ajudá-la. Desde essa noite, ainda que continuasse succionando o bico, começou a tratá-lo de forma agressiva, e durante os dias que se seguiram destroçou três bicos, puxando-os e mordendo-os. Ao dia seguinte, notei que estava com colite, o que trouxe uma série de complicações, porque se assou a bundinha e esteve de mau humor, e eu não sabia como enfrentar a nova situação. Conscientemente tinha me proposto tirar-lhe o bico e anunciei que o faria, mas não o cumpri. Passou uma semana sem melhorar, apesar dos medicamentos e das indicações do médico. Foi então que me interpretaram que a diarréia gomosa expressava a necessidade de eliminar o bico, e decidi enfrentar o problema. Recordei-lhe tudo o que tinha falado na semana anterior, repeti-lhe os comentários, e, como parecia entender-me, quando a levei ao seu quarto e a deitei em sua cama, apaguei a luz, como todas as noites, com a diferença de que não lhe entreguei o bico, que ela não me pediu, o que estranhei bastante. Enrolou-se para dormir e começou a gemer como nunca havia escutado; era um lamento como o que sentia nos velórios, suave e cadenciado, mas desgarrador. Acerquei-me dela e, enquanto lhe acariciava a cabeça, falava suavemente, dizendo-lhe que sabia o que sentia, mas que já se acostumaria. Quando chorou mais forte, levantei-a, tive-a em meus braços, acendi a luz, tirei-a do quarto e levei-a ao *living*, onde, ajudada por meu marido, fizemos todo o possível para distraí-la, mas quando o sono a vencia começava a chorar desconsolada, terminou dormindo em meus braços, acordando-se várias vezes durante essa noite. No dia seguinte, a diarréia havia desaparecido. Seguiu dormindo nos meus braços durante várias noites, mas cada vez melhorava mais, dormindo bem de noite. O único inconveniente que teve foi um resfriado. Quando levei esse problema ao grupo, intepretaram que chorava pelo nariz. Várias vezes por dia durante a primeira semana agarrava sua boneca nos braços e choramingava, mas pouco a pouco deixou de fazê-lo. Justamente na mesma data em que tínhamos eliminado o bico, quebrou seu carrinho de passeio e esteve vários dias em conserto, quando o trouxeram, a vi exageradamente entusiasmada e desde esse dia estava continuamente ao lado dele, permanecendo sentada nele durante horas e mostrando-o a todas as pessoas que encontrava. A terapeuta interpretou-me que Lucy temia que se passasse o mesmo que acontecera com o seu bico, que desaparecesse para não voltar mais."

Terminava a carta[3] dizendo-me que lhe parecia que Lucy de repente deixava de ser bebê, e que ela estava como que entristecida por isso. Foi evidente que a diarréia gomosa foi a forma como Lucy mostrou a sua mãe que seu organismo estava preparado para o desprendimento e que era necessário eliminá-lo para deixar de ser um bebê, como antes destroçara e rasgara os bicos com seus dentes.

Ela, por outro lado, ainda que se propôs a fazê-lo, falou com sua filha e sentia-se preparada para o desprendimento e inclusive via-o necessário, não pôde tirar-lhe o bico.

Interpretamos que o que ela chamava de "morte do bico" encobria a morte de sua filha como forma de compensar a morte dela mesma como filha. Ela estava exageradamente fixada a sua mãe e era ela a que ainda não se sentia em condições de deixar o bico.

Essa mãe, que em geral tinha um excelente relacionamento com a filha, que a observava e dirigia com inteligência e afeto, deu-me uma corroboração importante para minha afirmação de que existe uma fase genital prévia à organização anal. Observou que Lucy, entre os oito e dez meses, distraía-se em meter os dedos nos orifícios da cara daquele que estivesse perto e que, se brincava com algum chocalho ou bico, levava-os à boca ou aos genitais e dali novamente à boca. Quando terminava de comer, podia-se encontrar em suas calcinhas restos de todos os alimen-

---

3 Esta carta, que a mãe denominou "o presente", significava realmente o bico do qual ela se desprendia por mim.

tos que havia ingerido e que também tinha intentado dar à sua vagina. Quando se banhava, colocava água na boca, a tirava dela, passando-a por seus genitais; nessa época, durante muito tempo, para dormir, fazia o mesmo com o bico; tirava-o da boca e colocava-o nos genitais.

Relatarei outras experiências em que é muito evidente a compreensão e a capacidade de expressão das crianças muito pequenas e como pode modificar a atitude interna de uma mãe quando a compreende.

Quando Dorita tinha oito meses, sua mãe, em geral paciente e carinhosa, começou a ter dificuldade para compreendê-la e a repreendia com frequência. Esclareceu também que era notável como se movia, engatinhava e trepava por todas as partes.

Interpretei-lhe sua dificuldade em aceitar o crescimento da filha, que, ao mover-se por seus próprios meios, separava-se dela.

Nessa mesma época, mostrava-se impaciente com a empregada e terminou despedindo-a, ainda que razoavelmente compreendesse que a necessitava muito e que Dorita sofreria com essa perda.

Quando relatou isso no grupo, pediram-lhe que detalhasse a atitude e as circunstâncias que haviam provocado a despedida da empregada e a resposta afetiva de Dorita. Respondeu que a menina se manifestou muito braba; ela tinha falado muito mal da empregada, sentindo-se muito incomodada ao comprovar que sua filha a queria tanto e sentia saudades dela.

Interpretamos a relação entre sua impaciência pelo crescimento de Dorita e o fato de ter despedido a empregada, compreendendo que tinha transferido à empregada seus desejos de "despedir a filha", como se dissesse: "Já que quer se afastar de mim, que vá".

Na sessão seguinte, relatou que tinha falado com a menina e que ficara impressionada ao comprovar com o fato de Dorita, de apenas oito meses, compreendia tudo o que lhe dissesse; ao voltar à casa depois da sessão anterior, tratou Dorita como se fosse uma pessoa maior; disse-lhe que compreendia que havia agido mal despedindo Josefa, que esta não era má como dissera durante todos esses dias e que a chamaria de volta. Dorita, depois de escutá-la atentamente, deu-lhe um beijo e ficou dormindo nos seus braços.

Uma vez mais, comprovamos a eficácia do trabalho em grupo; a mãe se conscientizou dos motivos da rejeição à filha e de sua atitude impulsiva de despedir a empregada, o que lhe permitiu modificar sua atitude. Além disso, mostrou mais uma vez como um bebê de oito meses entende a linguagem dos adultos.

A mesma menina, ao atingir os quinze meses, amanheceu com uma forte dor no pescoço e um pouco torcida para o lado esquerdo. Quando a mãe relatou isso no grupo, perguntei-lhe se pela disposição da casa seria possível que a cabecinha de Dorita se voltasse para a direção do quarto dos pais; a mãe duvidou e comprovou assombrada que assim era, e acrescentou: "Era como se tivesse girado o pescoço para chegar ao nosso quarto".

Disse que depois ela e o marido se acordaram muito penalizados, porque na noite anterior não tinham ouvido o relógio, como sempre acontecia, às duas horas da manhã.

Como o grupo não compreendia o motivo da sua conduta, perguntaram por que punha o despertador, e ela esclareceu que Dorita dormia muito desabrigada e se resfriava, e por isso eles levantavam-se durante a noite para tapá-la.

Compreendeu logo que ainda que procurasse dar motivos racionais para justificar-se por não colocar a roupa abrigada, as outras integrantes do grupo rebateriam todos os argumentos, e então viu-se forçada a pensar por que Dorita dormia com uma camisola decotada, para logo ter de levantar-se para tapá-la.

Interpretei que dessa forma, como em outras ocasiões, expressava a pena de ver Dorita crescer e tornar-se independente, que também teve conflitos com sua filha quando esta começou a caminhar e a dar sinais de independência.

Mostrei-lhe que sua conduta durante a noite buscava mantê-la ligada a ela, como fazia quando era um bebê, levantando-se de noite para alimentá-la; interpretei a dor de Dorita e o fato de que tinha amanhecido com o pescoço torcido como vinculado ao movimento que costumava fazer enquanto dormia e esperava que os pais chegassem. Como não apareceram, moveu-se em direção a eles e ficou esperando.

Depois dessa interpretação, disse que compreendia algo muito diferente que havia sentido naquela semana. Via Dorita brincar tão feliz e independente longe dela e lhe deu tanta pena, que tirou um bico que tinha guardado desde a época em que ela era bebezinha e colocou-o na boca, ficando embelezada na sua camisola com o bico, como quando era pequenina. Essa lembrança, associada a minha interpretação, justificava plenamente o sentido de que eu tinha dado à dor de Dorita.

Maria, mãe de um menino da mesma idade, relatou o estranho jogo que seu filho fazia com as bonecas. Perfurando-as na zona esquerda da cabeça, escavava-as, mas fazia-o somente com as bonecas vestidas de meninos.

Como o pai tinha sido operado nessa mesma zona antes de nascer o menino, interpretei que este mostrava que conhecia a operação de seu pai e jogando elaborava a angústia que esta lhe causava.

Maria ficou muito aterrorizada e disse que seu filho ultimamente fazia outro jogo com as bonecas, que consistia em arrancar-lhes as pernas, mas também somente aos vestidos de meninos.

O pai deste menino, cujo nível mental era muito bom, tinha fracassado sempre na vida por conflitos neuróticos graves e uma patológica dependência a sua mãe, com a qual viviam.

Na sessão anterior, Maria contou que seu marido tinha empreendido um novo trabalho, fazia corretagem de livros; para isso, tinha que caminhar muito e chegava de noite extenuado, dizendo que parecia ter as pernas quebradas de tanto trabalhar.

Através desse caso, vemos que esse menino de quinze meses compreendia tudo o que se passava em seu ambiente. Angustiava-se ao sentir as queixas do pai, compreendendo que tinha que fazer um trabalho que o extenuava e que era consequência da operação da cabeça. Fazia isso com seus bonecos; operava-lhes a cabeça e depois amputava-lhes as pernas.

Também nessa época relatou a mãe que tinha tendências a brincar com brinquedos perigosos, que acabava machucando a cabeça; via-se assim como sua identidade com o pai o levava a impor-se a mesma mutilação que esse sofreu.

No capítulo 9 relatamos o caso de Verônica, a menina de seis anos que não falava. Pudemos ver que na origem de sua enfermidade estava a proibição para aproximar-se de seu pai.

Dissemos então que até o momento do tratamento que relatamos não conseguimos encontrar traumas reais que explicassem esse conflito, mas existia e era muito intenso.

Relataremos agora como a mãe se sentiu impelida a separar a filha de nove meses de seu pai e como ao tornar consciente essa conduta e o que significava, pôde modificá-la.

Tereza entrou no grupo com uma gravidez de oito meses, dizendo buscar ajuda porque havia perdido o primeiro filho e tinha muito medo de perder o segundo. Relatou as dramáticas circunstâncias que rodearam o parto e a morte de seu filho.

Em todo seu material associativo viu-se uma forte proibição da mãe para que ela mesma chegasse a sê-lo, e como buscava em mim uma terapeuta que se dedicava às mães que contrastasse essa mágoa interna que lhe proibia a maternidade.

Um mês e meio depois nasceu uma menina, a qual criou muito bem, dedicando-lhe a maior parte de sua vida com cuidados eficazes e inteligentes. Inês tinha nove meses quando a mãe disse pela primeira vez que tinha dificuldades para manejá-la, que dormia mal e que havia perdido a boa relação com ela.

Perguntava-se aonde havia ido sua paciência e a angústia que lhe causava ao saber que internamente rejeitava sua filha, ainda que em aparência sua conduta não houvesse mudado em nada.

Relatou que por motivos especiais vivia com ela a sogra, à qual tinha cedido seu quarto matrimonial, para que estivesse melhor acomodada. Disse que agora a sogra era boa e carinhosa para com ela, mas que no início havia se oposto muito ao casamento e que mais de uma vez dissera que não descansaria enquanto não os separasse.

Interpretei-lhe que já não via mais nela a Inês, mas sim sua sogra separando-a do marido; submetia-se a ela, deixando-lhe a cama matrimonial, mas logo sentia raiva e rechaço por se ter submetido.

Disse logo que o pai, frente ao conflito que havia se criado, quase não aparecia em casa e que pensava que o mal-estar de Inesinha era em parte por haver perdido seu pai.

Essa menina estava em pleno desenvolvimento genital prévio e evidenciava o carinho pelo pai e via-se de repente separada dele e rejeitada por sua mãe. Se não se modificasse a conduta da mãe e se tivesse continuado essa situação por muito tempo, o desenvolvimento de Inês teria sido seriamente perturbado.

Relataremos agora algumas das normas técnicas que usamos nas distintas situações.

Já destacamos o uso da interpretação. As mães apresentam no grupo o que chamaríamos de situações básicas frente ao filho e estas são interpretadas; também consultam sobre problemas diários. Se pedem conselhos frente a um problema real, pede-se-lhes que relatem com o máximo de detalhes e interpreta-se sua conduta. Geralmente as integrantes do grupo também fazem interpretações, o que permite – sem dar-lhes diretamente o conselho – propor a observação das modificações da semana entre uma sessão e outra; se ela modifica sua conduta. Por exemplo, se a mãe, ainda que compreenda conscientemente o significado negativo de sua conduta, como, por exemplo, colocar a criança na sua cama, relata que reincidiu em fazê-lo, além de lhe interpretar, se mostra a necessidade de tirá-lo de sua cama e que analise logo o que experimenta quando se vê submetida a essa privação, seguindo-se a observação durante o tempo necessário; nunca julgando a conduta, mas sim interpretando a agressão subjacente a uma atitude aparentemente de muito carinho, como no caso do bico.

Às vezes uma mãe pede orientação sobre o material de jogo ou sobre as atividades que convém a seu filho, de acordo com as etapas de seu desenvolvimento.

Com frequência ela e o grupo vão decidindo normas ou sugerindo atividades, mas no caso de não consegui-lo, eu, como terapeuta, além de interpretar, indico atividades cujos resultados podem ser observados durante a semana. Com técnica similar se procede quando perguntam sobre como explicar temas vinculados ao sexo. Trata-se de que todos intervenham e formulem a explicação que dariam a seu filho. Este foi um dos grandes ensinamentos que obtive dos grupos de mães, porque ainda que soubesse que os pais tinham dificuldades para responder as perguntas, pois não aceitavam a sexualidade de seu filho, nunca pensei que essas fossem tão intensas como pude observar. Por exemplo, quando dez mulheres – entre 25 e 40 anos – se envergonhavam ou se angustiavam como uma criança frente a sua mãe quando lhes pedia que falassem livremente sobre como explicariam isso a seus filhos; nesses grupos, nenhuma das dez respostas dadas por esses adultos correspondiam à realidade.

Minha idéia de realizar grupos de orientação de mães surgiu unicamente da convicção de que poderia melhorar seu vínculo com a criança, fazendo consciente, mediante interpretação, quais eram os conflitos que dificultavam essa relação.

14

Novas perspectivas na terapia

ORIENTAÇÃO PSICANALÍTICA DO LACTANTE

A espera de um filho reativa na mulher as necessidades que sente desde pequena em relação ao interior de seu corpo.[1] O filho será a prova de realidade que lhe dá certeza de sua integridade e plenitude, se este nasce são. Os temores frequentes nas grávidas de ter um filho defeituoso ou de não levar a bom termo a gravidez são consequência dessas angústias. Por isso também o filho toma as características desse desconhecido interior, tão temido e que atua com ele dando prova de uma ignorância que vai muito além do que conscientemente chamaríamos de falta de experiência. Os animais sabem como alimentar e criar seus filhos e consideramos uma deformidade da natureza os que matam, abandonam ou não sabem cuidar de sua cria. A mãe sã deveria saber, por si só, como cuidar e atender seu filho, mas as deformações que padecemos como seres humanos fazem com que isso, tão genuíno, seja ensinado. O caminho pelo qual temos chegado a esse conhecimento é similar ao que nos permitirá transmiti-lo, e vai do patológico ao normal. Durante a análise de neuróticos e psicóticos fomos estudando os fatores patogênicos; sua compreensão junto com a investigação do desenvolvimento primitivo nos tem levado a saber o que é um bebê, quais são suas necessidades e de que forma devem ser satisfeitas para que possam ter uma evolução normal. Apesar de que isso tenha representado um grande progresso para a profilaxia da neurose infantil, faltava encontrar

---

[1] Melanie Klein era de opinião de que o complexo de castração feminino é diferente ao do homem. Consiste principalmente do temor da menina a que sua mãe tenha destruído seu interior, roubando-lhe os conteúdos. Cf. Melanie Klein. *El psicoanálisis de niños*, em especial nas páginas 40 e 101.

uma forma de fazer chegar esse conhecimento às mães, forma que se alcançou com os grupos de orientação. Neles vimos que o sentimento de estranheza ante o filho se manifesta em cada mãe, em uma ou em várias inabilidades na rotina da criação de um bebê. Essas inabilidades, ao serem analisadas nos grupos de orientação, mostraram terem profundas raízes em situações infantis ou na relação com suas próprias mães. Era comum a todas a luta estéril por resgatar um genuíno amor pelo filho, que estava impedido por forças incontroláveis e também o sofrimento em que assumiam essa luta.

O êxito do terapeuta nos grupos não exige que a mãe conheça o filho e logo aplique esse conhecimento ao filho, senão em devolver-lhe uma maternidade feliz, fonte de prazer para o filho e para ela própria, onde o amor flua na mesma liberdade que o leite do seio que amamenta bem, e onde a gratificação possa ser regulada e não obedeça a impulsos ou exigências momentâneas.

Sendo fundamental a forma como se estabelece a relação mãe-filho, imediatamente depois do nascimento, é mais indicado que uma mãe entre no grupo quando está grávida. Nele conhecerá, através de suas companheiras de grupo, muito dos problemas que se apresentarão mais tarde, e, o que é mais importante ainda, aprenderá a ser totalmente tolerante com seus erros, a conhecer a vida de um bebê e a compartilhar muitos de seus sentimentos. Ao nascer seu filho, poderá analisar em grupo seus temores e angústias frente a ele e será mais eficaz ao enfrentar qualquer dificuldade que se apresentar.

O parto sem dor liberou a mulher de grande parte de seus sofrimentos e aproximou-a de vivê-lo de modo natural, e os grupos de orientação de mães, ao prepará-las para essa relação com o filho mediante análise de suas dificuldades e o conhecimento da realidade, cumprem uma função similar. Permitem-lhe lutar eficazmente contra hábitos ou crenças muito enraizadas e que contrariam as necessidades básicas de ambos.

As mesmas limitações que tem a mãe para entender o que seu filho necessita, as têm com frequência os adultos que tratam com crianças, como, por exemplo, os que imediatamente após o parto separam a mãe de seu filho, mandando-o a um berçário ou buscando distanciá-lo de qualquer modo dela. Obedecem assim à idéia consciente de que é necessário que ela descanse e esquecem, por outro lado, o que para a mãe e o bebê significa a ruptura brusca de uma íntima relação que durou nove meses e cujas características não se voltarão a repetir na vida do sujeito, mas sentirá permanentemente saudade dela.

Quando um bebê nasce, seu ego está empenhado na complicadíssima tarefa de elaborar o trauma do nascimento, sendo muitos os autores que têm estudado a vida uterina e o trauma do nascimento. Entre nós, Arnaldo Rascovsky[2] e o seu grupo têm estudado o psiquismo fetal. Todo esse conhecimento nos leva a pensar que o feto, ao ser separado de sua mãe, necessita restabelecer o quanto antes o intenso

---

2 RASCOVSKY, Arnaldo. *El psiquismo fetal*, Ed. Paidós, Buenos Aires, 1960.

vínculo que mantém com ela e recuperar – ainda que seja parcialmente – o contato com o seu corpo, para o qual deve permanecer muitas horas junto a ela nos primeiros dias e adequar-se paulatinamente à separação.

As experiências com lactentes mostram que a boca é a zona mais adequada para estabelecer seu primeiro contato com o mundo – já que necessita alimentar-se para sobreviver –, mas não basta a boca, nem ser apenas alimentado.[3] Ajudamo-lo a vencer sua angústia de separação se imediatamente após o nascimento o colocamos em contato com a mãe e favorecemos a iniciação da sucção. Na medida em que o peito que se oferece à criança satisfaz suas necessidades e alivia suas tensões, o mundo exterior irá significando algo de prazer inteiro para o qual se dirigem seus interesses. Também necessita o calor da sua mãe, sua voz, sua companhia, seu contato e o de roupas adequadas;[4] essas precisam ser demasiadamente estudadas, para que não passe demasiado calor ou demasiado frio, e seja assim ajudado na sua tarefa de termorregulação.

Durante vários anos, pensou-se que a criança não alimentada pela mãe teria graves transtornos no seu desenvolvimento ulterior. Atualmente sabemos que com a alimentação artificial, dada com bom contato afetivo, em situações físicas que se aproximem o mais possível do amamento – buraco do bico adequado, tê-lo nos braços e bem amparado, e que sua alimentação dure o mesmo tempo necessário para mamar – a criança desenvolve-se normalmente. Também sabemos que um seio com suficiente leite pode ser introjetado pela criança como um peito não tão bom, se não é acompanhado do contato afetivo adequado e de uma manifestação suave.

O primeiro caso do qual tirei grande ensinamento foi de uma menina cuja mãe a havia alimentado até os nove meses e que apresentava sérios conflitos vinculados à alimentação e na sua relação global com a mãe. Teoricamente, a lactância foi perfeita, mas soube logo que essa mãe, que sofria de asma muito intensa, alimentou sua filha num período em que os acessos eram quase diários. Compreendi logo que o peito que esta menina mamou estava cheio do terror que lhe inspirou essa mãe sempre enferma, sufocada, que recordava perigo de morte.

---

3 As experiências com lactantes, especialmente as realizadas em 1944 por M. Ribble, relatadas em "Infantile experience in relation to personality development" (*Personality and behavior disorders*, vol. II cap. 20, Ronald Press Co.), mostram a importância do contato afetivo e corporal com a mãe ou sua substituta. Demonstrou que uma lactância artificial realizada através de um bom contato com a mãe ou sua substituta era tão boa como a lactância materna.

Na minha experiência comprovei a exatidão de suas observações e a importância da voz da mãe, sua estabilidade, seu contato afetivo e corporal e a compreensão das necessidades do bebê. Tudo isso, juntamente com a satisfação oral, condiciona a formação de uma boa imagem materna. A satisfação oral isoladamente, embora necessária, não é suficiente para isso. Uma recente experiência com macacos recém-nascidos, efetuada por Harry F. Harlow e um grupo de investigadores do laboratório Primates da Universidade de Wisconsin (*Scientific American*, junho 1959, vol. 20, n° 6), demonstrou a importância fundamental do contato corporal com a mãe para um bom desenvolvimento e vínculo com o mundo.

4 GARMA, Angel. "El origen de los vestidos", *Revista de Psicoanálisis*, tomo VII, n° 2, 1949.

Dissemos antes que a boca e o contato oral da criança com a mãe não são tudo, e veremos agora que nem o leite é tudo para que o seio seja introjetado como uma boa imagem para o bebê.

Consultaram-me por uma criança que chorava continuamente e manifestava grande inquietação, não obstante a mãe ter muito leite e dar-lhe o peito a intervalos regulares. Quando falei com ela, relatou-me que resultava muito pesado para ela dar-lhe o peito a cada três horas, mas como sabia que era bom para seu filho e ela se aborrecia, tinha encontrado uma boa distração, pois enquanto o bebê mamava, via televisão.

Este caso nos ajuda a compreender a falta de contato e as consequências que isso acarreta.

Este bebê recebia leite de uma mãe ausente, que lhe deixava o seio e psicologicamente se afastava.

Além disso, essa falta de contato impedia o bebê de compreender os ruídos geralmente desagradáveis e a música, às vezes estridente das audições; eram estímulos tão doentios, que contaminavam e lhe deformavam o bom que lhe dava com o leite.

Tudo que envolve a primeira relação com o filho é fundamental para seu desenvolvimento ulterior, e voltando agora à situação inicial, diremos que quando separam uma mãe de seu filho logo depois do parto, algo se perde definitivamente no contato com ele. Quando após vinte e quatro horas lhe trazem o bebê, algo do calor que a ligava a ele no seu interior já se extinguiu. Se pelo contrário, colocam o bebê em seguida com a mãe, poderão encontrar ambos algo da relação íntima que tinham através do cordão umbilical.

Uma vez restabelecido o contato com a mãe, este deve repetir-se a intervalos regulares. A primeira semana deve ser de cuidadosa observação, para estabelecer qual é o intervalo que cada bebê suporta sem comer, que flutua entre duas horas e meia e três horas e meia. Depois de uma semana, já saberemos qual é o ritmo que mais convém às suas necessidades; cada bebê, de acordo com as condições em que nasceu, suporta pior ou melhor a frustração e isso se deve estudar cuidadosamente, porque uma das primeiras e mais difíceis tarefas que realiza o ego é enfrentar-se com a ansiedade. Se as circunstâncias exteriores são boas, se fortalecerá gradualmente, mas se incrementa sua ansiedade, com frustrações seguidas, a luta do ego se torna mais difícil; por isso é necessário saber quais as necessidades do bebê no momento de nascer e quais as que paulatinamente deixam de ser importantes para dar lugar a novas necessidades e a novos estímulos.

Quando se estabeleceu o ritmo da alimentação diurna – onde tem que considerar de quinze a vinte minutos de sucção em cada mamada ou mamadeira –, já poderemos saber se o bebê necessita ou não de bico. Não devemos adiantar-nos e dar-lhe antes de sabermos se é necessário. Se com um intervalo de alimentação de três horas e meia, e dispondo cada vez do tempo indicado de sucção, manifesta ansiedade entre as horas, mal-estar e choro contínuo, pode-se pensar na necessidade de dar-lhe.

Cada criança nasce com determinada situação de necessidade e essa sucção suplementar pode ser útil, não para substituir a outra, senão para satisfazer o remanescente de ansiedade que parece ter ficado. Mas nem sempre é por fome ou falta de sucção que o bebê chora. Temos destacado que precisa alimentar-se para viver e que a boca ocupa uma importância fundamental nesse período, mas não há que pensar que é o único aspecto importante. Muitas vezes chora e está descontente, sendo suficiente falar-lhe suavemente ou levantá-lo um minuto, ou trocá-lo de posição, para que se restabeleça seu bem-estar. Só quando tivermos esgotado todos os recursos é que devemos dar-lhe o bico, ou quando, por circunstâncias da organização familiar, não se dispõe de tempo necessário para estudar suas necessidades.

A psicanálise nos familiarizou com o significado das dificuldades de aprendizagem e das inibições em geral.

Nos grupos vimos que quando o bebê chora e a mãe não compreende o que necessita e, mais ainda, se sente incapaz de raciocinar sobre o que pode necessitar – de tão paralisada que está pela sua angústia –, podemos falar da inibição de uma função. Esta inibição pode alcançar graus extremos ou ser apenas passageira.

É frequente, por exemplo, que quando um bebê chora, a mãe pense sempre que o faz por fome; quando lhe oferece comida e este não a aceita, atua como se seu filho fosse apenas uma boca e não sabe lhe oferecer outra coisa.

É frequente o bebê que está placidamente instalado succionando o peito deixe bruscamente o mamilo e chore desconsoladamente, situação em que a mãe costuma sentir-se tão atemorizada quanto um bebê. Tendo um bom contato com o filho, o deixará chorar um momento, o agarrará contra si, não o forçando a comer, e esperará que se acalme, para oferecer-lhe novamente o seio. Se pertence, por outro lado, ao tipo de mãe, a qual não compreendeu esse conflito, se empenhará em colocar novamente o peito na boca, sem pensar que nesse momento este pode significar para a criança algo que a afoga, ou que teme engolir algo aterrorizador. Com essa atitude pode a mãe criar um novo problema para o filho, pois tendo-o forçado a comer nessas circunstâncias, vomitará o que lhe deram.

Tudo quanto faça acertadamente com o bebê no seu primeiro ano de vida é a melhor garantia para sua futura independência e para a de seus pais, mas são variadas as necessidades do bebê e a sensibilidade dos pais para satisfazê-las.

Vimos que o vínculo estreito que une a criança à sua mãe na vida intrauterina e a satisfação incondicional de suas necessidades tornam necessário que o desprendimento dessa situação especial seja gradual e durante esse desprendimento deve-se ajudá-la a receber o que necessita e ainda não consegue por si só. Esse cuidado deve sempre adequar-se ao que cada mãe pode fazer; uma norma de conduta que se afastasse das exigências reais da vida dos pais estaria sempre destinada ao fracasso. A vida de uma criança não pode anular a dos pais; e tão perigoso quanto o abandono é submeter a vida inteira ao cuidado obsessivo e ansioso do bebê. Desse tipo de relação só pode resultar ressentimento. As normas do bebê não devem invadir a vida dos pais, senão numa medida razoável e necessária.

A necessidade do contato com a mãe se fará paulatinamente muito menor na medida em que o desenvolvimento gradual das funções do ego lhe deem nova fonte de prazer na sua relação com o mundo. Isso coincidirá com o crescente bem-estar da mãe e sua reconexão gradual com os interesses que perdeu durante esses últimos tempos, principalmente a união com seu marido e, através dela, com todo o mundo do adulto. Na medida em que ambos, mãe e filho, se permitem um contato inicial mais profundo, mais facilmente irão se separando.

A primeira semana na clínica ou no hospital deve ser amplamente aproveitada para esse íntimo contato com o filho; é por isso que o berçário é tão contraindicado. Um bebê de quinze dias pode ficar algumas horas sozinho durante o dia, mas não pode, sem risco de empobrecimento, ficar sozinho num berçário ao nascer, nem as vinte e quatro horas ou as quarenta e oito horas após o nascimento.

Quando uma criança nasce, ela e a mãe necessitam de intimidade, proteção e cuidado. É o pior momento para que uma mãe se esforce em estabelecer contato com outras pessoas. Se o faz, grande parte da carga afetiva que seu filho necessita irá perder-se e quando o tragam o contato de algum modo estará já perturbado; mais ainda quando se empenha em dar o peito ou a mamadeira rodeada de estímulos que a distanciam do filho e ele dela.

Um momento difícil para a mãe é a chegada em sua casa depois de uma semana na clínica. Ainda que conscientemente tenha ânsia de fazê-lo, a realidade que encontra costuma desanimá-la e desiludi-la. Na clínica – principalmente se aceita o horário das visitas de seus familiares e amigos –, transforma-se no lugar ideal no qual os outros se ocupam do bebê, não se familiarizando ela com seu cuidado diário, e as visitas alimentam um clima maníaco de evasão.

Em casa enfrentará com total responsabilidade o cuidado com o filho, sem as frequentes oportunidades de afastamento; é comum que a mãe, especialmente depois da ajuda de uma enfermeira, sinta-se a princípio muito confusa. Se, por outro lado, teve na clínica um íntimo contato com seu filho, foi pouco a pouco familiarizando-se com ele; a chegada em casa, ainda que seja sempre difícil, terá um menor grau de dificuldade.

É então muito importante que tenha em conta a hora inicial e o horário do dia e da noite para as refeições e para a rotina diária, não só porque a ansiedade do bebê vai se dominando quando se estabelece a periodicidade, senão porque ela sabe quais são as suas horas livres e também se sentirá mais capaz de elaborar o peso da maternidade.

Na medida em que se permite o prazer dessa relação, a impressão de escravidão desaparece, ainda que esteja muito consciente da responsabilidade e da entrega que lhe exige.

O peito é sentido pelo recém-nascido como fonte de alimento e de vida e o fato de haver formado a unidade pré-natal com a mãe cria nele o sentimento nato de que existe um objeto que lhe dará tudo o que necessita e deseja.

Depois do trauma do nascimento, todos os esforços do recém-nascido serão tentativas no sentido de se fazer essa unidade pré-natal, sem consegui-la. Sente a necessidade de um peito sempre presente, que o livre da ansiedade persecutória, mas este tampouco existe, e a realidade necessariamente o frustra; mas pode ajudar-lhe a imagem de um peito real que o satisfaz a intervalos regulares, ainda que desapareça por algumas horas. Quando se atua assim, ele elabora a perda e pode esperar.

Os horários de sono também devem ser muito respeitados; o bebê está em condições de dormir em quarto contíguo se já gozou de contato suficiente com a mãe na clínica e se foi se separando gradualmente dela; a mãe necessita dormir e saber quantas e quais serão suas horas de sono; é bom não só para ela, como também para o bem-estar do casal.

Um bebê bem atendido durante o dia pode dormir de seis a sete horas sem alimentar-se depois da segunda semana. Pouco a pouco esse intervalo pode chegar a oito horas – um bebê de um mês pode dormir e deixar dormir seus pais. Na medida em que se respeita o sono da noite, mais horas estará desperto durante o dia e os estímulos e interesses do mundo lhe facilitarão o desprendimento do vínculo único com a mãe.

O quarto do bebê deve, se possível, estar ao lado do da mãe e deve, preferivelmente, dormir sozinho. Mães muito ansiosas ou com muitas exigências de saídas noturnas costumam necessitar que uma babá esteja com o bebê. A angústia ou necessidade de evasão da mãe que delega suas funções a uma babá não é modificável através de conselhos.

Muitas mães se perguntam sobre o que fazer com o bebê que chora durante a noite. A única solução é atendê-lo, mas a forma como se atende é decisiva para a evolução dessa dificuldade.

Já temos experiência suficiente, através do material obtido nos grupos, para afirmar que se o pai ou a mãe acodem aos chamados dispostos a compreender o que está passando, é possível que o choro pare e que a criança não volte a despertar-se durante toda a noite. Quando se decide atender uma criança que acorda durante a noite, há que reservar o tempo necessário; quando se pretende solucionar rapidamente o conflito, só se conseguirá aumentá-lo, provocando-lhe maior angústia.

Uma criança pequena pode sonhar com algo que a assusta, pode se acordar sobressaltada em consequência de algo que aconteceu durante o dia e pode sentir-se só, temendo estar abandonada.

A simples aparição da mãe, sorridente e tranquila permite-lhe dormir imediatamente. Se os chamados prosseguem, não obstante a atitude tranquila dos pais, deve-se pensar em algum sintoma e consultar-se para saber qual é o conflito que produziu o transtorno, solucionando-o.

Em bebês, qualquer medicamento para dormir não só é contraindicado, mas também ineficaz. Se uma criança não dorme bem, há algo que está errado e é preciso descobri-lo. Pode suceder que a alimentação comece a ser insuficiente e que tenha fome ou que seu ritmo de vida não seja o adequado para seu desenvolvimento. Só uma paciente observação pode levar-nos a encontrar a causa, que é às vezes insuspeita para a mãe. Quando esta vai ao grupo e lhe pedem os detalhes da vida diária da criança e a descrição de sua atitude com ela, costumamos encontrar o motivo do transtorno do sono, e sua modificação na conduta o soluciona.

Se o motivo é a alimentação insuficiente, a mãe consultará o pediatra, que lhe indicará sua adequação.

É frequente que a criança que mamou recuse as primeiras mamadeiras, porque o olor do seio da mãe lhe faz menos apetecível o novo alimento.

Há mães que pretendem solucionar isso delegando a uma babá a função de alimentar o filho. Só a insistência paciente da mãe fará com que triunfe o desejo de comer e se unam em sua mente a representação da mamadeira, que lhe alivia a fome, com as boas recordações que tem do seio. A criança configura assim a imagem do peito em relação a suas fantasias inconscientes. Estas são anteriores à realidade, mas posteriormente a esta realidade as modifica, existindo sempre uma interação entre a realidade interna e a externa.

É necessário permitir-lhe experiências totais; se é interrompida não pode começar e terminar a experiência de acordo com as suas necessidades. Neste como em todos os casos, forçá-lo a aceitar algo é contraproducente; ao contrário, a atitude paciente e compreensiva da mãe é a única que ajuda a vencer qualquer obstáculo.

O passo para a alimentação mais sólida ou para a inclusão da carne nas comidas pode ser difícil a princípio, e a rejeição a mastigar e a engolir – frequente nos bebês – é indício de inadequado manejo da agressão.

Na relação com o alimento, pode suceder que a criança tenha uma boa relação com a comida e uma má relação com a mãe ou o contrário. Se a relação com a mãe e a comida é boa, trata-se de uma boa alimentação. Se é má a relação com a mãe e com a comida, trata-se de uma má relação, que a conduz à anorexia, até mesmo mental.

Na rejeição à comida ou na falta de prazer ao comer podem atuar:
1 – o medo de ser envenenado;
2 – a rejeição do mundo exterior – negativismo;
3 – a inibição do sadismo, que a leva a não comer para preservar o peito, o que explica que o mesmo problema – comer – tem significados muito diferentes como também diferentes soluções, tal como vemos comumente nos grupos.

O movimento e o jogo são necessidades tão básicas como as da alimentação. Ao redor dos três ou quatro meses, o bebê brinca com os sons – laleio – e também com os seus lençóis ou com suas mãos.

Os mecanismos psicológicos que regem a aparição destes jogos são os mesmos que temos notado na atividade lúdica das crianças maiores.

O primeiro jogo que a criança realiza é o de esconder-se ou o laleio e neles se vê claramente o significado de perder e reencontrar.

A atividade do jogo se torna possível por um processo mental que acontece na criança em torno do terceiro mês e é uma das consequências da elaboração de sua fase depressiva – a função simbólica. Se o bebê não tivesse a capacidade de simbolizar, não poderia projetar os símbolos nos objetos e a atividade do jogo não teria sentido.

É muito significativo que o primeiro brinquedo, em quase todas as civilizações, seja o chocalho,[5] que, ao ser movido, produz sons que desaparecem, para depois reaparecerem.

Melanie Klein descobriu fantasias de masturbação subjacentes às atividades lúdicas. Pude observar que sob a ansiedade que ativa a capacidade de jogar estão as necessidades genitais insatisfeitas, que surgem da fase genital prévia, quando, ao aparecer seu primeiro dente, deve abandonar seu vínculo oral com a mãe e busca um vínculo genital.

O bebê deseja morder antes que apareçam as peças dentárias e sua aparição marca uma fase importante em seu desenvolvimento; o que até esse momento pode ser uma fantasia de morder e rasgar transforma-se em realidade. A alimentação com sólidos é por isso imprescindível nesse momento, não só como alimento, senão para satisfazer sua necessidade de morder e canalizar normalmente o alimento.

Também o movimento é uma necessidade corporal e psicológica que nesse momento lhe serve para exploração e conhecimento do mundo exterior, aliviando desse modo a ansiedade. Quando o bebê mostra necessidade de movimento e faz força para incorporar-se, tentando tomar os objetos próximos a ele, é necessário satisfazer essa necessidade. Esta pode apresentar-se antes num bebê do que em outro, e é a observação de suas reações que nos dará a pauta do estímulo que necessita.

Já na segunda metade do primeiro ano, a criança necessita explorar o mundo e, além disso, distanciar-se da mãe, para preservá-la dos seus impulsos de destruí-la com os dentes, unhas e todos os meios que são inerentes ao seu desenvolvimento corporal e normais a essa idade. Distribuindo sua agressão, ânsia e culpa de reparação dos outros objetos, pode estabelecer uma boa relação com a mãe.

Se não se cumprem essas necessidades surgem transtornos; o mais frequente é a insônia.

Outra conquista que o ajuda, aliviando sua ansiedade, é a aquisição da linguagem.

Também no final do primeiro ano, o bebê adquire a capacidade de falar as primeiras palavras. O laleio significou um jogo com sons que lhe permite elaborar situações de perda, e a palavra, que é, em princípio, a reconstrução do objeto da sua mente, facilita-lhe a elaboração de sucessivas perdas.

Quando a criança caminha, move-se livremente e já diz algumas palavras, está em condições de elaborar a aprendizagem do controle de esfíncteres. Não só porque este desenvolvimento o facilita, senão porque se modifica o significado que para ele tem a urina e as matérias fecais. Até esse momento a necessidade de sujar-se satisfaz com as matérias fecais e a urina, que são, para seu inconsciente, além disso, os instrumentos de sua onipotência sádico-destrutiva. Outros movimentos e necessidades os substituirão lentamente.

---

5 ALVAREZ DE TOLEDO, Luisa G. de, e PICHON RIVIÈRE, Arminda Aberastury de. "La música y los instrumentos musicales", *Revista de Psicoanálisis*, tomo I, p. 185-200.

Na experiência de psiquiatras e psicanalistas de crianças, toda a criança com enurese teve controle de esfíncteres precoce, que:
1 – a priva da necessidade instintiva;
2 – aumenta sua noção de maldade interior;
3 – angustia, pela insegurança que a postura e a aprendizagem no urinol exigem dele quando ainda não tem um controle muscular suficiente.

Em linhas gerais, podemos dizer que, quando uma mãe educa seu filho, trata de desenvolver nele uma série de atos que confrontam com suas necessidades; muitas dessas exigências são imprescindíveis para a adaptação da criança à realidade; se são exigidas no momento apropriado e se lhe for dado o tempo necessário para consegui-la, não se produzirão transtornos.

Se a aprendizagem do controle de esfíncteres coincidir com a exigência interna de limpeza – que só é possível quando se instalam as defesas obsessivas – se fará facilmente, elaborando-se sem dor.

O primeiro ano de vida, especialmente o período que compreende a segunda metade desse e o começo do segundo ano, caracterizam-se por um aprendizado múltiplo e convergente com a realização de conquistas que conduzem a uma modificação fundamental frente ao mundo externo, modificação tão significativa como o nascer; a criança se põe de pé, caminha, fala, produzindo-se o desmame.

O desmame é a consequência de todo um processo de desprendimento cujo motor essencial e último é a intensificação da ansiedade depressiva, intensificação produzida pela aparição dos dentes, instrumentos que tornam possível a realização concreta das fantasias destrutivas.

O desmame determina na criança:
1 – a necessidade de separar-se da mãe, para preservá-la, perdendo em parte a comunicação conseguida;
2 – a necessidade de buscar novas formas de conexão com ela;
3 – a estruturação de uma primeira fase genital prévia à anal e à polimorfa.

As fantasias de um vínculo genital com o objeto, expressas pelo penetrar e ser penetrado, se apóiam nas atividades orais que lhe servem como modelo: surge a fantasia de algo que se introduz e que nutre-se de uma cavidade que pode receber esse algo, criando a equivalência entre peito e boca, e pênis e vagina.

Suas fantasias de união genital perigosa com um objeto carregam a imagem de seus pais de uma destrutividade especial, e é essa uma das razões do perigo com que a criança vive a cena primária nesse período de sua vida.

O incremento das necessidades orais e genitais pelo processo descrito produz a necessidade de organização para expulsá-la. Termina por estruturar a primeira fase anal, que serve para a conservação do vínculo por um mecanismo similar ao que, na primeira relação com a mãe, cumpre a projeção ao atuar junto com a introjeção.

Ainda que as tendências orais, anais e genitais atuem desde o momento de nascer, organiza-se e estrutura-se a fase oral, porque é a que permite à criança superar o trauma do nascimento e assim sobreviver. Penso que quando os dentes fazem a sua aparição e o vínculo oral com o objeto deve ser abandonado tenta-se uma recuperação através dos órgãos genitais.

A linguagem, ao permitir a reconstrução mágica dos objetos, serve-lhe para elaborar a ansiedade depressiva intensificada pela dentição. O pronunciamento da primeira palavra significa para a criança a reparação do objeto amado e odiado, que reconstrói dentro e lança ao mundo exterior. Secundariamente, experimenta que a palavra o coloca em contato com o mundo e que é um meio de comunicação.

Quando nasce o dente da criança, experimenta que algo duro e cortante penetra em algo mais mole, triturando-o e rasga (peito – alimento sólido). Essa experiência está no núcleo de sua ansiedade quando começa a comer sólidos, em especial carne.

A criança pode verificar na realidade sua capacidade de destruir com os dentes. O chocalho mordido, a folha de papel destroçada e a comida sólida que rasga simbolizam partes dele mesmo e da mãe. Confronta assim os efeitos reais de sua destrutividade e, segundo o grau desta, incrementam-se tanto as ansiedades depressivas como as paranoides.

O desenvolvimento da locomoção e o aumento da capacidade de manipulação e apreensão dos objetos reforçam, por um lado, as ansiedades depressivas, mas ao mesmo tempo servem para elaborá-las e são empregadas como o caminhar e a linguagem, com o mesmo significado e fins.

A bipedestação e o caminhar surgem de uma necessidade imperiosa da criança de separar-se da mãe para não destruí-la e esses mesmos ganhos servem depois à sua necessidade de recuperá-la.

Resumindo: a organização genital, ao fracassar na sua função de reconexão com o objeto, põe em atividade por regressão, como sucedeu na ruptura provocada pelo nascimento, sistemas de comunicação para reestruturar o vínculo com os diferentes objetos parciais, orais, anais e genitais – fase polimorfa. Para poder preservar o vínculo com um objeto bom estrutura-se a fase anal primária de expulsão, mantendo os elos orais e genitais em atividade.

Estas teses apóiam as descobertas de Melanie Klein sobre os estágios prematuros do complexo de Édipo, com o aparecimento dos sintomas genitais na segunda metade do primeiro ano. Tento explicar por que surge a parte genital e o porquê do seu fracasso como organização.

O mecanismo de expulsão a serviço da conservação do objeto é o que sustento atuar no impulso de movimentar-se e caminhar. A criança que caminha conserva a mãe, distanciando-se dela para preservá-la e aproximando-se quando dela necessita.

Em estreita relação com a fase anal, quero descrever uma experiência que aparece na criança quando se põe de pé. Enquanto está deitada, envolta em fraldas, a matéria fecal e a urina constituem um conjunto com as fraldas. Quando se põe de pé, compreende que a matéria fecal e a urina se desprendem de seu corpo, e a experiência de desprendimento, de perda, vivida nessas circunstâncias, contribui para aumentar a ansiedade da separação – ansiedade depressiva–, na qual se repete uma experiência já vivida por ela quando se desprenderam as membranas fetais.

A locomoção e a aquisição de novas simbolizações, ao permitir repartir, desfazer e elaborar essas ansiedades, facilita a boa relação com a mãe.

Nesse período de desenvolvimento poderia se dizer que ela mesma se projeta no mundo externo, destruindo a parte má de si mesma e da mãe, para salvar ambas. Quanto mais consciência adquire da capacidade de suas armas destrutivas – dentes, músculos e habilidade crescente dos movimentos –, mais medo tem de destruir a mãe como objeto total e mais necessidade tem de dividir e descarregar suas fantasias sobre os objetos do mundo exterior, que representam, por identificação projetiva, os fragmentos maus de seus objetos – pai e mãe.

Os movimentos e jogos com brinquedos utilizados na aprendizagem da realidade e das funções corporais tornam-se indispensáveis para impedir acúmulo de fantasias destrutivas que podem dirigir-se sobre a figura da mãe se a criança está imóvel. As ansiedades paranoicas levam-no a realizar uma exploração do mundo exterior, a fim de comprovar a realidade dos perigos de que se sente rodeada.

Quando as necessidades de movimentação, de exploração e de jogos não encontram satisfação, a criança sente aumentar seus impulsos agressivos, e isso aumenta as ansiedades depressivas e paranoicas. No desenvolvimento normal a criança sente a ansiedade de desfazer esses efeitos e ansiedades sobre objetos cada vez mais afastados dela, e creio que a necessidade de distanciar-se da mãe para não destruí-la é o que o leva a engatinhar, caminhar, trepar e brincar.

As observações clínicas dos lactentes cujas mães não compreendiam as necessidades do filho e os obrigavam a um regime de imobilidade e de falta de estímulos mostram que invariavelmente tinham transtornos neuróticos.

Estudei em especial um deles: a insônia. Um regime caracterizado pela imobilidade e falta de estímulos é o que encontramos nesses casos. Isso condenava a criança a matar seus objetos oriundos da fantasia, sem ter podido dividir nem repetir as experiências, e consequentemente, a temer a repetição do ataque contra ele, imóvel e indefeso.

O caminhar não só lhe serve para superar a posição depressiva, permitindo-lhe recuperar ou encontrar novos objetos, mas também representa a realização motriz de uma das técnicas de defesa mais características dessa fase: distanciar-se do objeto de amor. No desenvolvimento normal isto é seguido pela restituição dos objetos mediante as palavras, utilizando o mecanismo de reparação para superar a ansiedade.

Penso que quando o bebê entra na fase depressiva, laleia como uma das primeiras tentativas de vencer a situação depressiva, criando ruídos que simbolizam algo que sai do seu corpo, soa fora e através do qual se ocultam fantasias e lembranças, como mais tarde acontece com a palavra, num sentido cada vez mais explícito.

A continuidade genética e a identidade originária entre os sons e as palavras parecem cada vez mais evidentes.

A palavra é para a criança a recriação dos objetos no seu mundo interno; pode guardá-los ou lançá-los ao mundo exterior para o estabelecimento de um vínculo que começou sendo interno e termina por ser externo.

A ansiedade que surge na criança quando começa a falar é enorme e se deve ao fato de que seu mundo se enriqueceu de modo desproporcional a sua capacidade de expressão verbal. Não está seguro da eficácia de seu novo instrumento de reparação.

Pronunciar a primeira palavra significa para a criança:

I – o reaparecimento do objeto amado;

2 – a experiência de que a palavra o coloca em contato com o mundo e que é um meio de comunicação.

Na realidade, é a recriação de um vínculo com o objeto interno que externaliza e reexternaliza durante o jogo verbal. Essa linguagem egocêntrica se transforma num contato com o mundo exterior, e pela aprendizagem, em linguagem social, servindo pouco a pouco à criança para a construção de seus sistemas de comunicação.

A aparição do objeto nomeado quando ele o chama, a experiência de que a palavra o vincula com o objeto, assim como a reação emocional do ambiente ante seus avanços de linguagem fortificam e ratificam sua crença na capacidade mágica da palavra.

Estas conclusões teóricas são o resultado das observações realizadas durante o tratamento analítico de crianças e durante os grupos de orientação de mães.

Na medida em que as mães conhecem as necessidades de seus filhos e as satisfazem, estes se desenvolvem normalmente. A importância do primeiro ano de vida revelou-se ser transcendental; seus primeiros passos serão a pauta de seus primeiros passos no mundo, e todas as suas primeiras experiências marcarão seu desenvolvimento posterior.

O NOVO ENFOQUE DA TERAPIA E DA PROFILAXIA DAS NEUROSES INFANTIS: *os grupos de orientação de mães e a psicanálise de crianças – sua inter-relação.*

Destaquei muitas vezes que a análise de crianças, bem como a de adultos, deve ser uma relação bipessoal, e que na técnica que exponho não se concedem entrevistas com os pais, a não ser em circunstâncias especiais e estipulando previamente as condições.

Esclareci também que crianças pequenas também são capazes de adaptar-se ao ambiente ou modificá-lo e que considerava inútil toda a técnica que incluísse conselhos ou modifcações ambientais.

Mostrarei, através de um caso, como o grupo de mães, ao permitir, sem interferência, a ação conjunta sobre a criança e sobre a mãe, facilitou o tratamento e serviu de profilaxia para o segundo filho. A mãe sofria de uma compulsão a destruir para depois reparar, e repetia com a filha menor a conduta destrutiva, que contribuía à enfermidade da maior.

Exporei fragmentos da análise de uma criança de três anos – a filha maior – e das sessões de grupo da mãe, nas quais se vê a ação e a interação profilática do grupo.

Nora chegou à consulta com diagnóstico de epilepsia numa menina oligofrênica. A terapeuta que a estudou, Suzana L. de Ferrer, com as técnicas da entrevista inicial e a observação de horas de jogo – que apresentamos nos capítulos cinco e sete –, chegou à conclusão de que o diagnóstico não era correto e orientou o tratamento de acordo com seu enfoque: aconselhou analisar a criança e recomendou a mãe para um grupo de orientação, suprimindo radicalmente toda medicação.

As três terapeutas – a que fez o diagnóstico, a que tratava individualmente a criança e eu, que tratava a mãe no grupo – formávamos parte de um grupo de estudo onde comentávamos a evolução e pudemos confrontar passo a passo o material oferecido por ambas – mãe e filha – com as primeiras observações realizadas durante o diagnóstico.

Podemos ver que neste caso se cumpre o que expuséramos sobre a revisão dos dados fornecidos pelos pais na primeira entrevista e sua confrontação com os que surgem quando a criança melhora e a culpa se alivia.

Nora era a filha mais velha de um casal jovem e, conforme os dados fornecidos pela mãe na primeira entrevista, foi desejada por ambos, sendo a gravidez, o parto e lactância normais.

Como se verá no decorrer desse caso, os dados eram apenas parcialmente exatos.

Segundo a mãe, a criança se desenvolveu bem até os três meses, quando se evidenciou a luxação congênita bilateral das cadeiras. O médico indicou a imobilização da parte inferior do corpo – pélvis e perna –, e uma placa *ad hoc*, que apesar de ser removível, deveria ficar fixa a maior parte do tempo possível. Essa indicação manteve-se até os oito meses, mas a mãe não pôde – por sua angústia – aproveitar a liberdade que lhe deu o médico e a placa não foi removida durante todo esse tempo.

Nessa época, devido às crises de ansiedade de Nora, davam-lhe calmantes, dois a três por dia, o que diminuía manifestamente suas reações vitais, sem modificar sua angústia nem o transtorno do sono que se apresentou depois.

Quando tinha um ano, conforme declaração da mãe na primeira entrevista, e aos nove meses, segundo informação posterior, enquanto lhe dava banho e lhe lavava a cabeça, Nora perdeu os sentidos durante dois ou três minutos, não empalideceu, seguiu respirando de forma normal e se observou um ligeiro desvio dos olhos, recuperando-se com uma simples massagem com álcool.

Julgamos importante um antecedente dado pela mãe: a menina teve sempre exagerada ansiedade ao reclinar a cabeça para trás para lavá-la; pudemos logo relacionar este aspecto com a circunstância difícil de seu parto.[6]

Tendo um ano e dois meses, repetiu o episódio, mas dessa vez com maior gravidade, já que a perda de sentidos foi mais demorada e acompanhou-se de convulsão hemilateral. Esse episódio foi relatado pela mãe, dizendo que, enquanto a carregava, caiu-lhe um pacote e para recolhê-lo abaixou bruscamente a menina. Foi nesse momento que Nora perdeu os sentidos. Levaram-na ao hospital, onde reali-

---

6 Dificuldades com a rotação da cabeça..

zaram uma série de exames, entre eles uma punção lombar, uma ventriculografia, um eletroencefalograma e um exame de fundo de olho. Os resultados foram negativos e se descartou a suspeita de algum grande mal, não revelando hematoma nem lesão traumática alguma; aconselhou-se repetir o eletroencefalograma no ano seguinte. Como tratamento, indicou-se Epamin e tranquilizantes diários em grandes doses.

No dia seguinte a esse episódio, começou uma coqueluche, que durou muito mais tempo que o habitual.

Com um ano e oito meses, estando a mãe grávida e tendo-se acentuado seu sintoma de irritabilidade, anorexia e constipação, levaram-na a um hospital, onde, depois de uma série de testes, se informou à mãe que Nora revelava 60% do nível mental correspondente à sua idade cronológica e que por sua epilepsia seria necessário duplicar a doses de sedativos e de Epamin. Aconselharam a mãe a que voltasse dentro de um ano para repetir os exames.

Com dois anos e dois meses, ao nascer sua irmã, o atraso afetivo e intelectual era evidente: quase não falava, babava continuamente, recusava alimentos sólidos e sofria de constipação, que se alternava com enormes evacuações. Através do que relatou a mãe, pudemos ver que Nora reagiu ao nascimento de sua irmã com aumento da agressão, a qual foi reprimida pelo meio ambiente. Disse, por exemplo, que no dia em que chegaram do hospital com a irmã, bateu numa de suas primas, o que levou a que a fechassem num quarto escuro. Na madrugada desse mesmo dia, depois de um choro prolongado, tremeu, pronunciou gritos estridentes, ficando em seguida imóvel, e nas primeiras horas da tarde começou a subir a febre, alcançando 40°. Durante essa crise, virava os olhos para cima e atirava-se para trás, gritando: "Estou caindo". Poucas horas depois, apresentou um quadro de rigidez e de vômitos. Ao acordar na manhã seguinte, tentou várias vezes descer da cama, caindo todas as vezes. Depois entrou numa etapa de prostração sonolenta, acompanhada de vômitos de sangue coagulado e de uma grave desidratação, sintomas que causaram sua internação num serviço hospitalar. Deu-se como diagnóstico encefalite, fez-se uma punção lombar e iniciou-se a administração de soros e medicação específica. Esteve internada quatro dias, e o diagnóstico e o tratamento foram de encefalite.

A mãe observava que há muito tempo os sedativos, especialmente o Epamin, que davam à Nora, lhe faziam mal. Insistiu na necessidade da realização de uma análise de urina, a qual revelou intoxicação por drogas.[7] Suspenderam o Epamin e o calmante, observando-se ao mesmo tempo uma evidente melhora. Dois meses depois desse quadro, um médico do hospital, a pedido da mãe, encaminhou-a ao analista[8] mencionado anteriormente. Quando chegou à consulta analítica, o diagnóstico era: "Epilepsia em menina oligofrênica", e o tratamento que lhe receitaram era o seguinte:

---

7 Uma vez mais, quando tudo estava perdido, surgiu na mãe a capacidade para salvar a sua filha, orientando os médicos.

8 Eduardo Kalina.

"Rp Luminaletas* 2 no café da manhã
                  2 ao jantar
Epamin   0,03 no café da manhã"

Foi a preocupação da mãe sobre o estado de sua filha que a levou a consultar com um familiar e exigir a análise da criança. Quero aqui lembrar que quando esta mãe era menina brincava de bonecas; estas eram sempre filhos tarados que ela salvava no último momento. Com Nora repetiu sempre a mesma situação; quando tudo parecia perdido, seu amor pela filha salvava-a.

A entrevista com a mãe e a observação de uma hora de jogo diagnóstica revelaram um quadro mais otimista do que se poderia deduzir pelos antecedentes.

Penso que a aparente gravidade se deveu ao fato de ter sido coartada na sua motilidade na segunda metade do primeiro ano de vida, o que, somado a fortes doses de sedativos, provocou um bloqueio da agressão, tendo como resultado consequente não só os sintomas orgânicos, como também uma inibição na sublimação. Neste, como em outros casos, o fracasso na simbolização produz sintomas que podem ser confundidos facilmente com atraso mental.

Foi indicada a suspensão dos medicamentos e iniciou-se imediatamente o tratamento analítico da menina, com quatro horas semanais. A mãe ingressou, no mesmo dia, em um grupo de orientação de mães. Os dados sobre a gravidez, parto e imobilização foram relembrados por ela em uma das sessões de grupo que comentei no capítulo anterior.

Veremos, em seguida, como a comparação dos dois tratamentos permitiu o esclarecimento do caso e sua recuperação relativamente rápida. Nosso conhecimento sobre o desenvolvimento de uma criança nos permitiu constatar que se esta imobilização foi tão traumática, foi porque aconteceu entre o terceiro e o quarto meses, momento evolutivo em que a criança passa da posição esquizoparanoide à etapa depressiva, que é crucial no seu desenvolvimento. Nesse momento inicia-se também sua necessidade de movimentos livres, que lhe permitem, quando já caminha, separar-se de sua mãe.[9] A imobilização, que durou até os nove meses, fez com que a fase genital prévia se iniciasse nessas condições, nas quais a masturbação não só se viu interrompida, como também foi vivida como proibida. A mãe compreendeu o porquê de sua conduta; por exemplo, a imobilização naquela idade e não

---

* Tranquilizante muito conhecido na Argentina. (Nota da tradução.)

9 Quando li meu trabalho sobre a dentição, o caminhar e a linguagem na Asociación Psicoanalítica Argentina em 1957, ao falar sobre o significado do caminhar, expressei a opinião de que a posição depressiva descrita por Melanie Klein devia ser a repetição de uma situação similar vivida no período intrauterino e que reaparecia com o início da mobilidade. As afirmações de Gessel em seu livro *Embriologia de la conducta*, Ed. Paidós, 1946, revelam a importância deste fator em tal período. Diz Gessel, na p. 104: "Este mês – o quarto – termina por ser o mais notável na embriologia da conduta, pois o feto exibe (embora ainda sem domínio) um repertório extremamente variado de modalidades genéticas elementares..." "... braços e pernas exibem maior mobilidade a nível de todas as articulações e efetuam incursões a novos setores do espaço". Ver também p.65, 66, 101, 105 e 106 da obra citada.

antes nem depois. Significava repetir a imobilização que ela, mãe, se impôs entre os três e nove meses de gravidez, quando lhe disseram que pelas perdas que tinha sofrido corria o risco de abortar.

Nora começou seu tratamento quando tinha 28 meses. Era uma menina fisicamente atrativa, com aspecto agradável, um olhar inquieto e investigador, que fazia contraste com a parte inferior de seu rosto, onde a baba saía continuamente de sua boca e corria até a roupa, sem reação alguma, nem sequer tratando de limpar-se. O fato de se limpar foi um dos primeiros indícios de sua melhora.

Entrou com a mãe e observou tudo dentro do consultório, sem manifestar angústia quando a mãe foi para a sala de espera. Estando sozinha com a terapeuta, aproximou-se da mesa onde estavam os brinquedos e sua caixa individual. Eram bonecas, animais, taças, pratos, talheres, uma bola, alguns autos, aviões, papel, fio, tesouras, lápis de cor, massa de modelar e cubos.

Agarrou a massa de modelar e deu-a à terapeuta, dizendo: *Tina*. É interessante esclarecer, em relação a sua inibição na simbolização, que seu jogo inicial se realizou só com substâncias, massa de modelar,[10] sem utilizar brinquedos, como teria feito uma criança de sua idade com desenvolvimento normal do ego.

Nessas primeiras horas, demonstrou sua fantasia inconsciente da enfermidade, quando mostrou no antebraço uma pequena mancha, a qual chamou *nana*,* para depois bater o braço na nuca. Em seguida pronunciou uma série de ruídos que denominou *rádio*, com os quais descrevia o que sentia dentro de sua cabeça. Vinculou seu *dodói* com sua cabeça e os ruídos dentro dela. Começou um jogo no qual comparava os dois braços do terapeuta; num tinha um relógio e no outro uma pulseira, sendo os dois objetos muito parecidos e feitos com o mesmo material. Nora mostrava assim uma diferença entre a terapeuta e a mãe. A semelhança e a diferença dos dois objetos que despertavam sua ansiedade simbolizavam a novidade da relação terapêutica. Também simbolizava a desconfiança latente de que o analista repetisse a conduta de sua mãe. Durante o tempo restante dessa sessão pediu à terapeuta que fizesse para ela uma série de *tetinhas* (bolinhas de massa de modelar), que depois transformou numa série de *patinhos*. No último deles, com o lápis, fez um furo abaixo do rabo, o qual encheu de novas bolinhas, denominando-as *cocozinhos*.

Queremos lembrar que havia sido feita em Nora uma punção lombar depois da convulsão e que evacuava o intestino com o uso diário de supositórios. Neste brinquedo expressou como se sentia agredida e cheia de *cocô*, até ficar doente.

Em sessões posteriores, dramatizou mais claramente a punção lombar, pedindo que lhe fizesse injeções na coluna, depois de um jogo no qual batia a cabeça e caía, repetindo a situação originária, que determinou a internação e que na transferência significava o medo a que também comigo recebesse o tratamento

---

10 Cf. os dois casos do capítulo 9.

* *Nana: dodói* (ferida). (Nota da tradução.)

daquela oportunidade. A hipermobilidade que mostrava nas sessões foi interpretada como movimento perpétuo para negar, por meio deste, a paralisação e como defesa ante o temor de que a terapeuta também a imobilizasse.

A angústia de Nora ao lembrar o aprisionamento da parte inferior de seu corpo fez-se notória quando, ao entrar nas sessões, tirava os sapatos e baixava a calcinha, temendo que acontecesse na situação transferencial o mesmo aprisionamento da situação originária.

Desde que começou o tratamento progrediu notavelmente na sua linguagem; já pronunciava as palavras mais claramente; formulava bem as frases; quase não babava e quando o fazia tratava de controlá-la, aspirando e tragando a saliva ou secando-se. Sua constipação desaparecera e a alimentação e sono já eram normais. A mãe declarou que "atualmente, quando a vê brincar com outras crianças, se espanta cada vez ao ver seu aspecto de normalidade".[11]

Pensamos que se conseguiu uma melhora tão rápida é porque junto com a interpretação e resoluções dos conflitos estavam as modificações da conduta da mãe quando compreendeu de que maneira ela mantinha a doença da filha. A melhora ocorrida aliviou o sentimento de culpa da mãe e permitiu-lhe tomar consciência de quão grave era o estado anterior de sua filha. Essa melhora também permitiu recordar fragmentos da história de sua filha que estavam totalmente reprimidos na primeira entrevista, tal como já relatamos, e que eram fundamentais para compreender a gênese da enfermidade.

Antes da gravidez de Nora, que foi consignada pela mãe como a primeira, teve outra que resultou em aborto espontâneo no terceiro mês. As características desse aborto fizeram com que o médico lhe dissesse que seria difícil ela reter um filho. Quando estava no terceiro mês da segunda gravidez, teve fortes perdas, sendo aconselhada pelo médico a interrompê-la, porque considerava que não teria garantias de que chegasse a bom termo e, se isso acontecesse, a criança poderia ser doente. Essa ameaça de um possível filho enfermo angustiou-a profundamente, pois seria a realização de uma antiga fantasia que a fazia retornar a sua infância, quando, brincando com bonecas, demonstrava que temia ter filhos *tarados*. Apesar de o índice de probabilidade que lhe dera o médico ser de um entre cem, de que sua filha nascesse sã, decidiu conservar a gravidez e fez completo repouso do terceiro ao nono mês, tal como se imobilizou Nora para curá-la de uma *tara congênita*.

Nas primeiras sessões, apesar de que conscientemente fizesse o relato da enfermidade da filha, os atos de Nora que evidenciavam sua doença eram considerados pela mãe como maldades ou caprichos. Um dos problemas que trouxe ao grupo foi o de sua impossibilidade de impedir que Nora batesse na sua irmã, que nesse momento tinha três meses. Batia-lhe frequentemente na cabeça, o que lhe despertava o medo de que também sua segunda filha ficasse *tarada*. Tomou consciência de que não só não sabia parar a agressão de Nora, como também a utiliza-

---

[11] A melhora da menina se expressava nos planos psíquico e somático.

va como instrumento de sua própria agressão, do mesmo modo como tinha utilizado os médicos e suas indicações para agredir Nora, levada por sua antiga necessidade e temor de que seus filhos primeiros se *tarassem*, para que ela depois os curasse. A compulsão a transformar a segunda filha também num doente se manifestou ao não poder deter as batidas de Nora na cabeça da irmã e a curava de uma suposta constipação, colocando-lhe supositórios todas as manhãs. Até que não compreendeu o conflito entre o amor e o ódio que a estimulavam a destruir para depois reparar não desapareceu o problema das pancadas, e, graças a sua evolução, sua segunda filha viu-se livre de supositórios e medicamentos. Em dada oportunidade, quando voltou a repetir um ataque contra ela, imobilizou-a com uma cinta; este durou um só dia, pois ao compreendê-lo substituiu a cinta pelos seus braços, para ensinar sua filha a caminhar. Se não tivesse compreendido seus conflitos, não teria compreendido e modificado sua conduta tão rapidamente. Este caso nos ilustra sobre as perspectivas que os grupos de mães abrem para a compreensão das neuroses infantis e para a profilaxia de futuros transtornos.

Índice alfabético de casos

Adolfo, 116, 117, 118
Alba, 102
Amanda, 38
Ana, 119, 120, 250 a 258

Beatriz, 132, 133, 139

Carlos, 50, 181

Daniel, 214 a 215
Diego, 216 a 217
Dorita, 262, 263

Elena, 95
Ema, 126 a 128
Emília, 38
Ernâni, 115
Ernesto, 222 a 227, 245
Estela, 44
Estêvão, 101

Fanny, 145
Fernando, 130

Geraldo, 134
Glória, 144
Graciela, 218, 219

Henrique, 38

Inês, 264

Jaime, 239 a 245
João, 50
Joãozinho, 15, 17, 22 a 32, 34, 60, 75
Joaquim, 49

Jorge, 180 a 214
José, 51
Josefa, 262
Júlia, 49

Lucy, 260, 261
Luís, 35
Luísa, 120

Marcos, 253 a 258
Maria, 38, 263
Maribel, 553, 55
Mário, 110
Marta, 174, 211 a 214
Miguel, 136
Mônica, 228 a 235

Nora, 138, 279 a 284

Patrícia, 90, 151, 152 a 162, 172, 179
Paula, 38
Pedro, 50

Raul, 91
Roberto, 113
Rodolfo, 56

Sílvia, 218, 219
Susana, 102

Teodoro, 38

Verônica, 98, 100, 105, 151, 162 a 179, 264
Virgínia, 121 a 125

Referências

TEXTOS CONSULTADOS

ABERASTURY, Arminda (Ver também PICHON RIVIÈRE, Arminda A. de). *El juego de construir casas – su interpretación y valor diagnóstico.* Buenos Aires, Paidós, 1961.

—. La dentición, su significado e sus consecuencias en el desarrollo, *Boletín de la Asociación Argentina de Odontologia para Niños*, v. 1, n. 4, Buenos Aires, 1961.

ALVAREZ DE TOLEDO, Luisa G. de e PICHON RIVIÈRE, Arminda A. de. La Música y los instrumentos musicales. *Revista de Psicoanálisis*, t. 1, p. 185-200, Buenos Aires.

ERICSON, Milton. On the possible occurrence of a dream in an eight month-old infant. *The Psychoanalytic Quarterly*, v. 10, n. 3, 1941.

FREUD, Anna. *Psicoanálisis del niño* (1927). Buenos Aires, Imán, 1949.

—. *El yo y los mecanismos de defensa.* Buenos Aires, Paidós, 1949.

FREUD, Sigmund. *Obras completas.* Buenos Aires, Americana, 1943.

—. *Obras completas.* Buenos Aires, Biblioteca Nueva, 1948.

—. *Obras completas.* Buenos Aires, Santiago Rueda, 1956.

GARMA, Angel. *Psicoanálisis de los sueños.* Buenos Aires, Nova, 1948.

—. El origen de los vestidos. *Revista de Psicoanálisis*, t. 7, n. 2, 1949.

GESELL, Arnaldo. *Embriología de la conducta.* Buenos Aires, Paidós, 1946.

GOODENOUGH, Florence. *Test de inteligencia infantil por medio del dibujo de la figura humana.* Buenos Aires, Paidós, 1951.

HARLOW, Harry F. *Scientific American*, v. 200, n. 6, 1959.

HOMBURGUER, Erik. Configuraciones en el juego. *Revista de Psicoanálisis*, t. 6, n.2, 1948.

HUG-HELLMUTH, H. Zür Technik der Kinder-Analyse. *Int. Zeit. für Psychoanalyse*, v.7, 1921.

HUIZINGA. *Homo ludens.* Buenos Aires, Emecé, 1959.

JONES, Ernest. *Vida y obra de Sigmund Freud.* Buenos Aires, Nova, 1959.

KLEIN, Melanie. *El psicoanálisis de niños* (1932). Buenos Aires, Biblioteca de Psicoanálisis, 1948.

—. *Developments in psycho-analysis.* Londres, Hogarth Press, 1952.

—. *Contributions to psycho-analysis.* Londres, Hogarth Press, 1948.

—. Personification in the play of children. *Int. Journal of Psycho-Analysis*, v. 10, 1929.

—. The origins of transference. *Int. Journal of Psycho-Analysis*, v. 33, 1952.

—. El duelo y su relación con los estados maníaco-depresivos. *Revista de Psicoanálisis*, t.7, n.3.

KRIS, Marianne. *The psychoanalytic study of the child*. Londres, t. 14, Imago Publishing Co., 1959.

MERLEAU PONTY, M. *Fenomenología de la percepción*. México, Fondo de Cultura Económica, 1957.

MORGENSTERN, Sophie. *Psychanalyse infantile*. Paris, 1937. Traduzido em parte na *Revista de Psicoanálisis*, t. 5, n. 3.

PEARSON, Gerald, H.J. *Trastornos emocionales de los niños*. Buenos Aires, Beta, 1953.

—. *Psycho-Analysis and the education of the child*. Nova Iorque, WW Morton and Co. Inc., 1954.

PICHON RIVIÈRE, Arminda A. de (ver também ABERASTURY, Arminda). Indicaciones para el tratamiento analítico de niños — un caso práctico. *Revista de Psicoanálisis*, t.4, n.3, 1947.

—. Algunos mecanismos de la enuresis. *Revista de Psicoanálisis*, t.8, n.2.

—. La transferencia en el análisis de Niños, en especial en los análisis tempranos. *Revista de Psicoanálisis*, t.9, n.3, 1952.

—. La dentición, la marcha y el lenguaje en relación con la posición depresiva. *Revista de Psicoanálisis*, t. 15, n. 1, 1958.

—. Trastornos emocionales en el niño vinculados con la dentición. *Revista de Odontologia*, v.39, n.8, 1951.

—. Fobia a los globos en una niña de once meses. *Revista de Psicoanálisis*, t. 7, n.4, 1950.

—. La inclusión de los padres en el cuadro de la situación analítica y el manejo de esta situación a través de la interpretación. *Revista de Psicoanálisis*, t. 14, n. 1-2.

—. *El juego de construir casas, su interpretación y valor diagnóstico*. Buenos Aires, Biblioteca de Psicoanálisis, Nova, 1958.

RAMBERT, Madeleine. Une nouvelle technique en psychanalyse infantile: le jeu des guignols. *Revue Française de Psychanalyse*, v. 10, 1938.

RANK, Otto. *The trauma of birth*. Nova Iorque, Robert Brunner, 1952.

RASCOVSKY, Arnaldo. *El psiquismo fetal*. Buenos Aires, Paidós, 1960.

RIBBLE, Margaret, A. Infantile experience in relation to personality development. *Personality and the behaviour disorders*, v. 2, cap. 20, Ronald Press Co.

SCHILDER, Paul. *Imagen y apariencia del cuerpo humano*. Buenos Aires, Paidós, 1958.

SEGAL, Anna. Some aspects of the analysis of a schizophrenie. *Int. Journal of Psycho-Analysis*, t.31, 1950.

TEXTOS CITADOS

CAMPO, Alberto J. La interpretación y la acción en el análisis de los niños. *Revista de Psicoanálisis*, t. 14, n. 1-2.

CAMPO, Vera. La interpretación de la entrevista con los padres en el análisis de los niños. *Revista de Psicoanálisis*, t. 14, n. 1-2.

—. La introducción del elemento traumático. *Revista de Psicoanálisis*, t. 14, n. 1-2, 1958.

CHAIO, José. Algunos aspectos de la actuación de las interpretaciones en el desarrollo de *insight* y en la reestructuración mental del niño. Revista de Psicoanálisis, t. 14, n. 1-2, 1958.

EVELSON, Elena. Una experiencia psicoanalítica: análisis simultáneo de hermanos mellizos. *Revista de Psicoanálisis*, t. 1-2, 1958.

GARBARINO, Mercedes, F. de. Dramatización de un ataque epiléptico. *Revista de Psicoanálisis*, t. 15, n. 1-2, 1958.

GARCIA REINOSO, Diego. Reacción de una interpretación incompleta en el análisis de un niño psicótico. *Revista de Psicoanálisis*, t. 10, n.4.

GARMA, Elizabeth G. de (ver também GOODE, Elizabeth). Aspectos de la interpretación en el psicoanálisis de niños. Revista de Psicoanálisis, t.7, n.2.

—. Un cuento en el análisis de un nino. *Revista de Psicoanálisis*, t.7, n.3.

GRINBERG, Rebeca. Evolución de la fantasia de enfermedad, a través de la construcción de casas. *Revista de Psicoanálisis*, t. 15, n. 1-2, 1958.

JARAST, Sara G. de. El duelo en relación con el aprendizaje. *Revista de Psicoanálisis*, t. 15, n.1-2, 1958.

LAMANA, Isabel L. de. La asunción del rol sexual de una melliza univitelina, *Revista de Psicoanálisis*, t.15, n.1-2, 1958.

MORERA, María Esther. Fantasías heterosexuales subyacentes a una histeria de conversión. *Revista de Psicoanálisis*, t. 15, n. 1-2, 1958.

PERESTRELLO, Marialzira. Consideraciones sobre un caso de esquizofrenia infantil. *Revista de Psicoanálisis*, t. 7, n. 4.

PICHON RIVIÈRE, Arminda A. de. Cómo repercute en los niños la conducta de los padres con sus animales preferidos. *Revista de Psicoanálisis*, t. 8, n. 5.

—. Una nueva psicología del niño, a la luz de los descubrimientos de Freud. *Revista de Psicoanálisis*, t. 8, n.4.

RACKER, Genevieve T. de. El cajón de juguetes del niño y el *cajón* de fantasías del adulto (medios de actuación — juego frente a la realidad angustiosa interna — transferencia). *Revista de Psicoanálisis*, t. 15, n. 1-2, 1958.

RASCOVSKY, Arnaldo. Consideraciones psicosomáticas sobre la evolución sexual del niño. *Revista de Psicoanálisis*, t. 1, n. 2.

RASCOVSKY, Arnaldo; PICHON RIVIÈRE, Enrique e SALZMAN, J. Elementos constitutivos del síndrome adiposo prepuberal en el varón. *Archivo Argentino de Pediatria*, out. 1940.

RASCOVSKY, Arnaldo e RASCOVSKY, Luis. Consideraciones psicoanaliticas sobre la situación actual estimulante en 116 casos de epilepsia infantil. *Revista de Psicoanálisis*, t.2, n.4.

RASCOVSKY, Arnaldo e SALZMAN, J. Estudio de los factores ambientales en el síndrome adiposo genital en el varón. *Archivo Argentino de Pediatria*, ano 11, n.6, t. 14.

ROLLA, Edgardo H. Análisis contemporáneo de un padre y un hijo. *Revista de Psicoanálisis*, t. 15, n.1-2, 1958.

SAZ, Carmen. Comunicación y destrucción. *Revista de Psicoanálisis*, t. 15, n. 1-2, 1958.

SCOLNI, Flora. Psicoanálisis de un niño de 12 años. *Revista de Psicoanálisis*, t.4, n.4.